KB196619

Tarot
타로의 지혜

타로의 지혜

지은이 조앤나 워터스
옮긴이 이선화
초판 1쇄 발행일 2006년 1월 20일
초판 12쇄 발행일 2024년 6월 5일

펴낸이 황정선
출판등록 2003년 7월 7일 제62호
펴낸곳 슈리 크리슈나다스 아쉬람
주소 경남 창원시 의창구 북면 신리길 35번길 12-12
대표 전화 (055) 299-1399
팩시밀리 (055) 299-1373
전자우편 krishnadass@hanmail.net
카 페 cafe.daum.net/Krishnadas

ISBN 89-952705-3-5 03180
Printed in Korea

타로의 지혜

Tarot

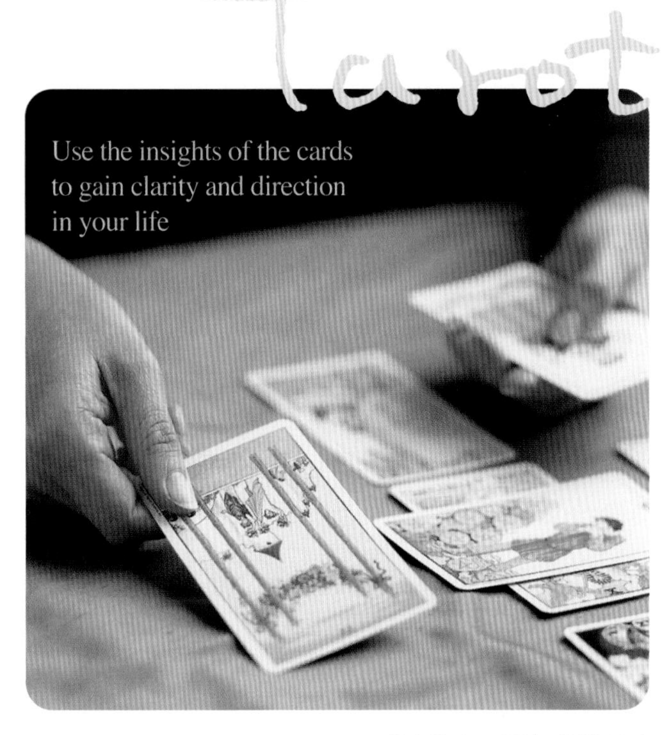

조앤나 워터스 지음 | 이선화 옮김

슈리 크리슈나다스 아쉬람

TAROT FOR TODAY

TAROT FOR TODAY by Joanna Watters

This Korean edition was published by Sri Krishnadass Ashram in 2006
by arrangement with Joanna Watters through KCC(Korea Copyright Center Inc.), Seoul.

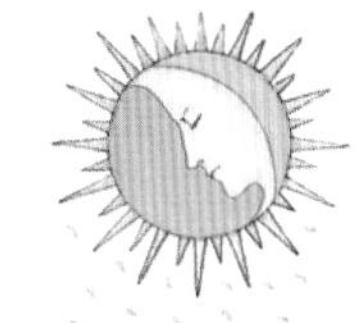

차 례

머리말

타로에 대한 대중들의 인기가 빠르게 높아지고 있다. 대중 언론 매체에
타로가 별자리, 점성학과 더불어 점점 더 많이 소개되고 있다는 점이 이를 나타낸다.
이렇게 인기가 높아지는 것은 삶의 의미를 찾고자 하는 사람들의 욕구가
반영되고 있는 것으로 볼 수 있다.

타로는 대부분 잘못 이해되고 있는 편이다. 점성학이나 수상학과 같은 대중적인 형태의 운명 예언에 대해서도 그렇듯이, 타로를 우습거나 비합리적인 것으로 기술하는 경우가 흔하다. 그들은 타로를 마음이 약한 사람들이나 잘 속아 넘어가는 사람들, 또는 그런 것들을 맹신하는 사람들이나 보는 것으로 간주한다. 게다가 많은 사람들은 타로를 투시력이나 오컬트와 관련이 있는 것으로 여기고 있다. 그러나 이런 것은 이미 심령 능력이나 투시력을 갖고 있는 사람들에게 해당하거나, 터부와 미신에 가려진 유령 놀음인 강령회와 점판(占板)과 같은 것들에 불과하다.

이런 점에서 타로는 점성학과도 차이가 있다. 점성학은 주로 별자리에 관한 칼럼과 전화 상담을 통한 예언의 형태로 활발히 이용되고 있지만, 심령적인 능력과 반대되는 기술로 여겨지는 것 같다. 이 책은 타로가 독특한 마법을 가지고 있지만 동시에 누구나 배울 수 있는 습득된 기술임을 보여 주는 것을 목표로 하고 있다. 이 점을 설명하기 위해 1장에서는 예언과 투시의 차이점을 다루고 상징의 성질을 살펴볼 것이다. 이 점들만 이해해도 우리는 타로에 대한 일반적인 오해의 기초를 파악할 수 있다.

타로는 이제 잡지와 신문에 대중적인 점성학과 함께 나란히 게재되고 있다. 이것은 타로의 부활과 대중화를 명백히 보여 주는 것이며, 삶의 의미를 찾으려는 현대인의 욕구를 반영하는 것이다. 새로운 천년으로 들어감에 따라 우리는 성취, 물질주의, 급속히 발전하는 기술에 점점 더 관심을 집중하고 있다.

과학적인 태도가 이처럼 우세한 적은 없었지만, 이것은 불가피하게 자체의 반작용을 일으켜 이제 더욱더 많은 사람들이 영적인 차원을 회복하고 내면세계와 더 깊이 연결되기 위해 애쓰고 있다.

타로에 관한 현대적 접근

타로의 역사를 기술하고 타로 카드와 그 의미들이 오랜 세월에 걸쳐 어떻게 발전해 왔는지를 다룬 책들이 많이 출간되었다. 이런 내용들이 흥미롭기는 하지만, 해석자나 내담자의 관점에서 타로를 이해하기 위해 반드시 학술적으로 접근할 필요는 없다. 오랫동안 타로 해석을 하면서 다양한 경험을 쌓은 내가 보기에 내담자들은 이런 종류의 역사에 관해 거의 흥미를 보이지 않았다. 내담자들은 오로지 자신에 관한 카드 읽기의 내용에만 관심이 있었으며, 카드들이 자신의 개인적인 상황과 관계들을 어떻게 반영하는지 그리고 예측이나 안내가 얼마나 정확하고 가치 있는지에만 관심을 보였다. 그러므로 이 책에서 다루고자 하는 것은 타로 카드의 역사를 조사하는 것이 아니라, 타로 카드의 가치와 목적 그리고 의미를 실제적인 접근을 통해서 현대적인 맥락으로 새롭게 소개하는 것이다.

타로 카드

현재 수많은 종류의 타로 카드들이 판매되고 있지만, 어떤 카드가 더 좋은 카드인지를 말해 주는 고정된 기준은 없다. 가장 좋은 기준은 자신이 좋아하는 것을 따르는 것이다. 그러니 가장 마음이 끌리는 사진과 그림으로 이루어진 카드를 선택하라. 쉽게 친숙해지는 카드일수록 카드를 사용하기가 쉬울 것이다.

나는 유명한 라이더 웨이트(Rider Waite) 카드로 처음 타로를 배웠는데, 이 카드는 웨이트(A. E. Waite)가 고안하고 패밀라 콜먼 스미스(Pamela Colman Smith)가 그림을 그린 것이다. 이들이 함께 제작한 카드의 그림들은 단순하면서도 힘이 있고 통찰력과 이해가 담겨 있어 그림들의 상징적인 의미를 쉽게 파악할 수 있다. 이 책에서 사용한 타로 카드는 라이더 웨이트 카드를 기초로 한 유니버설 웨이트(Universal Waite) 카드이다. 어느 카드를 사용하건 그 카드는 메이저 아르카나(Major Arcana), 마이너 아르카나(Minor Arcana), 궁정 카드(Court Card) 등 세 가지 범주들로 이루어진 78장의 카드로 구성되어 있을 것이다.

메이저 아르카나(The Major Arcana) | 메이저 아르카나는 0번 바보(Fool)부터 21번 세계(World)까지 22장의 카드로 구성되어 있다. 이 카드들은 원형들을 구체적으로 표현하고 있고 심리적 연상이 풍부하기 때문에 대체로 가장 중요한 카드로 인정되고 있다. 점성학의 상징체계도 같은 중요성과 복합성을 지니고 있다. 그래서 나는 각각의 메이저 아르카나 카드들을 이에 대응하는 점성학 부분과 관련지어 비교했다. 카드들의 의미를 배우고 그 상징체계와 의미를 삶에 적용해 보면, 점성학을 배우지 않은 독자라도 이런 비교가 도움이 된다는 것을 알게 될 것이다.

타로 카드의 종류는 수없이 많다.
이 카드는 유니버설 웨이트
카드이다.

마이너 아르카나(The Minor Arcana) | 이것은 에이스(Ace)에서 10번(Ten)까지 10장의 카드로 이루어진 네 짝패로 구성되어 있다. 이 40장의 카드는 많은 정보와 깊이 있고 섬세한 해석을 더해 줄 수 있다. 지팡이(Wand), 펜타클(Pentacle), 검(Sword) 그리고 컵(Cup)은 네 원소인 불, 흙, 공기, 물과 상관이 있다. 점성학에서는 각각의 원소에 특정한 성질과 특성을 부여하는데, 이 점에 대해서는 각 짝패의 도입부에 설명해 두었다. 이러한 상관관계를 기술한 것은 이런 카드들의 의미를 풍부하게 하고 충실히 하기 위한 것이다.

타로 카드와
점성학적 궁 사이의 상관관계는
카드의 의미를 깊이 이해하는 데
도움을 줄 수 있다.

궁정 카드(The Court Card) | 궁정 카드는 나머지 16장의 카드들이며, 각각 시종(Page), 기사(Knight), 왕(King), 여왕(Queen)의 네 짝패로 이루어져 있다. 이 카드들은 종종 우리 삶에 있는 다른 사람들에 대해 말해 준다. 그래서 나는 각각의 원소에 상응하는 황도 12궁(宮)을 표시해 두었다. 이런 연결은 내담자가 알고 싶어 하는 사람의 성격 유형을 묘사하는 데 도움이 될 수 있다. 나는 또한 여왕(Queen)에게는 금성을, 기사(Knight)에게는 화성을 대응시키듯이 각 집단에 하나 이상의 행성들을 배당했다.

해석자의 역할

타로 해석자의 역할은 예언자, 해석자, 상담자라는 세 부분으로 이루어진다. 여기에 필요한 기술들을 배우고 결합시키는 법은 이 책 전반에서 다루고 있다.

예언자로서 | 타로 해석자는 미래를 보는 사람, 의견을 말하고 판단을 내리는 사람으로서 비교적 전통적인 역할을 맡는다. 하지만 오늘날의 타로 해석자는 큰 키에 음험한 이방인이나 복권 당첨을 예언하는 미래 예언가가

아니다. 예언을 하는 방법은 찻잎이나 수정 구슬을 이용하는 틀에 박힌 투시 세계보다 훨씬 정교하다. 현대의 타로에서는 사실 예언은 카드 읽기에서 상대적으로 작은 부분을 차지하며, 해석을 시작할 때 하기보다는 해석을 마무리할 때 한다. 어떤 해석들의 경우에는 예언적인 내용이 전혀 필요하지 않다는 것을 알게 되면 놀랍게 느껴질지도 모르겠다.

해석자로서 | 타로를 해석하는 사람은 타로의 상징적 언어로 의사소통을 하며, 배열에 의해 펼쳐진 카드에 나타난 이미지를 가지고 내담자의 개인적 상황을 설명하고 맞춘다. 해석을 하면서 기술을 가르치려 하는 것이 잘못일지도 모르지만, 나는 항상 내담자들을 가능한 한 빨리 상징의 세계로 초대하려고 한다. 2장, 3장, 4장의 해석 사례들을 보면, 내가 대개 카드의 그림을 설명하면서 해석 과정을 시작하며 이런 점에서 타로의 직접성이 대단히 유용하다는 것을 알게 될 것이다.

타로 카드가 어떻게 우리의 삶을 반영하고 상세히 묘사하는지를 설명하면, 내담자들이 '상징적인 태도'를 받아들이는 데 도움이 된다. 다시 말해서, 타로 해석이 타당성을 가지려면 해석은 맥락의 모든 중요한 틀 안에 놓여야 하며, 상징이 어떻게 작용하고 해석이 어떻게 자신에게 타당한 상징체계를 제공하는지를 내담자로 하여금 알게 해야 하는 것이다. 이러한 이유로 나는 내가 해석한 사례들 가운데 가능한 한 많은 사례들을 제시하였고, 각각의 일화들을 통해 개별 카드들을 구체적으로 설명했으며, 하나의 카드가 이야기의 사슬 안에서 의미 있는 연결고리를 형성할 때 어떻게 활기를 띠고 많은 이야기를 할 수 있는지를 볼 수 있도록 했다. 상징체계가 실제로 작동하는 것을 볼 때 비로소 예측의 진정한 마법이 우리에게 펼쳐진다.

상담자로서 | 오늘날의 타로 해석자는 상담자의 역할도 할 수 있어야 한다. 처음으로 점성학 상담을 시작했을 때, 나는 곧 내담자들이 탄생 시의

별자리 위치를 계산하거나 달의 위치를 알기 위해 나를 찾아오는 것이 아니라는 것을 깨달았다. 그들은 안내나 해답을 찾기 위해 나에게 왔으며, 내가 점성가로서 이런 해답을 제공할 뿐만 아니라 그들의 문제에 관해 대화하고 이해해 주기를 기대했다. 타로에도 같은 원리가 적용된다. 따라서 우리는 실제적이고 중요한 문제들을 드러내는 대신 카드들에 대해서 지나치게 설명하지 않도록 늘 경계해야 한다.

당신은 '그저 재미로'라고 말하는 내담자를 자주 대하게 될 것이다. 그것이 사실이건 아니건 간에 사람들이 당신을 찾는 이유는 십중팔구 스트레스와 고통, 걱정, 혼란을 일으키는 문제와 씨름하고 있기 때문이다. 이것은 우리가 타로 해석자로서 다른 사람의 삶의 미묘한 부분을 다루고 있다는 것을 뜻하므로 기본적인 상담 기술을 습득하는 것이 중요하다. 우리가 하루아침에 상담 전문가가 되기를 기대할 수는 없으며, 이러한 분야의 기술은 시간과 경험만으로 연마되는 것이 아니다. 하지만 기본적인 원리들은 알 수 있으므로 5장에서는 정서적, 심리적인 면을 고려하여 해석을 할 수 있도록 통찰과 지침을 제공한다. 6장은 해석을 하는 데 필요한 실제적인 기술들을 설명하고 있으며, 처음부터 쉽게 배우고 사용할 수 있도록 카드 배열의 사례들을 덧붙였다.

내담자가 이전에는 타로 카드를 제대로 본 적이 없다고 해도 검이 다툼을, 컵이 사랑을 나타내는 이미지라는 것은 금방 알아차릴 수 있다.

이 책의 전반에 걸쳐 나는 예언의 세계에 이제 첫발을 내딛는 독자들을 마음에 새기려 애썼다. 동시에 타로에 상당히 숙련된 독자들도 이 책에서 유용하고 유익한 자료들을 찾을 수 있기를 바란다. 나는 오랜 세월 학생들과 내담자들에게서 받은 질문들을 다루고자 했고, 이론을 실제에 적용시키기 위해 최대한 노력했다. 어떤 분야에 대해 배우건 배움에는 끝이 없기 때문에 이 책 역시 최종적인 지침서는 아니다. 이 책이 당신에게 흥미롭게 느껴지고 타로에 관한 지식을 풍부하게 해 주기를 바라며, 무엇보다도 당신이 섬세한 타로 해석자로서 스스로 공부하고 발전할 수 있도록 격려하고 도움을 주기를 소망한다.

1

예언과 투시

예언과 상징 사이에는 중요한 연결 관계가 있는데, 이러한 관계를 이해하면 타로 해석자나 점성가의 역할에 대한 인식이 바뀌게 된다. 이러한 신비한 기술들은 투시력에 기초한 것이 아니라, 우리 모두가 지니고 있는 직관과 창조적 기술에 근거하고 있다. 이 장에서는 점성학을 소개하며, 천궁도를 계산하지 않고도 타로 해석에서 점성학을 이용하는 법을 설명할 것이다.

예언과 투시

타로를 취미로 삼든 직업으로 삼든, 당신은 타로에 대한 다른 사람들의 다양한 반응들과 불가피하게 마주치게 될 것이다.

15년 동안 타로를 경험한 나도 누군가가 내 직업을 물어보면 조금 긴장하게 된다. 즉각적인 반응이 따르겠지만 그것이 반드시 진지한 관심은 아닐 수도 있음을 알기 때문이다. 많은 사람들은 타로에 매력을 느끼지만, 질문을 받는 순간 나는 비웃음과 황당함, 흥미로움, 심지어 분노까지 일으킬 수 있음을 느낀다.

많은 편견들이 존재한다. 하지만 그러한 반응은 두려움이나 무지에서 나온 것임을 기억하는 것이 중요하다. 이것은 부분적으로 언론 매체의 강력한 역할 때문이다. 전문적인 운명 예언의 세계에서 언론 매체의 역할은 양날의 검이다. 신문과 잡지들과 인터넷은 타로를 대중에게 소개하지만, 대부분 진지하게 받아들일 필요가 없는 그저 예언적이며 일차원적인 면으로만 보여 준다. 자신의 의문이나 개인적인 상황이 어떠하든지, 세 장의 카드를 읽어서 명확한 미래를 예측하는 것 이상의 어떤 것이 타로에 있을 것이라고 생각하는 사람은 거의 없다.

일부 인터넷에 소개되어 있는 타로를 통한 임의적인 판단은 내담자 개인에 관한 완전한 카드 배열을 토대로 작업하는 것과는 거의 혹은 아무런 관련이 없다는 것은 그리 어렵지 않게 알 수 있다. 운명 예언자의 이미지를 바꾸기는 어려웠다. 그리고 타로 해석자의 틀에 박힌 이미지는 여전히 강하게 남아 있다. 이를테면, 별들이 그려진 차양 밑에 앉아서 머리에 스카프를 쓰고, 커다란 귀고리를 하고, 이상한 이름을 가진, 어떤 면에서는 기묘하고 무섭고 우스꽝스럽고 현실과는 동떨어진, 심지어 미친 사람 같은 모습으로 남아 있는 것이다.

런던의 타로 해석자에게
정기적으로 자문을 받은
고(故) 다이애나 황태자비처럼
많은 유명 인사들이
타로 해석자를 찾고 있다는 것은
잘 알려진 사실이다.

설마 이 모든 것을 정말로 믿지는 않겠지요?

나는 이런 질문을 수없이 많이 들었으며 이 질문을 듣는 것을 몹시 싫어했다. 이것은 대개 비웃음으로 가득 찬 질문이지만, 사실은 토론을 위한 완벽한 주제라고 할 수 있다. 왜냐하면 운명 예언이라는 것은 지식에 관한 문제가 아니라 믿음에 관한 문제이기 때문이다. 믿음에 관한 문제라는 것은 이를테면 "당신은 신을 믿습니까?"와 같은 신념에 관한 문제이다. 이러한 자세는 타로를 해석하는 사람이 단지 자신의 믿음 체계에, 심지어 일종의 맹신에 이를 수도 있는 믿음 체계에 이끌리고 있다는 것을 암시하고 있다. 타로 해석자는 단지 어떤 것이 진실이기를 바라기 때문에, 증명될 수 없는 그것을 고집하며 예언을 하는 사람으로 보인다.

함대에서 일하는 한 남성으로부터 이 질문을 받자, 나는 해안을 가리키며 그에게 되물었다. "당신은 요트가 항해를 할 수 있다고 믿나요? 당연히 당신은 믿겠지요. 요트가 항해하는 것을 수없이 봤을 테니까." 타로 해석자가 배열된 카드를 볼 때, 그는 믿는 입장이 아니라 아는 입장으로 옮겨 간다. 카드 배열 작업을 수없이 많이 보게 되면, 그 지식은 당신을 안전하게 보호해 주며 자신감의 기반이 된다. 그 자신감이 정말로 확고해지면, 당신은 자신의 작업에 차이를 느끼게 될 것이다. 당신은 주저하는 대신 확신을 갖게 될 것이다.

배열된 타로 카드를 해석하는 방법을 아는 것은 심령 능력의 결과물이 아니라 어떤 기술들을 배우고 익힌 결과이다. 이러한 기술들 가운데 일부는 지식을 통해서, 카드들의 전통적인 의미를 배움으로써 습득된다. 반면에 다른 기술들은 당신의 직관적이고 창조적인 재능을 통해서, 상징적으로 생각하는 법과 특정한 맥락 안에서 상징을 해석하는 법을 배움으로써 얻어진다. 어느 기술이나 마찬가지로, 이 기술의 경우에도 성공의 정도는 처음에는 투자한 시간과 노력의 양, 그런 다음에는 그 뒤의 학습과 경험에 달려 있다.

타고난 재능은 반드시 드러나게 마련이다. 당신은 자신이 상징체계를 이해하는 데 뛰어나다는 것을 발견할 수도 있다. 또한 더 향상됨에 따라 자신의 심령 능력이 계발됨을 느낄 수 있을 것이다. 당신은 이것을 높아진 직관력으로 경험하게 될 것이다. 그것은 마치 사고의 실을 쥐고 풀어내거나, 탁자 위에 놓인 카드들과는 아무런 관련이 없어 보이는 어떤 확실한 느낌을

운명 예언과 투시력

투시력은 프랑스어의 '분명한'과 '시야'로부터 온 단어이다. 하지만 이것은 예리한 시각 이상을 의미하게 되었다. 만약 우리가 어떤 사람이 투시력을 가진 것 같다고 말한다면, 우리는 그들이 심령가라는 것을 의미하며, 이것은 일반적으로 이 사람이 일종의 천부적인 천리안을 지니고 있다는 것을 의미한다. 그들이 반드시 심령적인 기술을 의식적으로 계발한 것은 아니다. 그들은 누구에게 말을 듣거나 요청받지 않아도 이런저런 일들을 저절로 보고 듣고 안다. 이것은 요구받지 않은 정보 혹은 예언의 영역이다.

운명 예언(Divination)은 예언이나 예측을 뜻하는 라틴어 'divinare'가 그 어원이다. 현대의 정의는 '미래의 일을 예언하는 것, 또는 숨겨지거나 모호한 것을 초자연적인 방법 혹은 마술과 같은 방법으로 발견하는 것'이다.[1] 그렇다면 본질적인 차이점은 운명 예언은 타로 카드나 점성학, 수상학, 신탁 등의 수단을 통해 상담하는 행위라는 것이다. 이것은 요구받은 정보 혹은 예언의 영역이다.

따르는 것과 같다. 어떤 단어가 머릿속에 맴돌며 입 밖으로 소리내기를 요구하는 것을 느낄 수도 있다. 또한 초조해지거나 복부가 긴장되거나 두통이 일어나는 등 강한 육체적 반응을 느낄 수도 있다. 만약 이러한 일이 나에게 일어난다면, 그것은 보통 공감을 많이 필요로 하는 고민 많은 사람과 함께 있을 때이다. 중요한 것은 해석을 하는 과정에서 생겨나는 어떠한 감정에 대해서도 깊은 관심을 보여 주는 것이다. 그것들은 당신에게 뭔가를 말해 주고 있기 때문이다. 그리고 당신이 더욱더 수용적이 될수록, 당신과 카드와 내담자의 역동적인 연결은 더욱 강해질 것이다.

상징의 본질

상징의 세계로 들어가기 위해서는 사실상 상징체계를 고안한 셈인
칼 융(Carl Jung)을 참고해야 한다.
그를 통해 우리는 상징에 대한 가장 정확한 정의를 얻을 수 있다.

융은 상징을 기호와 비교함으로써 상징을 정의했다.

"기호라는 것은 그것이 나타내는 개념보다 언제나 부족하다. 반면, 상징은 어떤 것을 그것의 명확하고 즉각적인 의미 이상으로 나타낸다."[2]

바꿔 말하면, 상징은 풍부한 의미와 수많은 가능성을 지닌다. 만약 상징이 알려진 것 하나만을 나타낸다면, 그것은 단지 하나의 이름에 불과할 것이다. 기호는 자기를 알리며 명확하고 자기 설명적이지만, 상징은 모호하며 그 의미를 끄집어내야 한다.

하지만 상징이 많은 다양한 의미를 지닐 수 있다는 것은 어떤 의미도 괜찮다는 말과는 다르다. 이러한 원칙을 이해하는 것이 해석의 기초에 필수적이다.

꿈의 세계

상징의 세계로 들어가는 데 꿈보다 더 좋은 것이 있을까? 우리의 의식적인 마음이 잠들면, 무의식이 깨어나며 우리에게 이미지라는 그림의 언어로 말을 한다. 이러한 상징들은 무슨 뜻인지 조사하기 전에는 아무런 의미가 없다. 만약 당신이 꿈을 해석해 달라고 친구나 상담자 혹은 자신에게 부탁한다면, 당신은 해석이 '옳고' '진실한' 때가 있다는 것을 알게 될 것이다. 당신은 다양한 해석들을 생각해 볼 수 있겠지만, 올바른 해석이 떠오르면 그것은 틀림없이 진실하게 여겨질 것이며 깊은 인상을 심어 줄 것이다. 무의식에서 온 메시지는 이해가 되고, 이 메시지는 그냥 스쳐 지나갈 수도 있었을 통찰을 우리 자신에게 연결해 준다.

타로의 경우에도 그렇지만, 꿈도 정확한 해석을 위해서는 맥락이 필요하다. 꿈에는 표면적인 줄거리라고 하는 드러난 내용과, 발견될 필요가 있는 감추어지거나 모호한 상징적 의미라는 잠재된 내용이 있다. 융의 말은 이 요점을 정확히 정리하고 있다.

> "…… 나는 언제나 학생들에게 말했다. '상징에 대해 최대한 많이 배워라. 그러나 꿈을 분석할 때는 그 모든 것을 잊어라.' 이 조언은 내가 누군가의 꿈을 정확히 해석할 수 있을 만큼 충분히 이해할 수는 없다는 점을 스스로 상기하기 위해 규칙으로 삼은 것으로서 아주 중요한 것이다."[3]

이 여성의 꿈(23쪽의 칸 참고)에서, 드러난 내용은 침대 밑에 있는 호랑이와 호랑이에 대한 그녀의 두려움이다. 잠재된 내용은 누구 혹은 무엇을 상징하건 호랑이가 그녀에게 의미하는 것이며, 그것을 그녀의 삶의 맥락 안에서 어떻게 해석할 수 있는가 하는 것이다. 다른 사람도 호랑이에 대한 꿈을 꿀 수 있지만, 그것은 전혀 다르게 해석될 수 있다. 그래서 꿈을 분석

우리가 잠을 잘 때, 우리의 무의식은 숨겨진 의미들이나 통찰을 담고 있는 상징들, 이미지들을 통해 우리에게 얘기한다.

하는 책들이 정확히 들어맞지는 않으며, 상징들에 대해 이미 정해 놓은 의미를 배우는 것 또한 효과적이지 못하다. 사실, 상징이 의미하는 바를 아무런 맥락 없이 미리 결정하는 것은 그 어떤 것보다도 해석을 방해하는 요소이다.

침대 밑의 호랑이

결혼 생활에 관한 해석을 받기 위해 찾아온 여성 내담자가 자신이 꾼 꿈을 들려주었다. 그 꿈에서 침대 밑에 호랑이 한 마리가 웅크리고 앉아서 으르렁거리고 있었는데 언제라도 뛰어오를 것 같았다. 꿈속에서 그녀는 호랑이에게 먹이를 주지 않으면 자신을 공격할 것이라고 느꼈다. 침실이라는 지리적 맥락을 볼 때, 그녀의 남편이 침대 안의 '진짜 호랑이'라는 것과 최근까지 그들이 건강한 성생활을 가졌다는 것을 추측하기는 그리 어렵지 않다. 그녀가 남편과의 성생활을 그만둔 것은 분노 때문이었고, 이 상황과 남편의 좌절이 호랑이라는 상징으로 나타난 것이었다. 꿈을 분석할 때 결정적인 요인은 일어난 감정인데, 그녀의 꿈에서는 두려움이 주된 감정이었다. 그녀가 호랑이를 두려워한다는 사실은 그녀의 가장 큰 고민거리에서 온 것이다. 그녀는 실제로는 남편을 두려워했으며, 그의 격정적인 성격에 먹이가 되는 일에 질려 있었다. 그녀는 이 사실을 이제야 인정하기 시작했다.

타로 해석하기

다양한 해석은 타로의 상징을 배우는 데도 적용된다. 우리가 상징들을 틀에 가두고 범주로 묶으려고 할수록, 상징들은 더욱더 활기를 잃게 된다. 상징들은 단조로워지고 생기가 없어지고 표현하지 못하게 된다. 융의 제자들처럼 우리는 핵심어를 배운 뒤에는 그것을 잊어야 한다는, 또는 적어도 그것들에 얽매이지 않아야 한다는 역설을 이해해야 한다. 정확한 해석을 위해서 상징의 의미를 미리 정해 놓으면, 해석이 명료해지는 대신에 오히려 모호해지기 쉽다는 점, 그리고 핵심어들에 집착한다면 너무도 쉽게 상징에 구속될 수 있다는 점을 늘 명심해야 한다. 그렇다면 어떻게 해야 하는가?

우리는 상징이라는 것이 본질적으로 유동적이고 활동적이며 역동적이라는 것을 잊지 말아야 한다. 하지만 무엇보다 중요한 것은 신뢰할 만한 안내자의 역할을 하는 더 큰 그림이다. 바꿔 말하면, 어떤 카드도 한 가지만을 의미하지는 않을 것이지만, 그 카드들은 언제나 자기의 영역과 관련된 문제들을 말해 줄 것이다. 따라서 우리는 잠재된 의미들의 무한한 가능성에 대해 마음을 열어 놓고 있을 때 드러난 의미들을 배울 수 있다.

예를 들어, 마이너 아르카나는 네 가지의 짝패로 구성되어 있고, 각각의 짝패는 성격이나 상황들의 특정한 측면이나 양상을 나타낸다. 예를 들어, 컵은 사랑이나 관계, 정서적 삶에 대해 얘기하며, 이 짝패 안에 있는 각각의 카드에는 자기만의 이야기가 담겨 있다. 이를테면, 2번 카드는 협력이나 연합을 나타내고, 3번 카드는 축하를, 4번 카드는 낙담을 얘기하는 것이다. 이러한 표면적인 의미들은 해석을 위한 골격을 제공한다. 하지만 더 자

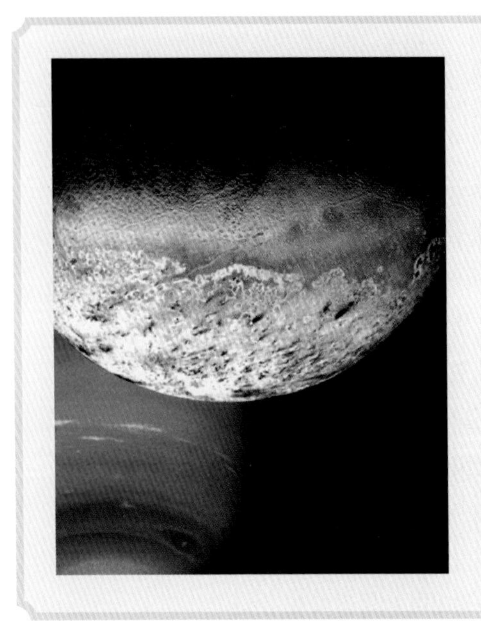

점성학적 상징

점성학적 상징체계와 씨름을 해 온 사람이라면, 전통적인 상징의 의미를 사용할 것인가 아니면 맥락을 고려하여 해석할 것인가 하는 딜레마를 이해할 것이다. 점성학을 배울 때는 처음에 12궁에 대해 배우며, 그 뒤에 궁들과 행성들의 결합에 대해 배운다. 우리는 행성들이 어떤 궁들에서는 강하고 다른 궁들에서는 약하다는 것을 배운다. 우리는 천궁도를 12구역으로 나눈 집들에 대해 배우고, 그 뒤에는 특정한 궁과 특정한 집에 있는 특정한 행성의 의미들을 결합시키려고 시도한다.
이 지점에서 우리는 해석을 위한 특별한 공식이 없다는 것을 깨닫는다. 왜냐하면 동일한 결합이라도 천궁도에 따라 의미가 달라질 수 있기 때문이다. 점성학자 매기 하이드(Maggie Hyde)의 말에 따르면, "상징의 의미는 빈번히 정의를 벗어나며, 어떤 한 가지가 아니기 때문에 지성을 괴롭힌다."[4]

세한 세부 사항들이 나타나는 것은 해석이 진행 중이고 카드가 맥락 안에서 보일 때뿐이다. 메이저 아르카나의 경우에도 똑같이 적용된다. 죽음 카드를 예로 들어 보자. 죽음 카드는 끝이나 상실, 그리고 이로 인해 종종 고통스럽거나 극도로 도전적인 방식의 변화와 조정의 필요성을 얘기한다. 이 카드에 관한 일화(71쪽)를 보면, 나는 죽음 카드가 사별을 나타내는 카드 읽기 사례를 소개하고 있다. 하지만 이 카드가 내담자에게 실제로 의미했던 것은 사별로 인한 충격이었다.

40대 중반의 한 여성을 위한 또 다른 카드 배열을 읽었을 때, 죽음 카드가 켈틱 크로스(Celtic Cross) 배열의 중심 카드로 나왔다. 중심 카드는 보통 '문제의 핵심'으로 해석되며, 지금 현재 우리가 어디에 있는지를 나타내기도 한다. 내가 말을 꺼내기도 전에 그녀는 카드를 가리키며 "저게 바로 내가 느끼는 거예요. 죽음."이라고 말했다. 계속해서 나온 결과는 우울함과 죄책감, 고독과 권태 등이었다. 그녀는 자신의 고통에 빠진 채 탈출구를 찾지 못하고 있었다. 사실 몇 가지 탈출구가 있긴 했지만, 그녀는 부정적인 것만 인지하기 시작했다. 죽음 카드는 그녀에게 커다란 영향을 미쳤다. 왜냐하면 이 카드는 그녀가 죽거나 다른 사람들을 위해 인생을 희생하기에는 자신이 너무 젊다는 것을 깨닫게 함으로써 그녀의 마음을 움직였기 때문이다.

또 다른 여성은 한 사람과의 관계가 어떻게 될 것인지에 대해서 물어보았다. 죽음 카드가 그 결과로 나왔다. 이것은 그들 중 한 명이 죽는다는 것을 의미하지는 않았지만 그 관계는 그럴 수 있었다. 그녀는 관계가 거의 끝난 거나 마찬가지라는 것을 인정했고, 가슴 깊은 곳에서는 관계가 시작부터 잘못된 것임을 알고 있었다. 그 남자는 일련의 운명적인 연애 관계에서 또 하나의 잘못된 선택이었다. 죽음 카드는 그녀가 왜 '가망 없는' 관계들에 끌리고 있는지를 곰곰이 성찰해 볼 필요가 있다는 메시지를 강하게 전달했다.

이러한 사례들을 통해 우리는 이야기들이 서로 달라도 죽음 카드가 어떻게 상징적인 역할을 이행하는지를 볼 수 있다. 카드가 어떻게 각각의 개인들에게 힘 있고 타당한 방식으로 얘기했는지를 주목하는 것 또한 중요하다. 이 책에 나와 있는 다른 예들을 살펴보면, 효과적으로 해석하기 위해서는 상징적인 태도가 대단히 중요하다는 것을 알게 될 것이다.

과열

당신이 카드 해석하는 일을 하게 되었을 때, 내담자가 이미 그 상징들에 대해 알고 있다면, 모든 과정이 훨씬 쉽고 효과적일 수 있다. 예전에 나는 한 여성에게 카드 해석을 해 준 적이 있는데, 그녀의 대인 관계는 엉망이었고 다툼과 감정의 상처, 분노와 눈물은 거의 일상사가 된 상태였다. 대화 중에 그녀는 집의 보일러가 그날 아침에 터져 버렸다고 말했다. 나는 그 순간 물의 원소와 감정들, 서로에 대한 그들의 '폭발', 그들의 귀에서 김을 내뿜는 것이 상징적으로 연결된다는 것을 알아차렸다.

나는 이 해석을 들려주었고, 언제나 그렇듯이, 세상을 이렇게 보는 것이 처음에는 이상해 보일지 모르지만 그것은 그녀에게 유용할 수 있다는 말을 덧붙였다. 그녀는 나의 재미있는 연결을 듣고서 미소를 지었다. 하지만 그녀는 여전히 그 일을 상관이 없는 사건으로, 최악의 상황에서 그들에게 일어난 성가신 일쯤으로 여기는 것 같았다. 그녀는 어떠한 관련도 보지 못했다. 하지만 상징의 세계에 익숙해지면 우연성을 믿기를 그치고 동시성을 믿기 시작한다. 그들의 문제들은 부글부글 끓고 있었고, 관계는 과열되어 있어 식힐 필요가 있었다. 나는 온도 조절 장치가 필요한 그 관계에 대한 이 통찰을 받아들이고 나 자신의 이해를 돕는 데 이용할 수 있었지만, 만약 그녀가 스트레스와 내면의 갈등이 외부 세계로 나타난다는 개념을 이해했다면 그 해석은 아마도 그녀에게 훨씬 더 효과적일 수 있었을 것이다.

죽음 카드는 때때로 관계가 끝나고 있거나 이미 끝나 버렸다는 것을 나타낸다.

상징적 태도

융은 상징을 객관적인 감각으로 정의했지만 해석에 영향을 끼치는 주관적 요인에도 같은 비중을 두었다. 그는 어떤 것이 상징이 되는 것은 사람들이 그것을 인식하는 태도에 달려 있다고 말했다.

"만약 당신이 꿈을 상징적인 것으로 본다면, 당신은 본질적인 에너지를 제공하는 생각이나 감정은 이미 알려졌으며 단지 꿈에 의해 '위장'된 것에 불과하다고 믿는 사람과는 다르게 꿈을 해석할 것이라는 점은 분명하다."[5]

다시 말해서, 만약 당신이 상징의 중요성을 인정하지 않는다면, 카드 해석의 행위는 무의미해진다. 꿈은 드러난 내용으로만 기억될 수 있고, 잠재된 내용은 잠복해 있으며 이해와 발전의 기회는 간과된 채 사라져 버린다. 호랑이에 대한 꿈을 꾼 그 내담자로 돌아가 보면, 그녀는 꿈을 꾸다가 놀라 깨어난 뒤 그 꿈으로 인해 몸서리쳤을 수 있지만, 그 이상의 의미를 부여하지 않았을 수도 있다. 하지만 그녀는 결혼이 건강하지 않은 상태라는 것을 예리하게 알아차리고 있었고, 꿈의 상징은 강력한 메시지로 이루어져 있었으며 그녀의 의식적인 두려움과 무의식적인 두려움 사이의 간격을 연결해 주고 있었고, 그녀의 임박한 움직임과 변화, 자기 보호를 촉구하고 있었다.

숙명인가, 자유 의지인가?

이 질문은 인간 조건의 본질에 관한 궁극적인 논쟁으로서 세상의 위대한 사상가들이 논쟁해 왔고, 당신이 틀림없이 계속 반복하여 받을 질문이다. 이런 논쟁에 대해 다룰 수는 있지만 이 책에서는 다루지 않을 것이다. 그런데 몇 가지 타당한 핵심들은 제기하고 고려할 만한 가치가 있다. 여러 가지 면에서 이 질문은 이 장의 도입부에 제기했던 믿음의 문제로, 자동적인 구분을 만들어 내는 문제로 되돌아간다. 대다수 사람들의 마음속에서 운명과 자유의지는 입증할 수도 없고 상호 배타적인 개념이다. 만약 당신이 운명을 믿는다면, 그것은 당신의 인생이 어떤 높은 힘에 의해서 당신을 위해 이미 계획되어 있으며 좋건 나쁘건 당신의 손을 떠나 있고 통제할 수 없는 것이라고 느껴질 것이다. 또 만약 당신이 자유의지를 믿는다면, 그것은 당신이 자유 행위자이며 당신의 삶은 평가하고 선택하고 결정하는 당신의 능력에 의해 결정되는 것이라고 느껴질 것이다.

점성가이면서 타로를 해석하는 사람으로서 나는 운명의 존재를 부정할 수 없다. 리즈 그린(Liz Green)에 따르면, 현대의 점성가들은 "천궁도를 살

필 때마다 운명을 조금씩 맛보지 않을 수 없다."[6]

어떤 운명이 작용하고 있다는 사실은 예언을 통해서뿐만 아니라 과거의 운세가 어떻게 작용했는지를 되짚어 봄으로써 몇 번이고 드러난다. 하지만 운명이 냉혹한 불변의 힘이라고 보는 관점은, 적어도 나의 견해로는, 도움이 되지 못하고 건강하지도 못한 것이다. 그것은 인생을 우리에게 일어나는 것으로 보는 시각을 조장하기 때문이다. 이러한 시각을 따르다 보면, 당연히 우리는 무기력한 애완견처럼 느껴질 것이다.

개인적으로 나는 운명과 자유의지가 상호 배타적이라고 느끼지 않는다. 우리의 삶에서 일어나는 많은 사건들과 관계들이 아무리 우리를 위해 계획된 것처럼 느껴져도, 궁극적으로는 "그래서 어떻게 해야 하는데?"라고 하는 요소가 있다. 왜냐하면 여전히 그것들을 다루는 것은 우리에게 달려 있기 때문이다. 자유의지가 환상이라면, 인간의 행복과 성취는 대부분 동기와 성취를 잃게 될 것이다. 자유의지는 적어도 도움이 되는 것이다. 내담자들은 종종 나에게 환생을 믿느냐고 묻곤 한다. 대답은 "예"이다. 나는 믿는다. 그러나 이 믿음을 뒷받침하는 나의 논거가 무엇이건, 내가 여기에서 이미 얼마나 많은 삶을 살았건, 내가 얼마나 더 많이 여기로 돌아오건, 나는 현재의 이 특정한 삶만이 내게 있다는 사실을 또한 알고 있으며, 나는 최선을 다해 이 삶을 살고 싶다.

"숙명은 우리를 다루는 손이지만, 자유의지는 우리가 그것을 어떻게 쓸 것인지를 선택할 수 있게 한다."라는 말은 널리 알려진 은유이다. 나는 이 말에 매력을 느낀다. 왜냐하면 우리를 수동적인 참여자에 불과한 존재로 한정하지 않고 능동적으로 세상에 참여할 수 있는 존재로 인정하기 때문이다.

인과율

운명이라는 개념 속에 담겨 있는 것은 인과율의 문제이다. 즉 어떤 보이지 않는 힘이 우리로 하여금 어떤 행위들을 하게 하고, 어떤 방식으로 행동하게 하고, 특정한 때에 특정한 장소에 있게 한다는 것이다. 특히 점성학의 언어 가운데 많은 용어들이 이렇게 오해하게 한다. 나는 학생들과 제자들이 "오 이런, 나의 금성이 전갈자리에 있잖아! 그래서 내가 그렇게 성격이 급하고 질투심이 많은 거였군."이라는 식으로 말하는 것을 수없이 많이 들었다.

그러한 말에 대한 나의 대답은 항상 '달걀과 닭'의 문제라는 것이다. 다시 말하면, 어느 것이 먼저인가? 당신의 금성이 전갈자리에 있기 때문에 당신은 성격이 급하고 질투심이 많은가, 아니면 전갈자리에 있는 당신의 금성은 당신의 성격이 급하고 질투심이 많은 것을 반영하는 것인가? 후자의 시각이 맞다. 왜냐하면 행성들 자체가 우리로 하여금 어떤 것을 하게 하거나 어떤 식으로 행동하도록 만들지는 않기 때문이다. 그것들은 상징적인 것이 아니다. 행성들에게 상징성을 불어넣는 것은 의미를 부여하는 인간의 행위이며, 그러므로 우리의 천궁도들은 자율적으로 움직이는 기계가 아니라 거울과 같은 것이다. 그것들은 우리가 세상에서 어떻게 우리 자신을 발견하는지를 상징적으로 비추어 준다. 간략히 말해서, 우리는 자신의 12궁이고 우리의 12궁은 우리 자신이며, 여기에는 인과 관계가 작용하지 않는다.

타로와 점성학

점성학을 또 하나의 도구로 사용하기 위하여 천궁도 차트 전체를 계산할 필요는 없으며 전문 점성가가 될 필요도 없다. 중요한 점성학적 행위에는 행성의 통과가 포함되어 있으며, 이것은 종종 타로의 배열에 반영된다.

나의 의도는 어마어마한 주제인 점성학의 속성 과정을 제시하는 것이 아니라, 단지 그 기술의 기본을 보여 주는 것이다. 특히, 특정한 정보를 끌어내는 방법을 배우게 되면, 타로 해석과 병행하여 점성학을 사용하기 위해 점성학의 전문가가 될 필요는 없다는 것을 이해할 수 있을 것이다. 나는 어떤 내담자들에게는 타로 해석과 천궁도 작성을 함께 해 준 적이 있지만, 대개는 천궁도를 언급하지 않는다. 점성학 도표인 천체력을 보면 어느 날짜의 정오 혹은 자정에 행성들이 어디에 있는지를 알 수 있고, 내담자의 탄생일에 관해 즉각 알아볼 수 있다.

상형 문자 배우기

천체력을 사용하려면 상형 문자를 배울 필요가 있다. 이것들은 점성가의 속기 상징들로서 행성과 궁을 나타내는 상징들이다.

통과

만약 행성들의 기본적인 상징을 안다면, 행성들이 현재 위치한 통과는 그들 자신의 이야기를 얘기해 줄 것이며 종종 타로 배열에 반영될 것이다. 예를 들어, 천왕성은 탑(Tower) 카드와 같은 뜻인데 대변동, 충격, 예기치 않게 일어나는 일, 혹은 우리에게 강요되는 변화를 가져온다. 통과와 관련된 두 행성들의 상징을 결합하는 것 또한 중요하다. 이 장의 뒷부분에 각 행성에 대한 핵심어를 수록해 놓았다.

천체력

일단 천체력을 사용하는 것에 익숙해지면, 행성들이 시작한 날로부터 끝마칠 날까지의 통과 날짜를 계산할 수 있을 것이다. 명심해야 할 가장 중요한 요인은 행성들은 궁을 통하여 앞으로 나아가는 운행인 직행뿐만 아니라, 궁을 통하여 되돌아가는 역행을 할 수도 있다는 것이다. 아래에 예를 든 표를 보면, 천왕성은 2002년 3월에서 2003년 1월까지 물병자리의 26도에 걸쳐서 나아가고 되돌아가며 운행한다.

천체력 사용하기

천체력을 사용하면서 당신은 두 가지를 탐구하게 될 것이다. 첫째, 내담자의 출생일을 찾고 그 당시 행성들이 어디에 있는지를 한눈에 볼 수 있다. 우리의 태양 궁은 우리의 정수이지만, 그러나 사실 우리는 궁들의 혼합체이다. 다른 행성의 위치를 살펴보되, 특히 성격적, 심리학적 관점에서 더 큰 윤곽을 보기 위해 특히 달에서 토성까지 점검하라.

예를 들어, 1968년 4월 1일에 태어난 사람의 천체력인 아래 도표를 보면, 태양은 양자리에 있지만 달은 세속적인 황소자리에 있고, 수성과 금성은 모두 예민한 물고기자리에 있다.

APRIL 1968

Date	Sun	Moon	Mercury	Venus	Mars	Jupiter	Saturn	Uranus	Neptune	Pluto
1st	11 ♈ 20	14 ♉ 54	20 ♓ 01	20 ♓ 15	02 ♉ 57	26 ♌ 30	14 ♈ 51	26 ♍ 34	26 ♏ 14	21 ♍ 01
2nd	12 ♈ 19	26 ♉ 54	21 ♓ 37	21 ♓ 29	03 ♉ 41	26 ♌ 27	14 ♈ 58	26 ♍ 32	26 ♏ 13	20 ♍ 60
3rd	13 ♈ 18	08 ♊ 32	23 ♓ 14	22 ♓ 43	04 ♉ 25	26 ♌ 23	14 ♈ 66	26 ♍ 29	26 ♏ 12	20 ♍ 58
4th	14 ♈ 17	20 ♊ 24	24 ♓ 52	23 ♓ 57	05 ♉ 09	26 ♌ 20	14 ♈ 13	26 ♍ 27	26 ♏ 11	20 ♍ 57
5th	15 ♈ 16	02 ♋ 24	26 ♓ 32	25 ♓ 11	05 ♉ 53	26 ♌ 16	14 ♈ 21	26 ♍ 24	26 ♏ 10	20 ♍ 55
6th	16 ♈ 15	14 ♋ 37	28 ♓ 13	26 ♓ 25	06 ♉ 37	26 ♌ 13	14 ♈ 28	26 ♍ 22	26 ♏ 09	20 ♍ 54
7th	17 ♈ 14	27 ♋ 06	29 ♓ 56	27 ♓ 39	07 ♉ 21	26 ♌ 11	14 ♈ 36	26 ♍ 19	26 ♏ 07	20 ♍ 52
8th	18 ♈ 13	09 ♌ 56	01 ♈ 40	28 ♓ 53	08 ♉ 05	26 ♌ 08	14 ♈ 44	26 ♍ 17	26 ♏ 06	20 ♍ 51

천체력에서 다음에 나오는 순서로 각 행성마다 하나씩 10개의 세로 열이 있다는 것을 알게 될 것이다. 그것은 태양, 달, 수성, 금성, 화성, 목성, 토성, 천왕성, 해왕성 그리고 명왕성이다. 각 가로 행은 각각의 행성이 무슨 궁, 몇 도, 몇 분에 있는지를 보여 준다. 예를 들면, 자정의 천체력은 2000년 1월 1일에 태양은 09g51(염소자리, 9도 51분), 달은 07e17(전갈자리 7도 17분), 수성은 01g06(염소자리, 1도 6분)에 있다는 것을 말해 줄 것이다.

왼쪽 아래의 사례를 보면, 예기치 않은 것을 나타내는 천왕성이 확장을 나타내는 행성인 목성과 접촉하는 것은 뜻밖에 찾아오는 기회나 생각지 못한 방향 전환을 보여 주는 신호일 수 있다. 우리는 아마 내담자에게서 환경이 급변했다거나 삶이 예측할 수 없게 되었고 최선의 계획들이 갑자기 바뀌게 되었다는 등의 이야기를 들을 수 있을 것이다.

둘째, 현재의 날짜를 확인하여 행성들이 지금 어디에 있는지를 알 수 있다. 이것은 행성의 통과가 어떻게 진행되고 있는지를 알 수 있게 한다. 이 점에서 목성에서 명왕성까지 마지막 5개 행성이 가장 중요하다.

예를 들어, 1968년 4월 1일에 태어난 사람이 2002년 3월에 나를 만나러 온다면, 나는 천왕성이 물병자리의 26도에 있으며, 또한 이 사람이 태어날 때 사자자리의 26도에 있던 목성의 반대편으로 통과 또는 운행하고 있다는 것을 알아차릴 것이다.

MARCH 2002

Date	Sun	Moon	Mercury	Venus	Mars	Jupiter	Saturn	Uranus
7th	16 PI 14	27 ♐ 27	22 ♒ 42	28 PI 40	03 ♉ 48	05 ♋ 40	08 ♊ 42	26 ♒ 02
8th	17 PI 14	10 ♑ 03	24 ♒ 07	29 PI 55	04 ♉ 30	05 ♋ 41	08 ♊ 45	26 ♒ 05
9th	18 PI 14	22 ♑ 24	25 ♒ 34	01 ♈ 09	05 ♉ 13	05 ♋ 43	08 ♊ 48	26 ♒ 08
10th	19 PI 14	04 ♒ 34	27 ♒ 02	02 ♈ 24	05 ♉ 55	05 ♋ 44	08 ♊ 52	26 ♒ 12
11th	20 PI 14	16 ♒ 35	28 ♒ 31	03 ♈ 39	06 ♉ 37	05 ♋ 46	08 ♊ 55	26 ♒ 15
12th	21 PI 14	28 ♒ 32	00 PI 02	04 ♈ 53	07 ♉ 19	05 ♋ 48	08 ♊ 58	26 ♒ 18
13th	22 PI 14	10 PI 26	01 PI 33	06 ♈ 08	08 ♉ 01	05 ♋ 50	09 ♊ 02	26 ♒ 21
14th	23 PI 14	22 PI 18	03 PI 06	07 ♈ 22	08 ♉ 44	05 ♋ 52	09 ♊ 05	26 ♒ 25

점성학 궁

이 표는 궁들과 원소들을 맛보게 하기 위한 것이다. 황도대의 궁들과 주요 상징들, 원소들은 다음과 같은 순서로 되어 있다. 각 궁과 지배하는 행성들에 관한 상형 문자들을 함께 볼 수 있게 했다.

♈ **양자리**	황도대의 첫 번째 궁인 양자리는 자아를 대표하며, 자기중심적이고 한 가지에 몰두하는 것을 나타낸다. 양자리는 자발적으로 시작하는 사람으로서 개척하고, 시작하고, 주도하는 성질이 있다. 양자리는 '나는' '나 먼저' 라는 말을 하지만, 그들은 약한 자들을 보호하는 전사들이다. **지배 행성** : 화성
♉ **황소자리**	이 흙의 궁은 물질세계와의 강한 연결로 알려져 있다. 황소자리의 성질은 획득하고 견고히 하는 것이다. 그들은 안전, 편안함, 친숙함을 추구한다. 황소자리는 감각적이다. 그러나 완고함과 게으름, 무기력의 경향도 있을 수 있다. **지배 행성** : 금성
♊ **쌍둥이자리**	쌍둥이자리는 황도대의 전달자이다. 쌍둥이자리는 대화하고 논쟁하고 잡담하고 농담하기를 좋아한다. 쌍둥이자리의 궁은 이중성을 나타내는데, 그것은 한 번에 한 가지 이상을 할 수 있는 능력으로 나타날 수 있다. 쌍둥이자리는 재바르고 영리하고 팔방미인이지만, 어느 한 분야에서 뛰어난 장인은 아니다. **지배 행성** : 수성
 **게자리**	주부, 양육자, 보호자. 배타적이며 가정을 우선으로 생각한다. 완강함과 집착 사이에 가느다란 경계선이 있다. 기분이 좋은 날에는 애정이 많고 잘 보살피지만, 기분이 좋지 않은 날에는 우울하고 변덕스럽다. 게처럼 껍질은 딱딱하나 속은 부드럽다. **지배 행성** : 달
♌ **사자자리**	황도대 중에서 과시적이며 남들을 즐겁게 해 주는 사람이다. 대담하고 보스 기질이 있으며 드라마를 좋아한다. 마음이 따뜻하고 너그럽다. 모든 일들의 중심에 있기를 좋아하고 떠맡으려는 경향이 있을 수 있다. 칭찬받을 때는 기운이 넘치지만, 사랑받지 못할 때는 위축된다. **지배 행성** : 태양
♍ **처녀자리**	까다롭고 꼼꼼하고 분석적인 처녀자리는 세부적인 것에 주의를 기울이고 모든 자원을 절약하려는 경향이 있다. 완벽을 추구하는 까닭에 자기 자신이나 남들에게 지나치게 비판적이거나 기대하는 성향이 있다. 기술과 기예의 궁. **지배 행성** : 수성

원소들의 핵심적인 특징

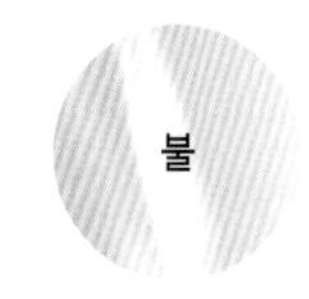

양자리, 사자자리, 궁수자리
에너지, 따뜻함, 비전, 직관

황소자리, 처녀자리, 염소자리
관능적, 생산성, 실용성, 물질주의

쌍둥이자리, 천칭자리, 물병자리
사고, 지성, 아이디어들, 상호작용

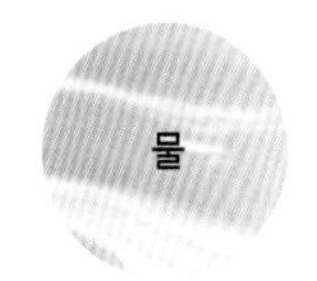

게자리, 전갈자리, 물고기자리
민감, 감정, 공감, 본능

천칭자리

협력, 관계 맺기 그리고 중재의 궁이다. 천칭자리의 궁은 균형과 협동을 상징하지만 우유부단하다. 때때로 의욕을 잃을 때가 있어 게으른 천칭자리라고 불리기도 한다. 다른 사람의 의견을 구한다. 조화, 아름다움, 매력과 관계가 있다.

지배 행성 : 금성

전갈자리

격정적이고 열정적이며 단호한 전갈자리는 피상적인 것과 반대이다. 심층적인 쟁점, 비밀, 힘이나 통제의 문제들에 관심이 있다. 재생의 궁인 전갈자리는 무(無)에서 시작하는 법을 알지만 치유하는 법도 안다.

지배 행성 : 화성과 명왕성

궁수자리

외부 세계에서든 마음 안에서든 황도대의 여행자이다. 탐험가, 철학자, 진리의 구도자. 지혜, 정의, 자유와 관계가 있다. 때로는 순진할 때가 있다. 과장하거나 공격적인 성향이 있지만 악의적인 의도는 없다.

지배 행성 : 목성

염소자리

꾸준하고 현실적이고 실용적인 염소자리는 정상으로 가는 길을 가려내는 방법을 안다. 산 위에서 사는 산양처럼 그들은 발을 단단히 딛고 서 있으며 강건하다. 책임감과 권위와 관계가 있으며, 종종 이것을 인생 초반에 경험한다. 때때로 비관적이다.

지배 행성 : 토성

물병자리

개인에 반대되는 집단의 궁이다. 사람들과 세계에 널리 영향을 끼치는 문제들에 관심이 있다. 우정에 큰 가치를 부여한다. 지성적이고 체계적이며 초연하고 객관적이다. 또는 기발하며 괴짜이다.

지배 행성 : 토성과 천왕성

물고기자리

가장 민감한 궁. 물고기자리는 속에 품은 저의를 알아차리며 분위기를 흡수한다. 그러나 그것이 잘못되면 편집증으로 갈 수도 있다. 강력한 상상력은 세계적인 몽상가와 예술가를 만들어 낸다. 현실을 도피하는 경향이 있는데, 특히 중독을 통해서 도피한다.

지배 행성 : 목성과 해왕성

행성들

행성들은 저마다 다른 속도로 황도대의 12궁들을 통과하며 운행한다.
행성들은 각자의 주기에 따라서 일정한 기간이 되면 같은 위치로 되돌아온다.
이런 식으로 우리는 목성이 12년마다 돌아오는 것을 경험한다.
그러나 해왕성이나 명왕성이 돌아오는 것을 경험하는 사람은 아무도 없을 것이다.

해왕성이나 명왕성처럼 매우 긴 주기를 가진 행성들은 이 기간의 4분기 시점, 특히 반기 시점이 중요하다. 아래의 정보는 각 행성들의 귀환 기간을 보여 준다.

행성들의 상징

태양 | 자아, 본질, 영(靈), 의식, 생명력, 전반적인 건강 그리고 체격. 남자, 아버지, 수컷의 권위와 같은 남성적 원리. 객관성. 황금, 빛 그리고 열. 등 특히 척추와 심장을 지배한다.

행성 주기

느리게 움직이는 행성들(목성, 토성, 천왕성, 해왕성, 명왕성)은 통과 면에서 가장 중요하다.

태양

태양은 같은 위치로 되돌아오는 데 1년이 걸린다. 그래서 생일은 당신의 태양이 돌아온 날이다. 그런 이유로 "그날이 많이 돌아오고 행복하기를 빕니다."라고 축하한다.

달

28일

수성

금성

대략 1년

화성

2년

달 | 정서, 욕구, 장 운동, 습관적인 반응들. 여자, 어머니, 모성적 본능과 같은 여성적인 원리. 수용성, 무의식, 월경, 아기, 어린아이들. 위와 자궁을 지배한다.

수성 | 표현, 말하는 능력, 언어, 편지, 책, 미디어, 거짓말, 진실 등 의사소통과 관계된 모든 것. 농담, 속임수 그리고 교활함. 초기 학습. 지역의 이웃 간 정분. 근거리 여행과 운송 수단. 폐, 손, 신경계와 호흡기를 지배한다.

금성 | 여성들과 모든 여성적인 것. 사랑, 연인들, 섹스, 모든 종류의 쾌락을 추구. 로맨스, 예술, 아름다움, 매력, 매력적임. 관계를 맺는 것, 사교술. 자연, 돈, 음식 특히 달콤한 것들. 장식. 신장과 목구멍을 지배한다.

화성 | 남자들과 모든 남성적인 것. 전쟁, 군인들, 전투, 모든 군사적인 것들. 추진력, 에너지, 활동, 동기부여, 밀고 나아감. 주도, 의지, 욕망, 정욕, 용기. 분노, 재난, 폭력, 위험, 경보. 수술, 칼 그리고 바늘. 아픔, 절단, 부상, 흉터, 발열, 감염, 염증. 얼굴과 두개골을 지배한다.

목성 | 확장, 과장, 과소비, 과잉, 풍성함 등 모든 넘치는 것들. 관대함, 자선, 보호, 보존. 자유, 방면, 해방. 열심, 낙관주의, 축하. 행운, 기회, 위험 감수. 장거리 여행과 모든 외국적인 것. 법, 정의, 공정. 고등교육, 지혜, 지식. 종교,

목성
12년

토성
29.5년

천왕성
76~84년

해왕성
178년

명왕성
248년

신앙, 윤리. 엉덩이, 넓적다리, 간, 혈액, 좌골 신경계를 지배한다.

토성 | 한계, 울타리, 조직, 제한 그리고 한정. 미룸과 거부. 책임, 규율, 의무 그리고 일. 관습적이고 안전한 모든 것. 신중함과 통제. 비관주의, 진지함, 근엄 그리고 현실성. 나이, 시간, 죽음. 피부, 이빨, 뼈 그리고 특히 무릎을 지배한다.

천왕성 | 갑작스러움, 충격적인 일, 반란, 혁명, 분열 등 예기치 않은 혹은 일정하지 않은 모든 것, 기괴한 것, 인습에 얽매이지 않은 것. 논쟁, 분리, 갈라짐. 폭발, 사고, 지진. 전기, 컴퓨터, 기술, 기계. 집단, 사회, 생태 환경. 이상주의, 공산주의, 무정부 상태. 발목과 연관됨.

해왕성 | 백일몽, 환영과 같은 환상과 상상의 세계. 혼란, 불확실성 그리고 거짓말. 이상화, 성적 매력. 예술 특히 영화, 무대, 시, 음악. 꿈과 잠. 중독 물질. 희생, 고통, 상실. 공생, 융합 충동. 신비주의, 영적 성향. 안개, 엷은 안개. 바다와 해양 생활과 관계되는 모든 것. 발과 연관됨.

명왕성 | 부재, 상실, 파괴, 소멸. 상징적인 죽음, 고통스러운 과정을 통한 전적인 변화, 재탄생 그리고 변형. 힘과 통제. 숨겨져 있으며 어두운 혹은 보이지 않는 모든 것. 무의식적인 것, 정신분석. 강박관념, 긴장, 우울. 배제. 깊은 치유. 성적 기관들과 연관됨.

행성들

다음의 내용은 행성들이 어디에서 가장 잘 기능을 하는지 혹은 기능을 못하는지를 말해 준다.

품위 획득 | 어느 행성이 품위 획득의 위치에 있을 때는 자신이 지배하는 궁 안에 있다는 것을 의미한다. 그 행성은 자기 집에서 안락하고 그 궁과 조화를 이루며 작용하고 있다.

품위 손상 | 어느 행성이 품위 손상의 위치에 있을 때는 자신이 지배하는 궁과 반대의 궁 안에 있다는 것을 의미한다. 그 행성은 그 궁과 상충한다.

기능 항진 | 어느 행성이 기능 항진의 궁 안에 있을 때는 행성이 가장 강력한 상태에 있다는 것을 의미한다. 그것은 그 궁의 최상의 성질을 발휘하게 하는 행성과의 완전한 합일을 보여 준다.

기능 저하 | 어느 행성이 기능 저하의 위치에 있을 때는 행성이 기능 항진의 궁의 반대편 궁 안에 있다는 것을 의미한다. 이것은 잘못된 짝짓기와 이해의 상충을 보여 준다.

위치의 의의

행성이 품위 획득, 품위 손상, 기능 항진, 기능 저하의 위치 가운데 어디에 있는지에 따라서 점성가는 각각의 특별한 12궁도 안에서 조화나 상충의 정도를 평가할 수 있다.

태양
품위 획득 사자자리
품위 손상 물병자리
기능 항진 양자리 / **기능 저하** 천칭자리

달
품위 획득 게자리
품위 손상 염소자리
기능 항진 황소자리 / **기능 저하** 전갈자리

수성
품위 획득 쌍둥이자리, 처녀자리
품위 손상 궁수자리, 물고기자리
기능 항진 처녀자리 / **기능 저하** 물고기자리

금성
품위 획득 황소자리, 천칭자리
품위 손상 전갈자리, 양자리
기능 항진 물고기자리 / **기능 저하** 처녀자리

화성
품위 획득 양자리, 전갈자리
품위 손상 천칭자리, 황소자리
기능 항진 염소자리 / **기능 저하** 게자리

목성
품위 획득 궁수자리, 물고기자리
품위 손상 쌍둥이자리, 처녀자리
기능 항진 게자리 / **기능 저하** 염소자리

토성
품위 획득 염소자리, 물병자리
품위 손상 게자리, 사자자리
기능 항진 천칭자리 / **기능 저하** 양자리

천왕성
품위 획득 물병자리의 공동 지배자
품위 손상 사자자리
기능 항진 – / **기능 저하** –

해왕성
품위 획득 물고기자리의 공동 지배자
품위 손상 처녀자리
기능 항진 – / **기능 저하** –

명왕성
품위 획득 전갈자리의 공동 지배자
품위 손상 황소자리
기능 항진 – / **기능 저하** –

정보와 의미

타로를 처음 배우는 사람이라면 정보를 얻기 위해 선택할 수 있는 대안이 거의 없다.
처음에는 카드의 전통적인 의미를 배워야 한다.

타로 카드의 전통적인 의미를 배운 뒤에는 총 78장의 카드를 하나씩 혹은 짝이나 그룹으로 공부해도 좋을 것이다. 그 뒤에는 각 카드들이 제시하는 이미지와 아이디어들을 이해하기 위해 명상이나 성찰을 권하는 책들이 많다. 당신의 마음에 든다면 이것은 시작하기에 아주 좋은 방법이며, 당신은 곁길로 벗어나 방황하지 않고 카드에 대해 명상할 수 있다.

내가 어떻게 타로 카드를 공부했는지 정확하게 기억하기는 어렵다. 최대한 많은 책을 읽었지만, 가장 좋은 방법은 꾸준히 카드를 연구하고 또한 원하는 사람들을 위해 카드를 해석해 주는 것이었다.

창의적인 학습

그 다음에는 어떻게 하는가? 핵심어들이나 해당되는 의미들의 목록을 만들고자 하는 유혹을 느낄 것이다. 이 접근은 초기 단계에서 확실히 도움이 될 수 있다. 하지만 그런 식의 목록 작성이 기여하는 곳은 여기까지이며, 곧 더 이상 발전하지 못하고 활기를 잃게 될 수 있다. 그러니 굳이 기록하려 하지 말기 바란다. 이것은 미리 결정된 의미들을 부여하려는 시도들에 내재된 문제로 되돌아가게 한다. 꿈의 해석을 기억하라. 드러난 내용 즉 카드의 주제들을 찾으면서 시작하라. 그리고 일단 카드 읽기의 맥락 안에서 하나의 카드가 나타나면 잠재적인 내용이 드러날 것임을 믿어라.

많은 학생들은 카드 배열 즉 카드들의 조합을 해석하는 것이 어렵게 느껴질 때 포기하는 경향이 있다. 점성학에도 똑같은 장애물이 있다. 차트 계산의 기술을 배우고 궁들, 행성들, 집들, 좌상들의 기본 의미를 파악하기는 비교적 쉽다. 그러나 각각의 천궁도를 해석하는 것은 또 다른 문제이다. 모든 천궁도는 저마다 독특하기 때문이다. 모든 타로 배열도 역시 저마다 독특하다. 만약 78장의 카드를 가지고 전통적인 열 장의 카드 배열인 켈틱 크로스를 한다면 통계적으로 무려 1,258,315,963,905가지의 배열이 가능하다. 당첨 확률이 천사백만 분의 일인 복권에 당첨되는 편이 동일한 배열을 두 번 얻는 것보다 더 쉬울 것이다.

따라서 우리는 모든 카드 조합을 미리 배울 수가 없다. 이것이 문제점이다. 심지어 우리가 수천 가지의 결합을 기억할 수 있을지라도 그것이 우리가 전문 타로 해석자라는 것을 의미하지는 않을 것이다. 반대로, 우리는 아무런 의미 없이 쌓아 놓고 있는 정보의 함정에 빠질 것이다. 타로 배열이나 천궁도는 자문을 구하는 사람과 함께 다루어지기 전까지는 어떤 것도 의미하지 않는다. 카드를 읽을 때마다 항상 맥락이 필요하며, 그 맥락은 질문자의 삶과 질문, 상황, 관계 등등에 따라서 독특하다.

범주를 만들지 말라

어떤 식으로 타로의 세계로 들어가든지 목표는 카드와 친숙해지는 것임을 기억하여야 한다. 여기에는 옳거나 그른 답이 없다. 가장 중요한 것은 정보 수집 실습을 고된 과정으로 바꾸지 않는 것이다. 만약 어떤 카드가 아무것도 말해 주지 않는다면 다음 카드로 넘어가라. 상상력을 활발하게 유지하라. 그리고 범주로 묶기 위해 애쓰지 말라.

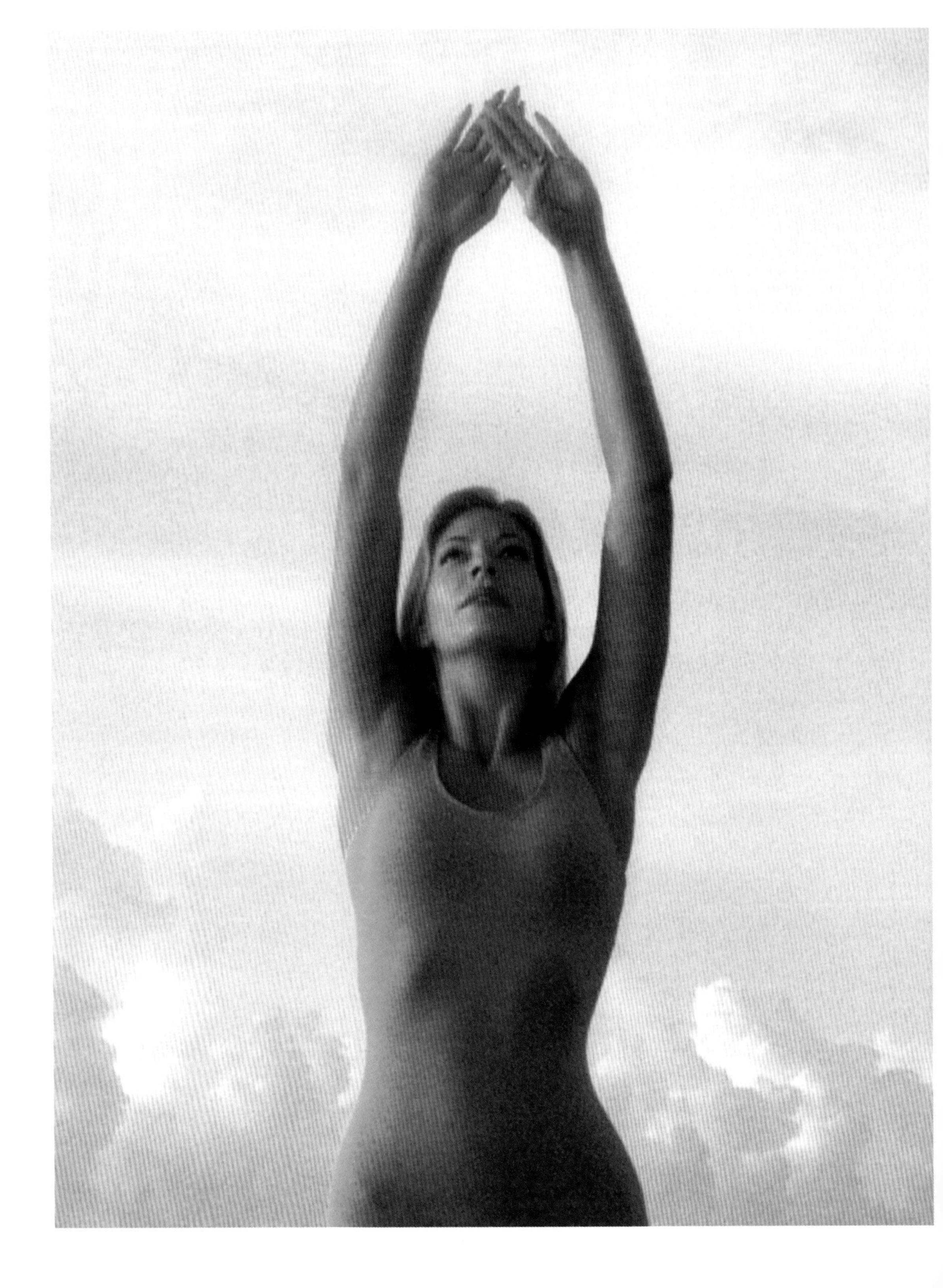

2

메이저 아르카나

아르카나(Arcana)라는 말은 단어 '불가해한(arcane)' 이라는 말에서 유래되었는데, 숨겨진, 비밀의, 혹은 신비스러운 것을 의미한다. 이름이 암시하듯이 메이저 아르카나는 타로 카드 패 중에서 가장 중요한 카드들이다. 이 카드들은 카드 한 벌 가운데 첫 22장의 카드로 구성되어 있으며, 숫자로는 0에서 21까지, 바보(Fool) 카드에서 세계(World) 카드까지로 이루어져 있다.

I 마법사

카드 읽기에서 이 카드가 나타나면 그것은 종종 막 표면화되려고 하거나
미처 알아차리지 못한 가능성 혹은 기회들이 주위에 있다는 것을 말해 준다.

the Magician

전통적 의미 기술, 비밀, 의사소통

당신은 아마 자신의 기술들을 인식하고 개발하는 데에 초점을 맞출 필요가 있을 것이다. 또는 자신의 힘을 인식할 필요가 있을지도 모른다. 이 카드가 나오면 나는 내담자에게 "내가 잘 하는 분야는 무엇인가? 나는 나 자신을 어떤 면에서 과소평가하고 있는가?" 하고 자문해 보라고 권한다.

이것은 또한 삶이라는 마법을 잊고 있음을 나타낼 수도 있다. 나는 이 카드가 자질을 향상시키는 면이 있음을 얘기해 주려고 늘 노력한다. 인생은 마법적일 수 있으며, 당신은 자신의 마법을 창조하고 자기의 의지력을 활용할 수 있다. 여기에는 개발되기만을 기다리고 있는 긍정적인 에너지의 모든 저장고가 있으며, 그것은 당신이 생각하는 것보다 더 쉽고 더 가깝다. 마법사 카드가 나오면, 그것은 발전될 가능성이 있고 관계나 상황을 바꿀 기회가 있음을 나타낸다. 변화는 태도나 바람, 혹은 신념의 변화처럼 내면에서 올 수도 있다. 아니면, 상황을 재정리할 외부 요인이나 새로운 소식의 모습으로 올 수도 있다. 마법사 카드는 수성과 상관이 있는데, 수성은 그리스 신화에 나오는 헤르메스(Hermes)로서 날개가 있는 신들의 전령사이다. 그래서 이 카드는 새로운 정보

마법사 카드는 자신의 사업을 시작하려고 준비 중인 젊은 여성을 위해 카드를 읽었을 때 가까운 미래 카드로 나왔다. 이 카드를 통해 우리는 그녀가 사업을 시작하기 위해 이용할 수 있는 다양한 기술과 자원들을 찾아낼 수 있었다.
그녀는 통찰력과 열의, 배우고 개척하려는 의지를 나타내는 지팡이 카드를 이미 가지고 있었다. 우리는 검 카드에서 그녀의 사업에 대한 아이디어와 추진력을 발견했고, 그녀는 개업을 미루어 온 이유 가운데 하나가 자기 의심이라는 요소임을 인정했다. 컵 카드는 그녀가 좋아하는 일을 하고 싶어 하고 스스로 경영하고자 하는 욕구를 말해 주었다. 펜타클 카드는 그녀에게 필요한 자본을 상징했는데, 그녀는 카드를 읽을 당시만 해도 자본이 어디에서 올지를 짐작하지 못했다.
그녀가 금융시장을 조사하고 은행에 찾아가거나, 새로운 사업이 자리를 잡도록 도와줄 기관을 찾아볼 필요가 있다는 것은 분명해 보였다. 카드 배열에 나온 다른 펜타클 카드들은 그녀가 필요한 자금을 찾아내리라는 것을 암시했다. 나는 더 이상 지체하지 말고 힘껏 찾아보라고 촉구했다. 그녀가 일단 자신과 사업 계획을 믿을 사람을 찾아낸다면, 그녀 역시 자신과 사업을 믿기 시작할 것이며 또 그렇게 될 것이라고 느꼈다.

가 막 표면화하려 하고 있으며, 이미 당신을 향하여 날아오고 있을지도 모른다는 것을 나타낼 수 있다.

마법사는 궁정 카드인 시종, 기사, 왕이 그렇듯이 당신의 인생에 있는 다른 사람을 나타낼 수도 있는데, 이 사람이 반드시 남자인 것은 아니다. 더욱 중요한 것은 카드들이 묘사하는 사람의 유형이다. 마법사 카드가 나타내는 사람은 영리하고, 힘 있고, 재바르고, 솜씨 좋고, 설득력 있는 사람일 것이다. 마법사의 머리 위에는 무한대의 상징인 숫자 8이 옆으로 누워 있는 모양으로 떠 있다. 이것은 마법사가 평범한 인간 세상으로부터 떨어져 있다는 메시지를 강조한다. 그는 인생의 가장 심오한 비밀과 신비를 아는 신과 같은 인물을 표현한다.

이러한 관점에서 마법사 카드는 치료자이다. 그래서 의사나 일종의 치료사의 모습으로 나타날 수 있다. 만약 당신이 건강 문제를 다루고 있다면 마법사 카드는 좋은 징조이다. 왜냐하면 마법사 카드는 도움이 진행되고 있거나, 적절한 도움이 멀지 않은 곳에 있어 찾을 수 있다는 것을 말해 주기 때문이다. 총체적 접근이 요구되므로 대체 건강 요법을 고려할 필요가 있을 것이다. 또한 물질적인 것과 형이상학적인 것을 결합할 필요가 있고, 육체의 건강은 정신적인 건강에 둘러싸여 있음을 인식할 필요가 있을 것이다.

마법사 카드 해석하기

우리가 여행 중에 만나는 첫 번째 사람이 가능성이 풍부한 카드인 마법사 카드라는 것은 얼마나 신나는 일인가. 그의 탁자 위를 보면 마법사가 지팡이, 펜타클, 검 그리고 컵 등 네 짝패 가운데 하나씩을 가지고 있다는 것을 알 수 있다. 타로 카드의 네 짝패는 네 가지 원소인 불, 흙, 공기, 물과 상응하며, 이 네 가지 원소는 각각 삶의 네 가지 본질적인 성질을 상징한다. 즉 우리의 에너지와 진취적인 정신, 물질세계와 감각, 지성과 생각, 정서적 욕구와 반응을 상징하는 것이다. 모든 것들이 여기에 나타나 있다. 그래서 마법사 카드의 목적 가운데 일부는 우리가 필요한 모든 자원을 활용할 수 있다는 것을 말해 주는 것이다. 우리는 단지 그것들을 발견하고, 알아차리고, 우리에게 가장 도움이 되도록 그것들을 이용하는 법을 배우기만 하면 되는 것이다.

점성학과의 연결

마법사 카드는 수성으로 잘 설명된다. 이 행성은 문자나 말과 관계된 모든 것을 지배하며, 황도대의 전달자인 쌍둥이자리를 지배한다. 이 궁은 마법사의 모든 특성들을 지니고 있다. 재주 많고, 솜씨 좋고, 재치 있고, 영리하며, 창의적이다. 수성은 처녀자리도 지배한다. 처녀자리는 근면하고, 분석적이고, 꼼꼼하고, 철저한 것으로 알려진 흙의 궁이다. 처녀자리는 천궁도 가운데 일, 기교, 솜씨, 건강을 지배하는 여섯 번째 집에 속한다. 처녀자리에서 수성의 결합은 마법사 카드에게 잘 들어맞는 점성학적 유추이다.

II 고위 여사제

이 카드는 때때로 여교황이라 불리며, 간혹 교황이라고도 불리는 신비 사제와 짝을 이룬다.
타로에서 종교적인 의미를 내포하는 것은 이 카드들이 유일하다.

the High Priestess

전통적 의미 숨겨진 비밀, 영적 지혜의 힘

가부장적인 세계에서는 가톨릭교의 교황과 같이 조직화된 종교에서 권력과 권위를 쥐고 있는 우두머리는 남성이다. 그리고 역사를 거치며 남성의 우위가 강화됨에 따라 여성의 영적 힘은 두려운 대상이 되었고 마침내 근절시켜야 할 대상이 되어 버렸다. 악명 높은 마녀사냥이 과거에 자행된 것은 이 때문이었다. 하지만 타로에서는 그러한 불평등이 존재하지 않는다. 고위 여사제는 세상에서 자신의 확실한 자리를 차지하고 있으며, 모든 유형의 신념과 태도, 차이들이 표현될 필요가 있다는 것을 인식하고 있다.

자비로운 인물일 때, 고위 여사제는 고도로 발달된 직관을 가진 사람이며, 상담과 조언을 할 수 있는 사람이며, 유익한 얘기를 해 주는 사람이다. 현대에 그녀는 아마도 점성가, 타로 카드 해석자, 손금을 보는 수상가, 혹은 치료자일 수도 있다. 그녀는 영적 지혜를 통해 예언하고 치유하고 안내할 수 있다. 그녀는 우리를 바른 길로 이끌고 돕는 사람, 우리를 제자리로 돌려 진정한 우리 자신과 접촉하게 하는 사람을 나타낼 수 있다. 그녀는 우리가 알아차리지 못한 것들과 아직 드러나지 않은 비밀들도 알고 있다.

검 3번 카드(비탄)가 중심 카드였고 컵의 기사 카드(구혼자)가 교차하여 펼쳐졌다. 이것은 어느 삼십대 중반의 여성을 위한 카드 배열이었다. 여기에는 한 남자가 관련되어 있었고, 그의 주위에는 상당히 많은 고통이나 슬픔이 있는 것이 분명했다. 고위 여사제 카드는 가까운 미래를 나타냈다. 그래서 나는 이 남자가 이미 다른 여자와 관계하고 있고 여기에 비틀린 삼각관계가 있다고 느꼈다. 그녀는 그렇다고 인정했다.
그녀는 남자 친구가 결혼을 원하지 않는 수많은 이유들을 댔지만 그것들은 모두 꾸며낸 것들이었다고 말했다. 결혼에 진짜 장애물은 오랫동안 사귄 여자친구였는데, 그는 처음부터 그녀에 대해 솔직히 털어놓지 않았다. 이제 나의 내담자는 남자 친구와의 관계에 일말의 가망이 있는지를 알고 싶어 했다.
나는 고위 여사제 카드를 설명하면서, 내가 느끼기에 이 카드는 그의 여자 친구를 가리키며, 큰 힘을 가진 위치에 있는 여성의 존재, 나의 내담자가 모르고 있는 것들을 알고 있고 결코 과소평가하면 안 되는 여성을 나타낸다고 말해 주었다. 펼쳐진 다른 카드들은 좌절된 욕망을 보여 주었다. 그래서 그녀의 질문에 대한 대답은 "가망이 없다."가 될 수밖에 없었다.

악의가 있는 인물일 때, 그녀는 여전히 힘이 있는 사람이지만 그 힘이 어느 정도인지는 가늠할 수가 없다. 이 사람에게는 눈에 보이거나 짐작할 수 있는 것 이상의 그 무엇이 있다. 때때로 그녀는 삼각관계에서 제3자인 나머지 남자 혹은 여자이다. 그러나 그녀의 정확한 역할이 무엇이건 간에 그녀의 힘을 과소평가해서는 안 된다. 그녀는 무서운 적이 될 수 있으며 우리가 깨닫지 못하는 것을 알아차릴 수 있다. 최악의 경우에 이 사람은 자신의 힘을 악용하거나 남을 지배하려는 욕구로 음모를 꾸미고 실행에 옮기는 사람이다. 강박적인 행동이나 정서적인 협박의 이야기들을 경계하라.

한편으로 고위 여사제는 우리 안의 매우 수용적이고 여성적인 힘 그리고 우리 모두 안에 있는 여자 마법사를 상징할 수 있다. 그녀의 마법적인 능력과 자질은 우리에게 세상을 바라보는 또 다른 방식을 보여 줄 수 있다. 그녀는 우리에게 고요하고 더 깊이 들어가라고, 겉으로 드러난 것 너머를 보고 느끼라고 요청한다. 그녀는 삶의 신비를 상징하며, 보이는 것이 아니라 보이지 않는 것, 볼 수 없는 것을 다스린다. 우리는 이 요구에 부응하고 통찰력을 얻기 위해 외부 세계가 아니라 우리 자신의 내면을 깊이 살펴볼 필요가 있다.

이 카드는 어떤 상황에서는 서서히 드러나서 당신에게 다른 시각을 줄 정보를 의미할 수 있다. 시간의 흐름을 신뢰할 필요가 있으며, 어떤 사람들에게는 특정한 상황이 펼쳐지면서 영적 깨달음과 개인적인 성장의 요소가 있을 수 있다.

고위 여사제 카드 해석하기

고위 여사제는 사원의 입구에, 보아스(Boaz)와 야킨(Jachin)을 상징하는 머리글자인 B와 J가 새겨진 두 기둥 사이에 앉아 있다. 왜 이런 이름들이 주어졌고 그것들이 무엇을 의미하는지는 논쟁거리이며, 카드의 역사를 탐구하는 것은 이 책의 범위 밖이다. 카드의 메시지를 배우는 측면에서 가장 중요한 점은 기둥 하나는 검은색이고 다른 것은 흰색이며, 이것은 남성과 여성 또는 양과 음을 상징한다는 것이다. 고위 여사제는 두 기둥 사이의 공간에 머물며 메이저 아르카나 순서에서 2번이라는 번호를 부여받았다. 따라서 우리는 그녀를 통합의 원리, 모호함을 용인하고 양극성을 포용할 수 있는 힘으로 볼 수 있다.

그녀의 '마법'은 발밑에 걸려 있는 커다란 초승달로 상징된다. 그러나 여자 마법사로서 그녀의 힘은 건설적이거나 파괴적으로도 사용될 수 있으며, 고위 여사제가 좋은 영향을 미칠지 나쁜 영향을 미칠지는 카드 배열에서 그녀가 처한 위치와 주변 카드들의 성질을 보고 판단한다.

점성학과의 연결

고위 여사제는 여성적 원리의 궁극이다. 그녀는 달과 연합하여 유동적인 여성 에너지를 이용한다.
그녀의 특성은 전갈자리와 상관이 있다. 그녀는 이 궁의 긍정적인 측면, 즉 심령적인 통찰력과 치유 능력, 힘을 지니고 있다. 그러나 질투나 힘을 악용하는 성향 등 부정적인 측면도 있다.

III 여황제

여황제 카드는 궁극적으로 땅의 어머니다. 온화하고 여성스럽고 아름답고 풍성하며,
자연과 풍요에 가깝고, 영성이 아니라 물질과 물질적인 것을 의미한다.

the Empress

전통적 의미 비옥함, 모성

나의 경험상 이 카드는 모성과 아기들에 대한 질문에 흔히 나타난다. 이 카드는 내담자 혹은 내담자와 가까운 사람이 최근에 임신했거나 곧 임신할 것이라는 것을 알려 준다는 면에서 중요한 카드이다. 그러나 나는 "제가 아이를 갖게 될까요?"와 같은 질문에 대해서는 카드 읽기를 피하곤 한다. 그것은 대체로 희망에 근거한 질문이며, 부모가 될 수 있을지를 알아보기 전에 가려내야 할 다른 요인들이 있기 때문이다. 또한 내담자가 부정적인 대답을 들을 준비가 되어 있지 않을 수도 있다. 이런 질문에 부정적인 대답을 할 경우, 많은 여성들은 충격을 받거나 망연자실해질 것이다. 따라서 조심스럽게 접근하는 것이 중요하다. 그러나 내담자가 이미 임신했다거나 임신하려고 노력 중이라면, 여황제는 임신에 대한 예언이나 건강한 아이의 탄생에 매우 긍정적인 카드다. 이 카드는 임신을 계획하지 않는 사람에게는 조심하도록 주의시키는 데 큰 도움을 주는 카드이다.

여황제는 어머니일 뿐 아니라 사랑하는 사람이기도 하다. 그녀의 관능성과

여황제 카드는 사랑, 결혼 그리고 자녀에 대한 질문들의 맥락에서 자주 나타났는데, 보통은 만족을 나타내는 훌륭한 징조다. 하지만 언젠가 아기가 있는 젊은 여성을 위해 해석했을 때, 여황제 카드는 켈틱 크로스 배열의 중앙에 있는 검의 왕 카드에 교차 카드로 나왔다. 그녀에게 아기가 태어난 이후로 사랑받지 못하고 있다고 느끼는지 물어보았더니, 그녀는 눈물을 흘리며 그렇다고 곧바로 확인해 주었다.

이것은 흔한 이야기다. 두 사람이 미친 듯이 사랑에 빠져서 멋진 결혼을 하고 첫 아이에 대한 기대로 가슴이 부풀어 있다. 하지만 막상 부모가 되면 현실적인 문제에 부닥치게 되는데, 이 사례에서는 결혼 생활에 대한 부담감이 대단히 심했다. 이제 그녀는 첫 아기를 돌보느라 정신없이 애쓰면서 동시에 남편의 삶에서 사랑받는 여인이라는 자신의 위치를 다시 찾고자 노력하지만, 검의 왕처럼 차갑고 무정한 남편의 모습을 경험한다. 그녀는 이제 그의 아내와 아기의 어머니로만 머무는 삶은 자신이 꿈꾸던 삶에 비해 끔찍할 정도로 턱없이 모자란다고 느꼈다.

다행스럽게도 배열에서 다른 카드들은 단란함과 성공을 가리키고 있었다. 그래서 나는 그녀에게 아직 양쪽에 다 사랑이 있고 이것은 삶의 '안 좋은 조각'일 뿐이며 흔한 일이라고 안심시킬 수 있었다. 그녀는 자신들의 문제를 그들 스스로 헤쳐 나가야 한다는 것을 이미 가슴속에서 알고 있었다. 이것은 카드 읽기가 어떻게 효과적인 치유 과정이 될 수 있는지를 보여 주는 좋은 사례였다. 그녀는 카드 읽기를 통해 마음이 많이 편안해졌고, 다시 기운을 차렸으며, 미래에 대한 새로운 희망을 갖고 떠날 수 있었다.

성적 매력은 그녀의 풍요로움의 일부분이다. 발 곁에 있는 하트 모양의 방패에는 금성을 나타내는 상형문자가 새겨져 있다. 화성을 나타내는 상형문자가 남성에게 사용되듯이 이 상형문자는 일반적으로 여성의 상징으로 사용된다. 여황제는 사랑과 미의 여신인 비너스, 아프로디테와 연결되어 있다. 그녀는 사랑받는 여성이며, 귀하고 소중하게 여겨진다. 사랑이 아닌 욕망에 기초한 관계나 일시적인 관계를 좋아하지 않는다. 그녀는 지극히 여성적이다. 따뜻하고, 성적 매력이 있고, 양육하며, 안정적이다. 이 카드는 사랑과 결혼에 관한 문제를 다룰 때 매우 유용하다. 왜냐하면 진정으로 중요한 것은 맹목적으로 반하거나 지나치게 집착하거나 실수를 저지르는 것이 아니라 건강한 사랑과 성임을 말해 주기 때문이다.

어떤 상황에 대한 답을 원할 때 이 카드가 나오면, 이것은 그 일이 생산적이며 좋은 결실을 맺으리라는 것을 나타낸다. 보답과 만족이 기대된다.

여황제 카드 해석하기

고위 여사제가 형이상학적인 여성 원리의 신비한 마법의 힘을 상징하듯이 여황제는 물질적인 것을 상징한다. 그녀는 무성한 식물들 가운데 있는 옥좌에 앉아 있으며, 대지의 어머니인 데메테르(Demeter)[8] 여신에게 성스러운 과일이며 풍요를 상징하는 석류들이 그려진 풍성한 원피스를 입고 있다.

흥미롭게도 석류는 고위 여사제에서도 발견되는데, 이것은 영적, 물질적 발달이 모두 풍요로움을 의미한다.

점성학과의 연결

여황제 카드는 사랑과 쾌락의 행성인 금성과 명백히 연관된다. 금성은 관능적인 흙의 궁인 황소자리를 지배한다. 황소자리에 금성이 있는 사람은 음식, 돈, 성(性), 쇼핑을 좋아하며, 만약 사랑이 부족하면 이들 중 어떤 것 혹은 모두를 과도하게 쓰게 될 것이다.
고위 여사제와 여황제는 전갈자리-황소자리의 대립과 관련된다. 전갈자리는 어둡고 신비롭고 은밀하며 보이지 않거나 위험한 모든 것과 연결되어 있다. 황소자리는 이와 정반대로 볼 수 있고 만질 수 있고 느낄 수 있고 맛볼 수 있는 모든 것, 안전하고 만족스럽고 명백한 모든 것을 상징한다.

여황제 카드는 임신이나 임박한 출산을 나타낼 수 있다. 또한 어머니의 모습이나 최고의 여성성을 표현할 수도 있다.

IV 황제

엄숙해 보이는 남자가 숫양의 머리로 장식된 옥좌에 앉아 있다. 그의 붉은 옷이 갑옷을 가리고 있는 것을 보면 그는 전사처럼 보이지만, 다른 한편으로 황금과 보석으로 장식된 왕관과 오른손에 들고 있는 홀은 그가 제왕임을 보여 준다. 길고 흰 턱수염은 연륜과 경험의 지혜를 드러낸다.

the Emperor

전통적 의미 권위, 힘, 리더십, 야망, 이성

이것은 여황제와 짝을 이루는 카드이다. 여황제가 모성과 최고의 여성성을 나타내듯이 황제는 부성과 최고의 남성성, 그리고 남성적인 원리를 나타낼 수 있다. 황제는 현명하고 공평하고 분별력이 있는 존재이며, 특히 가족이나 사랑하는 다른 사람들을 향해 강한 원칙과 가치 기준을 유지하는 존재이며, 우리가 존경하는 존재이다.

카드 읽기에서 이 카드가 나타나면, 대체로 이성이 감성을 다스릴 필요가 있다는 것을 의미한다. 감정적이거나 직관적인 반응이 아니라 논리가 요구된다. 왜냐하면 당신이 원하는 것이 반드시 당신에게 필요한 것은 아니기 때문이다. 주관성보다는 객관성이 더 분명하고 정확하게 상황을 파악하도록 해 줄 것이다. 또한 이 카드는 결정하기 힘든 일에 대한 신호일 수도 있으며, 자기의 주장을 고수하거나 혼자 힘으로 일어설 필요가 있음을 알려 주는 신호일 수도 있다. 어떤 상황이나 관계 속에서 자기 자신의 권위를 주장하는 것과 관련된 이슈들이 있을지도 모른다.

이러한 이슈들은 특히 여성들에게 적용되기 쉽다. 황제는 강한 가부장적 인물을 상징할 수 있으며, 예를 들어 아버지와 딸의 관계에서 그럴 수 있다. 최악의 경우 이 카드는 매우 지적이지만 너무나 인습적이고, 의지력이 강하지만 완고하며, 설교하거나 지배하려는 사람을 나타낼 수 있다. 이런 사람은 특히 자

황제는 아버지와 같은 인물과 최고의 남성성을 표현할 수 있다. 그는 가족의 가치 기준을 강하게 유지하며 우리에게 존경받을 수 있는 인물이다.

신의 약한 모습을 드러내지 않기 때문에 다른 사람이 가까이 다가가기가 어렵다. 꼭 의도적으로 남에게 불친절한 것은 아니지만, 너무 완고하고 경직되어 있고 규율에 얽매이며 자립적이어서 다른 사람도 자기와 같기를 기대한다. 결과적으로 그는 자신의 감정을 밀봉해 버리며 자신에게는 결코 잘못이 없다고 믿는다. 그는 규칙들을 만들고, 비록 자신은 지키지 않을지라도, 모든 사람들이 그 규칙들을 지키기를 바란다.

인간관계에서 이처럼 틀에 박힌 유형을 나타내는 것과는 별개로, 황제는 또한 직장 상사나 부모, 사업 동료와 같이 힘 있는 위치에 있는 사람일 수도 있다. 이 사람이 지닌 힘의 정도와, 그 힘이 어느 정도로 유익하거나 해로울지를 알기 위해서는 카드 배열의 다른 카드들을 참고해야 한다.

점성학과의 연결

양자리는 숫양의 궁이다. 그래서 황제의 옥좌 위에 있는 숫양의 머리는 그를 이 궁과 연결시킨다. 양자리는 자아와, 자아를 내세우는 강력한 추진력을 상징한다.
양자리 사람들은 보통 자발적인 실행자, 지도자, 선도자들이며 반대를 당하거나 두 번째가 되는 것을 싫어한다.
이 궁은 전쟁과 행동의 행성인 화성이 지배하며 경쟁자, 전사, 운동가의 궁이다.
또한 황제를 노년과 엄숙함의 행성인 토성과 연결시키는 경우도 있다.

20대 후반인 한 여성을 위해 여러 번 카드를 읽었는데, 그때마다 황제 카드가 나타나곤 했다. 어떤 카드는 한 회기에 여러 차례 카드를 읽어도 반복해서 나타나는 경우가 종종 있다. 마치 눈여겨보아 달라고 요구하는 것 같다. 몇 차례의 카드 배열에서도 반복하여 나타나는 것은 그것이 주요 요인이라는 것을 나타낸다.

이 경우 황제는 틀림없이 그 여성의 아버지였다. 그는 그녀를 사랑했지만, 과잉보호하고 그녀의 미래를 지시하면서 그녀를 통제했다. 그녀는 항상 혼자 힘으로 자기 사업을 시작하고 싶어 했지만, 아버지는 그녀가 계속 가업에 종사하기를 원했다. 그녀는 유달리 섬세하고 지적이었으며, 자신을 필요로 하는 가업보다 훨씬 큰 사업을 할 능력이 있었다. 어쩌면 당연하게도 그녀는 몇 년 동안 심리 치료를 받았지만 그녀의 삶에 줄곧 어두운 그림자를 드리운 심한 우울증으로 여전히 고통 받고 있었다. 아버지의 반응은 늘 "정신 차려."였다.

우리는 황제의 상징과 의미를 여러 번 탐구했는데, 그의 지속적인 재등장은 그가 그녀에게 가장 큰 장애물이자 도전이라는 것을 보여 주고 있음이 분명했다. 나는 그녀의 우울증이 가정교육에 대한 반응이자 방어였다고 확신했다. 우리는 그녀가 아버지와 맞서지 않는 한 그녀의 자율성과 정신 건강을 호전시킬 방법을 결코 찾을 수 없으리라는 것을 알게 되었다. 관계를 깨지 않고 이렇게 하려면, 그녀가 아버지에게서 동정심을 기대하지 않고 그의 이성에 호소할 수 있어야 했다. 궁극적으로, 아버지는 그녀가 원하는 방식으로는 자기의 역할을 결코 포기하지 않을 수 있다는 사실을 그녀는 인정해야 했다. 만약 우리가 바꿀 수 없는 사람이나 상황이 있다면, 우리가 할 수 있는 것은 우리의 반응을 바꾸는 것뿐이다. 그러면 굉장한 힘이 생길 수 있다.

이 사례는 두 가지 수준에서 작용하고 있는 황제 카드를 보여 준다. 표면적으로는 그녀의 아버지를 나타내는 분명한 표시자이지만, 다른 수준에서는 그와 관련된 심리적 문제를 나타내고 있다. 이것은 그녀가 아버지로부터 육체적, 심리적으로 독립하기 위해서는 좀더 단호해져야 한다는 것을 보여 주었다.

V 신비 사제

신비 사제는 가끔 교황(Pope)이라고도 불리며, 종교적인 의미를 지닌 카드임이 분명하다. 화려하게 장식된 금관을 쓰고 화려한 옷을 입은 인물이 두 성직자에게 설교를 하고 있다. 그는 오른손을 들어 축복을 하며, 왼손에는 삼단으로 된 교황 십자가를 쥐고 있다.

the Hierophant

전통적 의미 영적 조언자, 교사

신비 사제는 종종 영적 조언자나 교사, 또는 영적 인식이 있는 지혜로운 사람을 나타낸다.

신비 사제는 늘 내게 해석하기에 가장 어려운 카드 가운데 하나였다. 그리고 이 카드는 우리가 전통적인 의미에 얽매이면 안 된다는 것을 보여 주는 좋은 예이다. 사제는 전통적으로 영적 조언자나 교사이다. 그러나 간혹 어떤 사람들의 경우는 영적 혹은 종교적 조언자가 있을 수도 있지만, 이런 식으로 해석할 경우 대다수 사람들은 그런 사람이 없다고 하거나 웃어 버릴 것이다.

하지만 영성이란 반드시 신이나 조직화된 종교를 의미하는 것은 아니다. 영성은 그저 단순히 삶의 다른 차원에 대한 자각을 의미할 수 있고, 어떤 면에서는 우리 모두가 서로 연결되어 있다는 깨달음을 뜻할 수도 있다. 이런 자각은 우리에게 동료 인간들을 향한 도덕적이고 윤리적인 책임감을 느끼게 한다.

많은 면에서 우리의 영성은 우리가 삶에서 어떻게 의미를 찾는지, 그리고 우리가 어떻게 그른 것과 바른 것을 구별하는지와 깊이 연관되어 있다. 우리 인간을 다른 생명체들과 구별시키는 것은 바로 이것이다. 이런 면에서 신비 사제는 우리의 옆구리를 쿡 찌르며 우리 자신의 영적 가치와 접하고 정직해지도록 일깨우는 상징이 될 수 있다. 이러한 메시지는 우리가 자신에게 진실하게 살고 영적으로나 도덕적으로 해이해지는 함정에 빠지지 않도록 하는 것이다.

당신의 삶에 있는 다른 사람일 경우, 신비 사제는 영적인 자각과 경험, 지혜를 지닌 사람을 의미하게 되고, 모든 면에서 그의 경험과 지혜의 혜택을 전해 줄 수 있는 사람을 나타낸다. 이 카드는 당신이 존경하는 사람을 상징하며, 개인적인 문제들을 털어놓고 얘기할 수 있는 사람, 당신이 조언을 구하고 따르고자 하는 사람을 가리킨다.

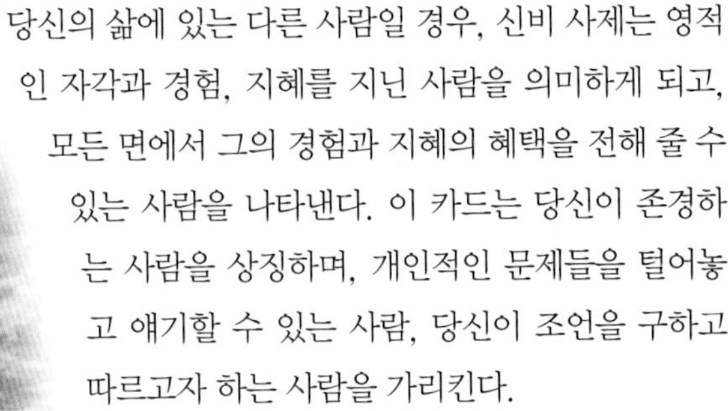

카드 읽기에서 이 카드가 나오면, 그것은 교사나 상담자, 치료자, 또는 어떤 형태로든 자문을 해

주는 사람을 나타낼 수 있다. 가장 친한 친구나 연인으로서 당신이 신뢰하거나 당신에게 가장 큰 도움을 주는 사람을 의미할 수도 있다.

때로는 내담자가 신비 사제일 수 있으며, 그는 조언자의 역할을 하거나 상황을 바른 길로 인도하도록 요청받는다. 만약 이 카드가 다른 어려운 카드들에 둘러싸여 있다면, 그것은 특히 요청받지 않았을 때는 신중하게 조언하라는 메시지이며 고자세나 비판적으로 하지 말라는 것을 나타낸다. 설교를 하지도 말고 설복되지도 말아야 한다. 신비 사제는 타로 해석자에게 도움이 되는 카드인데, 자기의 주장을 내세우거나 어느 누구에게도 쓸모가 없는 비밀스러운 전문 용어들을 늘어놓지 말 것을 우리에게 상기시킨다.

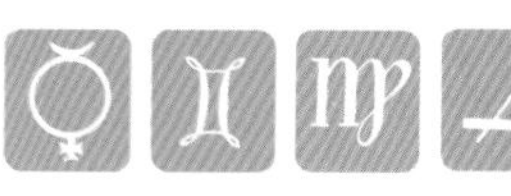

점성학과의 연결

내가 보기에 신비 사제는 신들의 사자이며 언어와 의사소통의 행성인 수성이라 생각된다. 그가 제대로 자리 잡으면, 대화하고 정보를 제공하는 데 솜씨가 좋고 능란한 쌍둥이자리나 분석적이고 조심스러우며 지적인 처녀자리에 있는 수성과 같다. 그가 잘못 자리 잡으면 품위 손상의 궁들인 궁수자리와 물고기자리에 있는 수성과 같아서 설교하려 들거나 상투적인 말을 하거나 생각 없이 말하기 쉽다.

신비 사제가 꼭 나이 많은 현자인 것은 아니다. 그 사람의 나이는 상관이 없으며, 가장 중요한 것은 그 사람이 행하는 역할이나 특성 유형이다.

50대인 한 남성을 위해 카드를 읽었을 때, 이 신비 사제 카드는 그보다 열 살 어린 직장 상사임을 쉽게 알아볼 수 있었다. 나이 차이에도 불구하고 내담자는 그의 상사에게 감복했으며 그의 판단과 견해를 더없이 존중했다. 그는 상사의 인도를 받아서 행복하고 감사했으며, 나중에는 자신의 개인적 삶까지도 인도를 받았다. 그의 상사는 '모든 면에서 놀라울 정도로 후원을 하는' 친구가 되었다.

한번은 이혼 절차를 밟고 있던 40대 초반의 한 여성을 위해 카드를 읽은 적이 있었다. 헤어지고자 한 사람은 그녀였다. 그때 남편은 충격을 받았지만 비교적 빨리 마음을 추슬렀고, 이 일을 서로 예의를 갖추며 평화롭게 해결하고 싶어 했다. 그런데 갑자기 상황이 안 좋게 변했고, 그는 즉시 이혼하고 재산을 정리하기를 원했다. 그는 서둘러 변호사와 이혼 조건을 서류로 만들었고 그녀에게 서류에 서명을 하도록 심한 압박을 가하고 있었는데, 서류는 그에게 매우 유리하게 되어 있었다. 그녀는 자신이 받을 권리가 있는 금액보다 훨씬 적게 제시된 액수를 받아들여 서명을 하고 그냥 자신의 삶을 살아가야 하는 것인지 알고 싶어 했다. 아니면 불안과 의심을 품고서, 틀림없이 지저분하고 괴롭고 질질 끌 법적 절차를 밟을 것인가?

이어지는 미래 카드는 신비 사제였다. 그래서 나는 그녀에게 안내자가 필요하며 전문가의 조언이 없이는 아무것도 승인하지 말도록 권했다. 나중에 그녀는 친한 친구가 결혼 관련법 전문 변호사를 소개해 주었고, 원래 제시된 액수보다 두 배 이상 많은 위자료를 받게 되었다고 알려주었다.

VI 연인

나는 연인 카드가 항상 인간관계 혹은 의미 있는 연애 사건을 가리킨다는 것을 발견했다.
이 카드는 성과 관련된 카드이고 강력한 육체적 매력을 나타내며,
욕망과 열정과 사랑이 강하게 연결되어 있음을 일깨워 준다.

the Lovers

전통적 의미 사랑과 협력, 선택

내담자가 전에 타로 읽기를 해 본 경험이 전혀 없고 카드에 완전히 생소하다고 해도, 만약 제임스 본드 영화에서 로저 무어가 78장이 모두 연인 카드였던 타로 덱으로 제인 시모어를 유혹하는 장면을 보았다면, 이 카드만은 알 것이라고 확신할 수 있다.

이 카드는 정신적 사랑과 육체적 관계 사이의 선택을 암시할 수 있다. 이런 의미가 가장 자주 나타나는 경우는 줄곧 친구였던 사람에게 사랑을 느끼기 시작할 때이다. 이 경우의 주제는 "나는 우리의 관계를 망칠지도 모르는 모험을 하고 싶지 않아."라는 것이다. 앞으로 일어날 수 있는 각본들에 대한 장점과 단점을 면밀히 살펴볼 필요가 있다.

그런데 만약 어떤 사람이 이미 애인이 있는 사람에게 마음을 주거나 기혼자가 혼외 관계의 유혹을 받을 때와 같이 불륜의 맥락에서 이 카드가 나타난다면, 이것은 문제가 될 수 있다. 그 사람은 유혹의 사과를 따지 않으려 저항해야 하는가? 억제할 것인가, 사귈 것인가, 욕망을 부정할 것인가 아니면 욕망에 따를 것인가, 좌절감이나 죄의식과 싸울 것인가 등등 선택의 요소가 훨씬 많아진다.

연인 카드는 종종 서로 강하게
끌리는 새로운 관계를 나타낸다.

내 경험에 비추어 보면, 피해야 하는 상황에서는 악마 카드처럼 훨씬 무거운 카드가 거의 항상 나타난다. 연인 카드는 대개 올바르게 이루어지는 결정 그리고 종종 진정한 영혼의 짝과 맺어지는 멋진 새 동반자 관계의 탄생을 나타낸다.

연인 카드 해석하기

만약 연인 카드를 부정하는 불리한 카드들이 많이 나오지 않는다면, 이 카드는 보통 어떤 관계 특히 이제 막 시작하는 관계 또는 연인이 잘못을 저지르는 일 없이 모든 것이 완벽한 밀월시기의 관계를 알려주는 훌륭한 예시일 수 있다. 앞으로의 일은 다른 문제이지만, 당분간은 모든 것이 장밋빛이다. 다른 덱에서는 천사나 큐피드가 모든 상황을 관장하며, 둘의 합일이나 동반자 관계는 축복을 받는다.

연인 카드와 악마 카드를 비교해 보면, 둘 다 남자와 여자가 강력한 힘 앞에 나란히 서 있는 이미지라는 것을 알게 된다. 악마 카드는 연인 카드의 뒷면이고 사랑의 어두운 면이지만, 연인 카드는 사랑과 빛으로 가득 찬 아름다운 그림이며 서로에게 끌리는 힘이 강하다.

연인 카드는 20대 초반의 한 여성을 위해 카드를 읽었을 때 나타났다. 그녀는 한 남성에게 매력을 느끼고 있었는데, 그도 역시 자신에게 매력을 느끼는지를 간절히 알고 싶어 했다. 그녀는 그가 친절하게 대할 뿐이라고 생각할 때도 있었고, 친구 이상의 관계를 원한다고 느낄 때도 있었다. 그럴 때는 자신이 그저 그렇게 상상하는 것에 불과한지 의심스러웠고, 의문과 불안은 다시 꼬리를 물고 이어지기 시작했다. 그에게는 아직 다른 애인이 있었지만, 모두들 그 관계는 끝난 것이나 마찬가지라고 그녀에게 말해 주었다.
나는 7장의 관계 카드를 펼쳤는데, 그것은 내가 이제까지 본 중에 가장 좋은 수준의 카드였다. 그에 대한 상징은 연인 카드였다. 그래서 나는 그녀에게 우정이 훨씬 강력한 것으로 꽃피어 나고 있으며, 그녀는 그들 사이에 일어나는 마음의 변화를 짐작하지 못하고 있다고 말해 주었다. 결과로 나온 카드는 더없는 기쁨과 행복을 나타내는 컵 10번 카드였다. 타로 해석자가 내담자에게 간절히 원하는 것을 얻을 것이라고 말해 주는 것은 멋진 순간이다. 이 경우 결과는 매우 빨랐다. 나는 그 다음 주에 그들이 사귀게 되었다는 전화를 받았고, 일 년 뒤에는 결혼했다는 소식을 들었다.

점성학과의 연결

점성학적으로 말한다면 연인 카드는 사랑, 관계 맺기, 그리고 아름다움의 여신인 비너스-아프로디테이다. 비너스 즉 금성은 황소자리를 지배하고 천칭자리도 지배하는데, 천칭자리는 동반자 관계 및 중요한 타인과의 연결을 나타낸다. 천칭자리에 있는 금성은 로맨스와 관계 맺기를 상징하며, 핵심어는 유대감과 협력, 교제이다.

VII 전차

전차를 모는 사람은 숙련된 유능한 인물이며, 전차를 타고서 말이 아니라 두 마리의 스핑크스를 몰고 있는데, 한 마리는 검고 한 마리는 희다. 그의 기술은 서로 다른 힘들을 동시에 다스려 앞으로 나아가도록 하는 데 있다.

the Chariot

전통적 의미 정복, 승리, 여행

카드 읽기에서 전차 카드가 나오면, 그것은 종종 하나의 상황에 작용하는 서로 다른 요인들을 나타낸다. 그 요인들은 마찰을 일으킬 수 있으므로 절묘하게 다루고 제어해야 한다. 이 카드의 주요 메시지 가운데 하나는 통제력을 회복하라는 것이다. 전차는 오늘날의 자동차이며, 이제는 운전석으로 돌아와야 할 때이다. 올바른 길로 잘 운행하고 운전하면 장애물을 극복하고 성공에 이를 수 있다. 그것은 단순히 삶이나 특정한 상황에서 새로운 방향 감각을 찾아야 하는 문제일 수도 있고, 자신의 야망을 제어하고 이용할 방법을 찾아야 하는 문제일 수도 있다. 혹은 어떻게 하면 더 잘 제어하고 추진력을 발휘할 수 있는가 하는 면에서 자신의 능력과 권한을 인식해야 하는 문제일 수도 있다. 당신은 소극적인 역할에 머물지 않고 고삐를 움켜쥐고 적극적인 역할을 취할 필요가 있는가?

전차 카드는 문자 그대로 운송 수단을 의미한다. 이 카드는 운전면허 시험을 앞두고 있거나 새 차를 산 사람을 위해 카드를 읽었을 때 자주 나타났다. 남편을 따라 어린 두 자녀들과 함께 이민을 가려던 한 여성에게 결과 카드로 전차 카드가 나온 것은 아주 좋은 예였다. 그들이 계획한 운송 수단은 무엇이었을까? 그들은 남편이 이동식 주택으로 개조한 낡은 스쿨버스로 영국에서 그리스까지 가기로 결정했다.

30대 초반인 여성을 위한 관계 배열에서 전차 카드는 가까운 미래를 나타내는 여섯 번째 카드로 나왔다. 바로 앞의 카드는 지팡이 10번 카드(무거운 짐)였고, 결론 카드는 지팡이 7번 카드(자기 보호)였다. 이 그림은 그다지 고무적이지 않았다. 나는 그녀에게 자신의 힘으로 헤쳐 나가야 할 것 같다고 말했다. 이것은 또 다른 복잡한 삼각관계로 드러났는데, 그녀가 만나고 있는 남자는 아직도 옛 애인에 얽매여 있었다.

전차는 환영받는 모습이었다. 만약 그녀가 그 상황을 바꿀 수 없다면, 그녀는 어떻게 그 상황을 다루는 방식을 바꿀 수 있을 것인가? 그녀는 자신의 관계에 어떤 한계선도 없음을 깨달았다. 이 남자는 그녀를 만나기 위해 집에도 찾아왔고 아무 때나 전화를 했다. 그녀는 그를 위해 언제든지 자신의 시간을 내주는 함정에 빠져 버렸고, 그녀의 친구들은 남김없이 떨어져 나갔으며, 그녀는 스스로 결정을 내리는 법을 잊고 있었다. 그녀는 고삐를 잡고서 자신의 삶을 다시 올바른 궤도에 올려놓아야 한다는 점을 수긍했다.

전차는 종종 옴짝달싹할 수 없거나 자신의 힘으로 어찌할 수 없던 상황에서도 움직임이나 진전이 있음을 의미하기도 한다. 일을 계속 진행시킬 기회가 있다. 그런데 문제는 좀더 단호하게 밀어붙일 수 있는 용기나 자신감을 발견하는 것이다. 이것은 잊지 말아야 할 중요한 문제다. 왜냐하면 전차를 모는 사람은 힘이 있고 유능하지만 과감한 사람은 아니기 때문이다. 그는 자신이 몰고 있는 스핑크스처럼 미묘하며, 서툰 책략에 의지하지 않고 자신의 개성과 카리스마의 힘을 보여준다. 그는 무모하거나 무정하게 행동하지 않으며 영리하고 계획적으로 행동한다. 전차가 나타날 때, 그는 먼저 서둘러 전략을 세운 다음에 행동에 옮긴다.

문자 그대로 말한다면 전차는 여행을 의미할 수도 있다. 그러나 그것은 대개 휴가와 같은 여행이 아니라 목적이 있는 여행이다. 전차를 모는 사람은 매우 집중되어 있고, 어떤 이유로 인해 움직이며, 늘 목적지를 또렷이 보고 있다.

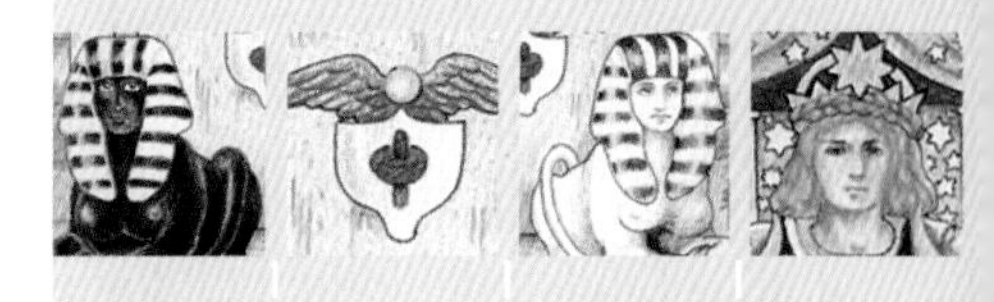

전차 카드 해석하기

전차를 모는 사람과 함께 있는 스핑크스들은 흔히 인간의 본성에 내재된 선과 악이라는 대립되는 힘으로 간주된다. 그러나 현대적인 해석에서는 고위 여사제의 두 기둥처럼 검은 색과 흰색은 각각 남성과 여성, 양과 음, 그리고 양극성 혹은 차이를 상징한다.

스핑크스는 마법적인 신비한 창조물이며, 고대 이집트와 잃어버린 문명의 이미지를 떠올리게 한다. 셰익스피어는 〈사랑의 헛수고(Love' s Labours Lost)〉에서 사랑을 '스핑크스처럼 신비로운' 이라고 묘사했고, 우리는 스핑크스를 불가사의한 사람과 연관시킨다. 전차를 모는 사람은 단순히 운동하는 사람이나 경쟁자가 아니다. 초자연적인 요소가 있으며, 툭 건드려지기를 기다리는 숨은 힘의 요소도 있다. 이 사람은 스핑크스의 주인으로서 몸과 마음, 영혼이 모두 강하다.

점성학과의 연결

내게 있어 전차 카드는 행동과 추진력, 용기의 행성인 화성과 가장 가깝게 연관된다. 또한 화성은 특히 집단이 아니라 개인의 기술을 발휘하는 운동에 대한 강력한 상징이다. 최선의 상태에서 그는 기능 항진의 궁에 있는 화성이며, 특정한 목표나 목적지를 향해 에너지가 흘러가고 이용될 수 있는 흙의 궁 염소자리이다.

VIII 힘

이 카드의 여인은 침착하고 차분하며, 입을 벌리고 있는 사자를 부드럽고 쉽게 다스리고 있다.
힘은 폭력이 아니라 여성적인 힘으로 보인다.

Strength

전통적 의미 용기, 꿋꿋함, 인내

카드 읽기에서 이 카드가 나타날 때는 보통 인내와 용기의 필요성을 나타낸다. 당신이 맞서 싸울 용기가 있고 역경에 직면하여 흔들림 없이 있을 수 있다면, 어떤 문제나 어려운 상황이라도 길들여지고 극복될 수 있다. 이것은 다른 사람이나 자기 자신을 위해 강인하게 버티는 문제일 수 있으며, 자신의 감정들을 길들이거나 억제하는 것을 포함할 수 있다. 갈망이나 좌절감을 참고 견뎌야 한다. 따라서 이 카드는 나약하거나 여린 사람을 위한 것이 아니다.

아내의 불륜 사실을 받아들이기 위해 필사적으로 노력하고 있던 한 남성의 켈틱 크로스 배열에서 일곱 번째 카드로 힘 카드가 나왔다. 그녀는 그 사실을 몹시 후회했고 남편과 관계를 회복하기 위해 최선을 다했지만 아무런 소용이 없었다. 그는 배신감에 괴롭고 울화가 치밀어서 병이 들었고, 그 사건은 이미 끝났지만 특히 결혼 생활이 회복될 수 없고 결국은 그녀를 잃게 되리라는 두려움으로 여전히 자신을 학대하고 있었다.
이 사례에서 배열 속의 마지막 두 카드는 매우 긍정적이었다. 컵 9번 카드(만족)와 운명의 수레바퀴 카드가 결과로 나와서 나는 그에게 이혼 법정에 서지 않을 것이라고 주저 없이 확신시켜 주었다. 그러나 용서까지 가는 길은 길고 험난할 것이며 해결해야 할 일들이 수없이 많았다. 화해는 분명히 임박해 있었지만 조급하게 덤빌 수 없는 과정이었다.
나는 힘 카드에 집중했다. 왜냐하면 힘 카드는 양쪽의 노력과 인내가 필요하다는 점을 가리키고 있다고 느꼈기 때문이다. 그 어떤 지름길도 없었고, 어느 누구도 마법의 지팡이를 휘둘러서 모든 상황을 더 좋게 만들지는 않을 것이었다. 하지만 격렬한 싸움의 한가운데에서도 우리는 자신이 원하는 결과에 집중하려고 노력해야 한다. 나는 오직 그 자신만이 밤에도 그를 잠들지 못하게 하는 분노와 질투라는 짐승들을 길들일 수 있으며, 오직 그 자신만이 그 모든 것을 놓아 보낼 수 있는 힘을 발견할 수 있다는 메시지를 전달하기 위해 노력했다. 미친 듯이 분노하고 욕설을 퍼붓기는 쉽다. 고통스러운 상황에 직면하고 해결할 내면의 힘을 발견하는 것은, 특히 그 상황 안에 있는 우리 자신의 몫을 인정해야 할 때, 훨씬 더 힘들다. 다행히 그는 아직 괴로워하고 있었지만 이것이 진실임을 인정했다.

당신은 원하는 것을 가질 수 있지만, 정서적으로 성숙되지 않으면 얻을 수 없다. 이것은 일종의 인내력 시험을 통과해야 한다는 것을 의미한다. 미친 듯이 소리를 지르고 화를 내거나 자기 연민에 빠지는 것은 아무런 도움이 되지 않는다. 당신이 원하는 것은 인내를 필요로 하며, 인내를 필요로 하는 것은 조용한 확신으로 기꺼이 감내해야 한다. 여기에는 자신의 자리를 고수하거나 스스로 일어서야 한다는 주제, 또는 내면의 힘과 신념만으로 자신을 보호하며 사자의 굴 속으로 걸어 들어가야 한다는 주제가 왕왕 있다.

이 카드는 지팡이의 여왕 카드와 비슷한 특징이 있는데, 두 카드 모두 사자자리의 상징인 사자를 데리고 있다. 그렇지만 여왕의 지팡이는 본래 유능하고 확신에 차 있기 때문에 중심적인 역할을 하는 것으로 여겨지는 반면, 힘 카드는 당신이 특정한 상황의 요구들과 맞닥뜨리고 있으며 올바른 판단을 위해서는 자신의 가장 깊은 내면의 자원들을 불러내야 한다는 것을 보여 준다.

신체적인 수준에서는 이 카드가 활력을 상징할 수 있다. 건강 문제를 다루고 있을 때는 이 카드가 고무적이다. 왜냐하면 이것은 좋게 회복될 수 있는 힘을 암시하며, 때가 되면 건강을 되찾을 것임을 시사하기 때문이다.

만약 힘 카드가 불리한 카드 옆에 나왔다면, 우리는 힘이 잘못 사용되거나 잘못 적용되고 있는지를 자문해 볼 필요가 있다. 여기에는 놓아 버릴 필요가 있고, 통제를 단념할 때를 알아야 하며, 결코 오지 않을 어떤 것을 기다리는 대신 실패를 인정해야 한다는 등의 메시지가 있을 수 있다.

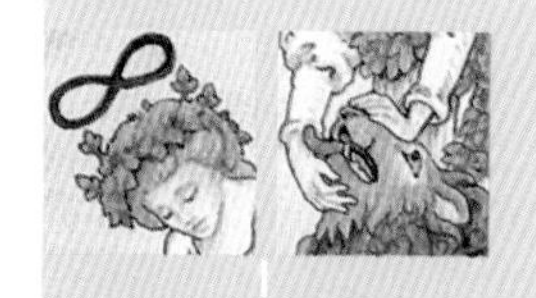

힘 카드 해석하기

이 카드를 한번 보면, 이 카드가 신체적인 힘을 다루고 있지 않다는 것을 쉽게 알아볼 수 있다. 이 그림은 야성적인 힘이나 근육의 힘이 아니라 가장 유능한 상태에 있는 여성적 힘을 상징한다. 여기에서의 힘은 확고부동함과 다정함이 잘 결합되어 있는 것으로 묘사되어 있고, 완력이 아니라 두뇌로서 그리고 대담함으로서 표현되어 있다. 몇몇 타로 카드에서는 이 카드를 '불굴의 정신' 으로 부르고 있다.

타로 카드들 가운데에서 머리 위에 무한함의 상징을 의미하는 그림을 가진 것은 오직 두 장뿐인데, 나머지 한 장은 마법사 카드이다. 이것은 여성의 용기가 깊은 지혜에서 솟아나오며 그녀는 삶의 비밀들을 전한다는 의미를 강조한다.

점성학과의 연결

사자는 힘 카드의 중심 상징으로서 사자자리와 분명한 상관관계가 있다. 이 카드가 나타날 때는 그 상황의 중심에 자부심이 강하고 용기가 있으며 관대하고 능력이 있는 사자자리 사람이 있음을 발견할 때가 많았다. 사자자리는 태양에 의해 지배되며 생명과 전체의 상징이다. 이것은 힘 카드의 심리적인 메시지를 강조한다. 이 특성의 힘을 발전시키려면 우리의 본능적인 충동을 제어하고 우리의 어두운 면과 맞서 씨름해야 한다는 것이다.

IX 은둔자

많은 면에서 은둔자 카드는 삶의 여정에서 우리가 직면하는 첫 번째 진정한 도전을 나타낸다. 이제까지 본 다른 카드들은 모두 마술적이고 다채롭고 힘 있고 영웅적인 인물들로 묘사되고 있다. 그러나 은둔자 카드는 이와 전혀 다르게 늙고 어둡고 음울하며, 우리를 갑자기 멈추어 서게 하고 현실과 우리 자신에게로 되돌아오게 한다.

the Hermit

전통적 의미 물러남, 묵상, 내적 조언

은둔자 카드는 해답을 찾기 위해서 다른 사람을 바라보는 대신 자신의 내면을 바라볼 것을 가리킨다. 어떤 유형의 묵상이건 평화와 고요가 필요하다. 잠깐 휴식을 취하건, 깊이 영혼을 성찰하건, 실존적 고뇌를 하건, 또는 그저 자신의 생각을 정리하건, 힘들거나 괴로운 경험을 한 뒤에 상처를 치유하건, 평화와 고요는 필요하다. 어느 쪽이든 당신은 통찰을 위한 올바른 길을 발견할 필요가 있으며, 이것은 당신의 개인적이고 영적인 발전에 대단히 중요하다. 이것은 현대의 개념이 아니다. 소크라테스는 성찰되지 않는 삶은 살 가치가 없다고 말했다. 그러나 21세기를 사는 우리들 대다수는 '존재'보다는 '소유'에 대한 압박을 점점 더 많이 받고 있다. 그래서 영혼을 고요히 하고 그 의미를 찾는 것은 그다지 중요하게 여겨지지 않았다.

은둔자는 어둡고 음울한 카드이며 슬픔과 쓸쓸함, 고독감을 자아낸다. 궁극

은둔자 카드는 30대 후반 여성의 현재 카드로 나왔다. 이 카드는 펜타클 5번 카드(가난) 앞에 나왔는데, 그녀는 자신의 삶에서 경제적으로 가장 어려운 시기를 겪고 있는 중이라고 확인해 주었다. 새로 사업을 시작한 남편을 돕다가 그렇게 된 것이었다. 하지만 사업은 지지부진하다가 결국은 더 이상 지탱할 수 없는 지경에 이르렀고, 그들은 파산을 고려하고 있었다. 이 일은 결혼한 지 얼마 되지 않은 부부의 결혼 생활에 커다란 시련이었지만, 그녀는 둘 다 결혼을 유지하고 싶어 한다고 말했다.

그러나 결혼을 유지하는 것은 별개의 문제였다. 내가 은둔자 카드의 특성을 이야기하자, 그녀는 이 카드가 자기 처지와 매우 비슷한 것 같다고 얘기했다. 남편이 그녀로부터 물러나 움츠리고 있어서 대화를 할 수가 없다는 것이었다. 그는 이를테면 '벽돌담' 과 같아서, 그녀는 시험적으로 별거를 해 볼까 고민 중이었다.

다행히 결과 카드는 아주 좋았다. 컵 2번 카드(결합)는 그들이 당장은 아니어도 재결합할 것임을 암시했다. 결과 카드는 6개월 뒤를 얘기하는 것인데, 천체력(점성학적 일력)을 보니 그녀가 토성의 통과를 경험하고 있는 중이었다. 이런 상황이 6개월 안에 끝날 것임을 짐작할 수 있었다. 나는 그녀에게 포기하지 말고 견뎌 보라고 권했다. 한편으로 은둔자 카드는 그의 물러남, 그녀의 고독, 결혼의 외로움 등 그녀의 현재 상태를 모든 면에서 정확히 묘사했다. 나는 시험적인 별거가 어느 정도는 극약 처방이겠지만, 얼마간 떨어져 지내는 것이 분명히 유익할 것이라고 느꼈다.

적으로 우리가 혼자라는 것은 실존적 진실이며, 많은 사람들에게 이 진실은 믿지 않으려 하거나 무시하려 할 정도로 감내하기 힘든 진실이다. 우리 대부분은 자기 자신이 아니라 다른 사람에게서 행복을 찾을 수 있다고 굳게 믿고 있다. 그래서 은둔자 카드는 자신이 혼자라는 아픔을 다룰 때 나타날 수 있다.

이럴 경우 그것은 주변에 특별한 사람이 없다고 해도 주위 사람들과 계속 관계를 유지하도록 노력하라는 메시지이다. 자족과 자립을 배우는 것은 은둔자 카드의 소중한 교훈이 될 수 있다. 그러나 친구와 동료, 가족과 관계를 끊는 것은 해로울 수 있고, 특히 우울한 상태에 있는 사람에게는 위험할 수도 있다. 은둔자 카드가 처음에 제안할 수 있는 은둔과 같은 것을 받아들일 수 있는 사람은 드물다.

은둔자 카드는 종종 홀로 있는 시기를 가리킨다. 그래서 당신이 혼자 있는 시간을 어떻게 보내는지를 살피는 것이 중요하다. 명상과 묵상은 다양한 형태로 이루어질 수 있으며, 반드시 홀로 앉아 있을 필요는 없다. 조용히 걷기, 책 읽기, 글쓰기 등도 여기에 포함될 수 있다. 이제는 생각을 자극하고 영감을 주는 일들을 발견할 때이며, 평화로운 장소로 갈 때이다. 치유를 위해 필요한 것은 시간뿐이며, 고독은 외로움과는 전혀 다른 경험이 될 수 있다.

카드 배열에 은둔자 카드가 나타날 때는 철수가 공격보다 낫다는 것을 의미할 수도 있다. 자기 자신이나 다른 사람에게 결정을 강요하거나 압력을 가하는 것은 현명하지 못하다. 사실, 당신이 그들을 밀어붙이려고 한다면, 그들은 당신에게서 더 멀리 물러설 수도 있다. 반대로, 당신이 어떤 면에서 부정적이거나 문제가 되는 사람에게서 멀어질 필요가 있을 수도 있다. 어느 쪽이건 이것은 시간과 공간의 카드이다. 어떤 사람 혹은 어떤 일을 재촉하여 밀어붙이지 말아야 한다.

마지막으로 은둔자 카드는 사별로 인하여 비탄에 잠긴 사람에게 나타날 수도 있다. 이것은 견뎌 내야 하는 궁극적인 외로움이다. 시간 말고는 달리 치료약이 없기 때문이다.

점성학과의 연결

은둔자는 행성 가운데 토성의 상징과 가장 가깝게 연관된다. 토성의 색깔은 검은색, 회색이다. 토성은 기다림을 배우거나 옴짝달싹할 수 없는 상황에 대처하는 것, 또는 늙어 가는 과정에 직면하고 죽을 수밖에 없는 운명을 받아들이는 것 등 시간에 관련된 모든 일을 관장한다. 그리고 장벽과 한계를 관장하며, 주변 사람들과 어떻게 연결되고 단절될 수 있는가 하는 주제를 반영한다. 토성은 모든 종류의 죽음과 종말을 상징하는 '시간 아버지(Father Time)'를 나타내기도 한다.

X 운명의 수레바퀴

은둔자 카드와의 우울한 만남 뒤에 나오는 운명의 수레바퀴 카드는 위안으로 다가온다.
앞으로 좀더 많은 어려운 카드들이 남아 있지만, 지금은 운명의 수레바퀴 카드가 당신에게 유리하게 돌아가고 있으며,
새로운 순환의 시작을 알리고 있고, 당신을 자신의 운명으로 데려가고 있다.

Wheel of Fortune

전통적 의미 변화, 삶의 순환

운명의 수레바퀴는 마법의 카드다. 이것은 당신보다 위대한 어떤 것, 당신을 돕고 가르치는 자비로운 우주와 당신을 연결시킨다. 신들은 당신을 향해 미소 짓고 있으며, 모든 일이 당신에게 유리하게 이루어지고 있다. 그래서 운명의 수레바퀴 카드는 언제나 환영받는 카드이다.

그러나 나는 이 카드가 항상 좋은 행운만을 나타내지는 않는다는 것을 발견했다. 수레바퀴를 둘러싸고 있는 신화적인 창조물들은 각자 책을 공부하고 있는데, 이것은 지식이라는 주제를 가리킨다. 이것은 지식의 능동적인 습득을 통해 이루어지는 진보를 나타내며, 그러한 결과로 얻어지는 지혜는 과거나 현재의 노력의 결실이다. 이러한 방식으로 운명의 수레바퀴 카드는 가치 있는 교훈을 배움으로써 당신이 성공적으로 행운을 찾았거나 찾고 있다는 것을, 그리고 당신이 지금 바른 궤도에 올라 있다는 것을 암시한다. 이것은 단지 뜻밖의 행운만을 얘기하는 것이 아니며, 이러한 행운의 개입이 큰 차이를 만들어 낼 수 있고 당신에게 계속적인 행운을 가져다줄 수 있다는 것을 말해 준다. 수레바퀴는 항상 완전한 한 바퀴를 돈다. 우리는 이 말을 흔히 인과응보라는 관점에서 사용하지만, 노력이나 선행의 보답을 받는다는 의미로도 적용될 수 있다. 이러한 의미에서 운명의 수레바퀴 카드는 좋은 업(業)과 같은 것이다.

운명의 수레바퀴는
종종 자신의 좋은 업이나
보답을 받는 것으로 해석된다.

수레바퀴의 이미지는 순환, 무한, 환생, 완전, 진보, 영속과 같은 상징들을 포함한다. 그래서 수레바퀴의 각각의 회전은 새로운 시작, 더 나은 쪽으로의 전환, 그리고 어떤 종류의 완성을 가리킨다.

목성과 좋은 운명의 길

운명의 수레바퀴는 행운과 기회의 행성인 목성의 상징과 연관된다. 이것은 은둔자 카드와 이 카드의 극명한 대조를 강조한다. 은둔자는 전통적인 관점에서 매우 흉한 행성으로 알려진 토성과 같은 반면, 운명의 수레바퀴는 큰 행운의 행성으로 알려진 목성과 같다.

이 두 행성은 점성학적 체계에서 서로를 뒤따르며, 목성이 약해지는 별자리인 염소자리에서 토성이 강해지고, 목성이 강해지는 별자리인 게자리에서 토성이 약해지는 것에서 알 수 있듯이 이 두 행성은 대립적인 원리를 상징한다. 토성은 제한하고 제약하는 데 반해, 목성은 여행, 교육, 지혜, 자유, 정의와 관련된 모든 것을 관장하며 확장과 기회를 나타낸다. 당신의 견해를 넓히거나 시야를 넓힐 수 있는 것들은 물질적이든 정신적이든 본질적으로 목성적인 것이며, 운명의 수레바퀴도 같은 상징을 지닌다.

목성은 여행자와 고귀한 마음의 궁인 열정적인 궁수자리를 지배한다. 궁수자리의 사람들은 종종 행운의 사람들이라고 일컬어지는데, '목성의 행운'은 분명 곤경에 처한 사람을 아슬아슬한 순간에 구해 내는, 마지막 순간에 이루어지는 운명의 전환이라고 할 수 있다. 이러한 종류의 행운은 틀림없이 존재하지만, 사실 그런 사람들은 과거의 노력이나 일종의 신앙 행위를 통해서 그들 자신의 행운을 창조하는 데 역할을 행하고 있으며, 그런 행위는 언제나 공정하게 돌아오거나 행운을 불러들인다는 주장도 있다.

운명의 수레바퀴 카드 해석하기

우리는 이 여정의 중간쯤에 도착했다. 메이저 아르카나의 마지막 카드인 세계 카드와 마찬가지로 이 카드에는 황도대의 네 가지 고정된 이미지들, 즉 물병자리를 나타내는 여성, 전갈자리를 나타내는 독수리, 황소자리를 나타내는 황소, 사자자리를 나타내는 사자 등이 각각 네 모서리에 그려져 있다. 이번에는 모두들 날개를 달고 있으며, 신비롭고 혼성적인 모습으로 표현되어 있다. 전차 카드와 마찬가지로 스핑크스가 중심에 있는데, 이번에는 수레바퀴 위에 앉아서 검으로 무장하고 있다. 수레바퀴는 그리핀의 등에 실려 운반되고 있다.

점성학과의 연결

운명의 수레바퀴는 행운과 기회의 행성인 목성의 상징과 연관된다.

XI 정의

제왕 같은 여성이 붉은 예복과 황금색 망토를 입고 옥좌에 앉아 있다. 그녀는 두 기둥 사이에 앉아 있어서 마치 고위 여사제처럼 통일된 힘을 나타내는 것으로 보일 수 있다. 그녀는 한 손에는 진실의 필요성을 상징하는 검을 들고 있고, 다른 손에는 균형과 공정함의 필요성을 나타내는 저울을 들고 있다.

the Justice

전통적 의미 결정, 법률적인 일

정의 카드가 배열에서 나타날 때, 그것은 한발 뒤로 물러서서 이해득실을 저울질하고 다양한 각도에서 그 상황을 살펴보아야 한다는 것을 뜻한다. 이럴 때는 흔히 중요하고 특별한 결정을 해야 할 일이 생긴다. 그러나 단지 어떤 것을 다른 사람의 관점에서 이해해야 할 필요성을 나타내는 것일 수도 있다. 어느 쪽이건 모든 일에는 항상 두 가지 측면이 있기 마련이며, 당신은 바로 결론을 내는 대신에 모든 사실들을 검토할 필요가 있다.

정의 카드는 법적인 일을 다루어야 한다는 것을 의미할 수도 있다. 만약 법정에까지 가야 할 일이 있다면, 카드 배열에서 정의 카드를 지원하는 카드들은 판결이 당신에게 유리할 것인지 불리할 것인지를 지적할 것이다. 이것은 또한 자신의 권리를 알 필요가 있거나 법률적 조언을 구할 필요가 있는 상황을 나타낼 수도 있다.

정의 카드의 모습은 또한 제3자의 가치를 나타낼 수도 있다. 현재 실제로 당면한 법률적 문제가 있거나 그 문제가 개인적인 결정이나 상황을 내포하고 있다면, 어떤 종류의 중재자가 아주 큰 도움이 될 수도 있다. 전문적인 능력 면에서는 사무 변호사나 법정 변호사, 또는 도움과 조언을 주는 단체 등이 여기에 해당할 것이다.

개인적인 측면에서 정의 카드는 객관적인 관찰자, 관계가 없는 제3자, 또는 편견이 없다고 믿을 만한 사람을 가리킨다. 감정을 배제하고 가라앉히고 사실들을 살펴볼 때에야 비로소 어떤 상황이 있는 그대로 보이는 경우가 많다. 이 상황에 깊이 관련되어 있는 상태에서는 이렇게 하기가 늘 쉽거나 가능하지 않다. 그러나 바깥에 있는 다른 누군가는 당신이 볼 수 없는 것을 보고 해결책을 찾을 수 있다. 또는 당신 자신이 중재자의 역할을 할 수도 있다. 어느 쪽이건 공정하고 합리적이고 이성적인 것이 아무리 열정적일지라도 개인적인 감정이나 욕망을 이길 것이다. 옳거나 그른 결과에 집착하는 대신에 모호함을 포용해야 할 수도 있다.

점성학과의 연결

한 손에 들고 있는 칼은 공기의 원소와 화성(전쟁의 신 마르스)에 대응하는 반면, 다른 한 손에 들고 있는 천칭은 천칭자리를 대표한다. 전통적인 점성학에서 천칭자리와 화성의 결합은 그리 행복한 것이 못된다. 이 별자리는 화성의 품위 손상 궁이라고, 즉 화성이 약해진다고 보기 때문이다.

천칭자리의 화성

일반적인 수준에서 화성은 추진력과 에너지, 주도권을 의미하는 행성이다. 심리 점성학에서 화성은 분노를 말하며, 우리가 그것을 어떻게 표현하고, 어떻게 전쟁에 돌입하며, 어떻게 밀어붙이는지 혹은 그렇지 않은지를 나타낸다. 따라서 화성은 외고집에 자아 중심적인 양자리나 단호하고 강력한 전갈자리와 잘 맞는다. 화성의 성질은 수동적이고 망설이는 특성을 지닌 게으른 천칭자리와 명백하게 대립한다. 천칭자리는 우유부단하고 직면하기를 두려워하는 것으로 알려져 있다.

그러나 정의 카드의 관점에서 보면, 천칭자리의 화성은 점성학적으로 정의 카드와 매우 비슷하다. 왜냐하면 정의 카드에는 수동적 · 능동적 양극성이 모두 내포되어 있으며, 공격적이기보다는 단호하며 생각을 불러일으키는 논쟁들이 포함되어 있기 때문이다. 여기에는 어떤 것을 철저히 생각할 수 있는 지성과 끝까지 버틸 수 있는 배짱이 있다.

또한 천칭자리는 황도대의 타고난 중재자이다. 왜냐하면 그것은 다른 중요한 사람들과의 관계, 협력의 집인 황도대의 일곱 번째 집을 다스리기 때문이다. 천칭자리 사람들이 결정을 내리는 데 많은 어려움을 느끼는 것은 그들이 항상 모든 관점에서 볼 수 있다는 사실에 기인한다. 전형적인 천칭자리 사람은 다양한 의견들을 한데 모아서 심사숙고하기를 좋아하며, 심지어 논쟁을 활발하게 하기 위해 일부러 반대 의견을 제시하는 역할을 맡을 수도 있다.

정의 카드 해석하기

고위 여사제 카드가 우리를 형이상학적인 신비한 영역으로 초대하는 반면, 정의 카드는 인간 세상에서 지적인 능력인 이성, 사고, 심사숙고를 상징한다. 이러한 능력은 모든 문명사회에 아주 중요한 것이다.

흥미로운 점은 정의 카드를 대표하는 것은 여성적인 인물이지만, 이 여성은 이른바 남성적인 기능이라고 하는 '감성에 대한 이성의 우위'를 표현한다는 것이다. 그녀는 메이저 아르카나들 가운데 유일하게 검을 들고 있는 인물이다. 검은 진실을 위한 투쟁을 상징하며, 다른 손에 들고 있는 천칭과 대비된다. 천칭은 균형과 공정함에 대한 필요를 나타낸다. 따라서 그녀는 남성적인 것과 여성적인 것, 능동성과 수동성, 전사와 판사의 결합이라고 할 수 있다. 그녀는 감정보다는 치밀한 논리의 필요성을 지지하며, 감정을 객관성으로 조절하기를 요구한다.

목성과 아홉 번째 집

황도대에서 정의와 법률적인 모든 것들은 아홉 번째 집의 영역에 속한다. 이것은 여행자와 진실의 추구자의 별자리인 궁수자리이며, 고결한 마음의 별자리로 간주되기도 한다. 철학, 교육, 종교, 지식의 습득 등은 모두 아홉 번째 집에 속하고, 이 집은 커다란 행운의 별로 알려진 목성에 의하여 지배된다. 이것은 참된 정의는 지혜와 동정심과 인간애와 결합될 때에만 이루어질 수 있다는 것을 상기시킨다.

XII 거꾸로 매달린 사람

일단 이 카드에 익숙해지면, 우리는 이 카드에 관해 놀랄 만한 것은 카드의 이름뿐이라는 사실을 알게 된다. 이 카드가 언제 나타나건 나는 이 인물이 목을 매단 것이 아니라 발목을 매달았다는 것, 그리고 죽거나 다치지 않았다는 것을 지적한다. 사실 거꾸로 매달려 있는 인물은 후광이 머리를 감싸고 있고 살아 있으며, 풀려나기 위해 서두르지도 않고 있다. 한쪽 다리를 꼬고 뒷짐을 지고 있고 자신의 시각으로 세상에 대해 조용히 숙고하고 있는 것으로 보아 전혀 불편함을 느끼고 있지도 않다.

the Hanged Man

전통적 의미 희생, 깊은 이해

여기에는 내맡김의 요소가 있다. 삶은 우리가 생각하는 대로 펼쳐지지 않을 수도 있는데, 지금으로서는 우리가 어찌할 수 있는 일이 아무것도 없기 때문이다. 이때의 해결책은 행위가 아니라 묵상과 명상에 있다. 이 카드가 나올 때는 우리의 삶이 거꾸로 가고 있거나 모든 것이 후퇴하고 있는 것처럼 보일 수 있다. 우리는 심지어 빠져나올 수 없는 곤경에 처해 있거나 도저히 어찌해 볼 수 없다고 느껴지는 상황에 놓여 있을 수도 있다. 그러나 우리가 어떤 것에 대해 깊이 숙고하고 그것을 새로운 시각으로 바라본다면, 그로 인해 우리의 관점이 바뀌게 되고 무엇이 잘못되었는지를 볼 수 있게 된다.

희생의 전통적인 의미는 이것을 가리킨다. 새로운 관점이 새로운 이해를 가져오는 것이다. 이제는 우리의 삶에서 불필요한 것들을 모두 제거하고, 우리를 앞으로 나아가지 못하게 방해하는 짐들을 벗어 버릴 때이다. 이것들은 직업, 인간관계, 생활양식 또는 깊은 신념일 수도 있다.

우리는 "나는 할 수 없어." 혹은 "나는 결코 할 수 없었어."라는 관념에서 벗어날 필요가 있다. 어떤 것에 이별을 고할 때는 고통이 따를 수도 있겠지만, 결국 우리는 그렇게 하는 것이 앞으로 나아가는 길이라는 것을 가슴 깊은 곳에서 깨닫게 될 것이다. 우리는 우리의 굼뜬 행동이 저항의 한 형태라는 것을 인식할 수도 있다. 단기적으로는 분투할 수 있겠지만, 모든 희생은 장기적으로 우

거꾸로 매달린 사람 카드는 오랫동안 런던에서 독신 생활을 즐겼던 여성에게 나타났다. 그녀의 삶이 극적으로 바뀌어 지금의 배우자를 만났고, 그들의 첫 아기는 6개월이 되었다. 다음 단계는 시골로 이사하는 것이었는데, 그녀는 오랜 세월 익숙했던 생활 방식에 이별을 고하고 새로운 생활 방식을 받아들여야 하는 것에 대해 저항감을 느끼고 있었다. 거꾸로 매달린 사람 카드는 그녀가 새로운 관점을 찾을 필요가 있음을 완벽히 보여주었다. 그녀는 이번 이사가 삶의 질을 더욱 향상시키는 디딤돌로 느꼈다. 하지만 이 경우에 그녀는 우선 다른 생활 방식을 받아들이고 이와 관련된 모든 조정을 해야 했다.

리의 삶을 향상시키는 쪽으로 이루어진다.

거꾸로 매달린 사람 카드는 죽음과 재탄생의 카드로도 해석될 수 있다. 이 카드는 손실과 방향 감각 상실에 관련된 변화를 상징하기 때문이다. 이것은 또한 조정의 카드이다. 우리가 새로운 환경에 적응하고 우리의 삶과 믿음에 대해 다시 생각하기 때문이다. 이것은 성숙과 성장의 카드이다. 그리고 우리의 생각이 바깥세상의 모습을 이루는 강력한 요인일 수 있다는 것을 우리에게 상기시킨다.

토성

토성은 무거운 행성이고, 토성의 통과나 접근이 거의 항상 어려운 시기를 가리킨다는 것에는 이견의 여지가 없을 것이다. 그러나 이러한 시기가 가치 없는 것은 아니다. 이 행성과 거꾸로 매달린 사람의 상징을 관련지어 보면, 혹독한 교훈을 배우는 것은 더 깊은 이해로 가는 길임을 짐작할 수 있다. 은둔자 카드는 최악의 상태에 있는 토성에 의해 부과된 불행과 고립을 가리킨다고 할 수 있다. 그러나 거꾸로 매달린 사람과의 상호 관계는 우리에게 토성적인 경험의 잠재적인 깊이를 일깨워 준다. 심리 점성가인 리즈 그린(Liz Greene)은 다음과 같이 말했다.

> "토성은 단지 고통, 제한, 역경의 상징이 아니다. 그것은 정신적인 과정의 상징이기도 하다. 이러한 정신적인 과정을 통해 개인은 고통, 제한, 역경의 경험을 보다 나은 성취를 위하여 활용할 수 있다."[9]

거꾸로 매달린 사람 카드 해석하기

이 카드의 그림은 매달려 정지해 있는 인물이다. 이처럼 움직이지 않는 것은 우리들 대부분에게는, 특히 천성적으로 바쁘게 움직이고 발전을 위해 '가만히 있는 것'을 참지 못하는 사람에게는 상당히 어려운 일이다. 그러나 이 카드의 메시지는 휴식이 꼭 시련은 아니라는 것이다. 고위 여사제 카드와 은둔자 카드에서처럼 우리는 고요히 정지하기를 요구받고 있으며, 속도를 늦추고서 내면을 들여다보기를 요구받고 있다. 만약 우리가 이러한 평정을 찾을 수 있다면, 우리는 상황에 관한 문제이건 다른 사람에 관한 문제이건 그런 문제를 훨씬 쉽게 받아들일 수 있다는 것을 발견하게 될 것이다.

점성학과의 연결

은둔자 카드와 마찬가지로, 거꾸로 매달린 사람 카드는 노동과 노력과 제한의 행성인 토성의 상징과 가장 가깝게 관련된다. 그러나 이것은 시간과 관계된 모든 것도 지배한다. 그래서 우리는 토성이 관여할 때면 삶이 보통 때보다 더 힘들어진다는 것, 우리가 원하는 것을 얻기 위해서는 더 기다려야만 한다는 것, 그리고 지름길은 없다는 것을 알게 된다. 이 때문에 토성은 황도대에서 남의 흥을 깨는 사람이라는 명성을 얻게 되었다.
거꾸로 매달린 사람을 해왕성과 관련시키는 경우도 있다. 이 행성이 12궁의 열두 번째 집을 지배하는 별자리인 물고기자리의 공동 지배자이기 때문이다.
전통적인 점성술에서 이 별자리는 궁극적으로 구원으로 이끄는 희생과 고난의 별자리이다.

XIII 죽음

이 카드가 나타날 때, 검은 갑옷을 입은 해골 병사의 모습은 정말 으스스하다. 하지만 이 모습을 볼 때 일어나는 공포나 두려움은 최대한 빨리 없애는 편이 좋을 것이다. 죽음 카드가 나오면 나는 곧바로 이렇게 말한다. "죽음 카드를 보고 겁먹지 마세요. 이 카드가 진정으로 무엇을 의미하는지는 카드를 해석해 가면서 얘기할 거예요."

Death

전통적 의미 변화, 재탄생

이 카드는 모든 사람들이 무서워하는 카드이다. 타로에 대해 두려움을 느끼는 사람들이 있다면, 그것은 주로 죽음 카드로 인한 것이다. 왜냐하면 이 카드는 초자연적인 현상과 연관되어 있다는 오해를 불러일으키거나, 우리 자신의 죽음에 대한 공포를 직면하게 만들기 때문이다. 대부분의 사회에서 죽음은 여전히 최대의 금기 사항이며, 우리 모두가 능숙하게 무시하는 삶의 가장 큰 사실이다. 그런데 이 카드는 과연 무엇을 의미하는가? 먼저, 매우 드물게는 실제 죽음을 의미한다. 15년 동안 카드 읽기를 해 왔지만, 죽음 카드가 사별과 관련되어 나온 것은 세 번밖에 없었다. 그 중의 하나는 과거의 사별에 관한 것이었고, 다른 두 가지 경우는 이미 가망 없는 불치병을 앓고 있는 사람들에 대한 것이었다. 한번은 한 남자가 자기가 언제 죽을지를 알고 싶다고 말했다. 나는 죽을 때를 예측하는 일을 하고 있는 것이 아니라고 대답하였다.

늘 그렇듯이 상징적으로 생각해야 한다. 죽음 카드는 어떤 것이 '죽었거나' 끝나 가고 있음을 보여 주고 있다. 어떤 상황이건 인간관계이건 직업이건 생활 방식이건, 그 어떤 것이라도 그것의 생애를 누린 뒤에는 끝나 간다. 이것이 고통스러울 수도 있겠지만, 오래된 생명이 쇠퇴하여 사라짐으로써 길을 열어 주지 않으면 새로운 생명이 나타나서 자라지 못한다. 이러한 이유로 죽음 카드가 상징하는 변화들은 심오하고 영구적일 때가 많다. 타로 카드의 해석자에게 있어서 이 카드는 도전적인 카드이다. 죽음 카드를 멋있게 미화하거나 '변화와 변형'으로 치장하는 것은 매우 쉬운 일이다. 정말 그와 같기만 하다면 더없이 좋을 것이다. 그러나 이것은 몇몇 변화는 그렇게 쉽지도 급격하지도 않다는 점을 간과하고 있다. 실상은 그 반대일 때가 많다. 죽음 카드는 두렵고 고통스럽고 괴롭고, 상실과 비탄과 좌절 혹은 깊은 후회를 일으키는 사건들을 가리킨다. 그 결과로 큰 변화가 일어나서 더 좋아질 수도 있다. 그러나 우리가 과거를 뒤돌아보고 악몽 같던 그 시간이 실은 자신의 삶에서 가장 좋은 일이었다고 말하기에는 대개 아직 이르다. 그러한 일은 미래에나 가능할 것이다. 지금 이 순간에는 하늘이 무너지고 있고 삶이 다 끝난 것처럼 느껴진다. 우리가 알고 있던 삶은 끝이 났고, 구름은 너무 어둡고 불길하여 우리는 그 뒤에서 빛나는 밝은 광명을 아직 보지 못한다. 죽음 카드는 어떤 사람이 우리에게 죽었다고 느껴질 정도의 상실감이나 거리감 그리고 부재를 상징할 수도 있다.

명왕성과 8번째 집

점성학과의 연결

천궁도에서 죽음은 전갈자리가 지배하는 여덟 번째 집의 영역에 속한다. 전갈자리가 종종 나쁜 평판을 얻는 것은 아마도 이 때문일 것이다. 전갈자리는 전통적으로 화성에 의해 지배되지만, 신화에 나오는 지하 세계의 신인 플루톤에 의해 공동 지배된다. 죽음 카드가 나올 때 명왕성의 통과를 경험하는 것은 드문 일이 아니다. 이 행성의 성질을 이해하면 죽음 카드를 해석할 때 도움이 된다.

우리는 명왕성이 '변화와 변형'을 나타낸다는 내용을 반복해서 읽게 될 것이다. 그러나 이러한 핵심어들은 명왕성적인 경험을 충분히 묘사하지 못한다. 미국인 점성가인 캐롤라인 케이시(Caroline Casey)가 "명왕성이 우리의 여행사라면, 천국으로 가는 우리의 승차권에는 지옥에서의 단기 체류도 포함되어 있다."[10]고 매우 정확히 기술하였듯이, 명왕성은 보이지 않는 것과 무(無)를 지배하며 그의 첫 번째 행동은 우리의 자아의식을 없애 버리고, 안락하거나 안전하다고 여겨지는 것을 제거하는 것이다. 우리가 상실, 비탄, 강박 관념, 분열, 침울, 절망 등을 직면하게 되면, 우리의 삶의 견고한 토대는 모래 수렁으로 변해 버린다. 우리는 우리 자신의 지하 세계를 여행하고 있으며, 이것은 지옥까지 갔다가 돌아오는 왕복 여행임을 알게 된다.

그것은 이 카드의 나쁜 소식이다. 우리에게 삶과 우리 자신에 대해 다른 무엇보다도 더 잘 가르쳐 줄 수 있는 것은 결국 여행이라는 것이 이 카드의 좋은 소식이다. "명왕성은 우리를 무릎 꿇리고 모든 감정을 맛보게 한다."[11] 더 이상 우리는 표면 위를 신나게 미끄러지듯 나아갈 수 없다. 가장자리에 가 보고 깊이 성찰함으로써, 우리는 명왕성이나 죽음 카드가 인간 정신의 회복력과 생존의 기술을 터득할 수 있는 변화의 과정을 상징한다는 것을 깨닫게 된다.

『예언자』에서 알무스타파(Almustafa)는 이렇게 말한다. "당신은 죽음의 비밀을 알고자 한다. 그러나 삶의 한가운데서 그것을 구하지 않는다면, 어떻게 그것을 찾을 수 있겠는가?"[12] 그리하여 우리는 결코 할 수 없을 것이라고 생각했던 것을 하게 되고, 결코 견뎌 낼 수 없을 것이라고 생각했던 일을 견뎌 낸다. 오직 그때에야 우리는 잿더미에서 다시 솟아나는 불사조의 재탄생과 변형에 이르게 된다. 무력감을 경험한 뒤에야 우리는 다시 통제력을 얻게 될 수 있다.

어떤 카드 읽기에서 죽음 카드가 나왔는데, 그것은 과거의 사별과 관련되어 있었다. 이 사례는 항상 나의 마음에 깊이 남아 있다. 그 카드 읽기는 50대의 한 남성을 위한 것이었는데, 죽음 카드는 과거와 관련이 있는 배열의 아랫부분에 있었다. 일반적으로 그럴 경우에는 지난 12개월 동안의 일과 관련이 있지만, 그는 이 카드가 몇 년 전에 열여덟 살 된 딸을 잃은 사건을 나타내는 것이라고 즉시 얘기했다. 그의 슬픔은 아직도 뚜렷이 느껴졌지만 그의 용기는 놀라운 것이었다.
딸이 죽었을 때 그도 역시 '죽은 것' 이나 다름없었다. 그는 자신의 삶을 충실히 살지 못했다는 것을 깨달았다. 그는 자신의 가치와 우선순위를 완전히 재평가하였으며, 자신에게 아무런 의미가 없는 평범한 직장 생활을 더 이상 지속할 수 없다고 판단했다. 그는 직장을 그만두었고, 정신적으로 장애를 겪고 있는 아동들을 간호하기 시작하였으며, 거기에서 천직을 찾았다. 비록 어떠한 것도 그의 딸을 대신할 수는 없었지만, 그는 이 일을 딸이 자신에게 남긴 유품으로 여기게 되었고 딸 덕분에 자신의 삶을 충실히 살게 되었으며 딸의 죽음으로 인해 자신의 삶이 완전히 새롭게 바뀌었다고 말했다.

XIV 절제

어둠 뒤에 구원이나 보답이 따른다는 주제는 은둔자 카드의 음울함을 뒤따르는 운명의 수레바퀴 카드에서 처음 보이고, 다음에는 탑 카드의 충격 뒤에 나오는 별 카드에서 다시 보인다. 여행의 이 단계에서 절제 카드의 평온함은 죽음의 고통과 공포로부터 우리를 해방시키고 균형을 되찾아 주며, 악마 카드와 만나기 전에 환영받는 분기점을 제공한다.

Temperance

전통적 의미 균형, 중용

절제 카드는 평정과 정서적 성숙을 가리키며, 인간관계에 관련된 문제들을 살펴보는 데 아주 좋은 카드이다.

절제 카드는 아름다움과 평화와 편안함으로 그려져 있다. 머리에 후광이 비치는 금발의 천사가 순백의 옷을 입고서 호숫가에 서 있다. 한쪽 옆에는 아름다운 꽃들이 자라고 있고, 맞은편에는 작은 길이 초원을 지나 떠오르는 태양을 향해 산 위로 뻗어 있다. 태양은 밝은 의식과 삶으로의 귀환을 상징한다. 천사는 거대한 날개가 달려 있고 두 개의 컵을 들고 있는데, 한 컵에서 다른 컵으로 끊임없이 물을 따르고 있는 것으로 보인다. 죽음 카드의 어두운 사막을 통과한 뒤에 우리는 삶에 대한 갈증을 느끼게 되며, 계속적인 재공급과 빛을 나타내는 이 강력한 이미지는 재탄생으로 가는 길의 디딤돌이 된다.

'절제'라는 단어는 처음에는 억제의 이미지를 떠올리게 한다. 그러나 절제 카드는 금욕이 아니라 중용을 가리키며, 중용이란 '분노나 열정, 욕망을 자제하는 행위나 버릇'을 말한다.[13] 중용은 네 가지 주요 덕목 가운데 하나이며, 나머지 덕목들로는 정의, 신중, 용기가 있다.

절제 카드가 카드 읽기에서 나타날 때 첫째로 요구되는 것은 인내이다. 이것은 평가와 생각과 침착함의 카드이다. 잡을 수 없는 별을 잡으려 하거나 얻을 수 없는 것을 무모하게 추구하는 것은 아무 소용이 없는 일이다. 열정이란 것은 단순히 우리를 멀리 데려갈 뿐이며, 우리는 곧 활력을 잃고 다시 현실로 되돌아오게 된다. 우리는 잠시 멈춰 서서 다른 선택 사항을 검토해 볼 필요가 있다. 휴식이 그 선택일 수도 있다.

"이 카드는 어떤 상황이 발생하든 간에 옳은 일을 행하는 것, 즉 올바른 행위를 의미한다. 이것은 아무것도 하지 않는 것을 의미할 때가 많다. 성급한 사람은 항상 무언가를 해야 한다고 느끼지만, 주어진 상황에서 필요한 것은 그저 기다리는 것일 경우가 많다."[14]

절제 카드의 다른 중요한 메시지는 타협, 평정, 정서적 성숙이다. 컵은 정서적인 삶과 관련된 물의 원소에 대응하며, 한 컵에서 다른 컵으로 물을 따르는 것은 양쪽의 정서와 계속 접촉하며 흐름을 따르는 것을 표현한다.

우리의 생각이나 욕망을 다른 사람에게 강요하거나 완벽을 추구한다면, 우리가 원하는 것을 얻을 수 없을 것이다. 우리는 어떤 상황과 인간관계, 다른 사람의 리듬을 발견하고, 같은 박자에 맞추어 춤을 출 필요가 있다.

인간관계

만약 절제 카드가 인간관계와 관련하여 나타난다면, 그것은 희망, 약속, 거대한 가능성을 보여 주는 것이다. 그러나 이것은 장밋빛 시각으로만 보는 사랑을 말하는 것이 아니다. 절제 카드는 주로 균형의 문제와 관련되어 있기 때문에 어떤 동반자 관계 문제에도 아주 훌륭한 카드가 된다. 서로 결합하기를 바라고 서로의 언어를 배우는 것은 사랑이 성장하고 꽃피우게 하는 기름진 토양을 제공한다.

상황

특정한 상황과 관련되어 나타나는 절제 카드는 한쪽 편에 서지 말고 중도를 찾을 것을 충고한다. 모든 요인들 또는 모든 관련자들에 대해 동등한 비중을 부여할 필요가 있다. 정의 카드의 경우처럼, 전체의 이로움을 위해서는 개인적인 문제들을 배제할 필요가 있다. 우리는 또한 중재자의 역할을 맡아야 할지도 모른다.

절제 카드 해석하기

절제 카드의 가장 중요한 상징은 천사의 두 다리에 있다. 왜냐하면 우리는 다시 한 번 상반된 것들의 조화를 향상시키는 이미지를 볼 수 있기 때문이다. 그녀의 한쪽 다리는 풀밭 위에 있고(땅을 밟고 있고), 다른 쪽 다리는 물(정서) 속에 있다. 정말로 중요한 것은 이처럼 실제적인 것과 정서적인 것, 동전의 양면인 의식의 자각과 무의식적인 것의 완벽히 균형 잡힌 조화라 할 수 있다. 만약 우리가 한쪽을 위해 다른 한쪽을 희생시킨다면, 우리는 중대한 하나의 기능을 억압하게 되고, 불완전해지며, 한쪽으로 치우치게 되고, 창조성을 잃어버리게 된다.

점성학과의 연결

이 카드는 종종 불의 별자리인 궁수자리 또는 그것의 지배자인 목성에 해당한다. 그러나 절제 카드는 실제로는 행동이나 확장의 카드가 아니라 균형의 카드이다. 이러한 의미에서 이 카드는 정의 카드처럼 천칭자리의 카드라고 할 수 있다. 이것은 또한 흙과 물의 카드로서, 전원 풍경에서 묘사되는 황소자리(고정된 땅)의 상징과, 두 컵 사이에서 움직이는 물의 흐름과 호수로 설명되는 물고기자리(변하는 물)의 상징과 잘 맞는다.

XV 악마

타로 카드 가운데 가장 두려운 것은 대개 죽음 카드라고 생각하지만, 악마 카드 역시 내담자의 가슴에 공포심을 심어 줄 수 있다. 뿔이 달린 동물 머리와 박쥐 날개 그리고 발에 날카로운 발톱이 있는 악마가, 벌거벗은 채 쇠사슬에 함께 묶여 있고 머리에 뿔이 난 남자와 여자 위에 웅크리고 앉아 있는 모습은 당연히 두렵게 느껴진다. 그는 악몽이나 지옥 같은 광경을 연상시킨다.

the Devil

전통적 의미 속박, 저급한 본능, 나쁜 버릇

고통스러운 인간관계로 괴로움을 겪을 때는 대개 다루기 힘든 감정들 속으로 빠져들기 쉽다. 어떤 상황이건 악마 카드는 중대한 경고를 나타내며, 무언가가 크게 잘못되고 있다는 것을 신호하고 있다는 사실에는 이견이 없다. 나는 이 카드가 우리 내면의 원초적인 모습을 드러내는 끔찍한 삼각관계와 불륜을 보여 주는 경우를 무수히 많이 보아 왔다. 버림받아 남겨진 연인의 역할이건 떠나는 연인의 역할이건, 우리들 대부분은 막다른 골목에 몰리면 원색적인 감정들을 여과 없이 드러내며 맹렬히 싸울 것이다. 예를 들어, 모질고 가혹한 이혼을 경험한 사람이라면 누구나 교양과 예의로 포장된 겉모습이 얼마나 빨리 벗겨질 수 있는지를 생생히 목격할 것이다.

나는 또한 이 카드가 불륜에의 유혹을 느꼈거나 한눈에 사랑에 빠져 관계를 발전시킨 사람에게 나타나는 것을 여러 번 보아 왔다. 그러나 악마 카드가 나타날 때는 사랑을 추구하는 것에 대한 어떤 문제라도 단순히 부정되어야 하는

악마 카드는 내가 잘 알고 있는 한 여성의 카드 읽기에서 나타났다. 나는 그녀가 행복하게 결혼했다는 것을 알고 있었기 때문에 악마 카드가 나온 것은 충격적이었다. 내심 몹시 당황하면서 나는 악마의 뿔에 대한 설명으로 해석을 시작했다. 이 카드에 대해 설명하던 나는 그녀가 이해하는 듯한 미소를 얼굴에 띠고 동의하는 듯 고개를 끄덕이는 것을 보고 놀라지 않을 수 없었다.

나는 마침내 누군가가 그녀에게 집착하고 있느냐고 물어보았다. 그녀는 그렇다고 대답했다. 그는 남자가 아니라 같은 나이의 여자였다. 악마 카드가 성적인 욕망을 암시하고 있었지만, 그녀는 그 여자의 동기가 성적인 데 있음을 믿지 못했고 그저 과도한 동일시 때문일 것이라고 추측했다.

긴 이야기를 간추려 보면, 문제의 그 여자는 친구의 삶에 교묘하게 점점 더 침입해 오고 있었고, 그녀와의 원치 않는 친구관계를 벗어나려는 내담자의 모든 노력은 허사로 돌아갔다. 카드 읽기를 통해 얻은 좋은 점은 나의 내담자가 이 상황이 정말로 얼마나 불건전하고 파괴적인지를 잠시 잊고 있었다는 것이었다. 나는 그녀가 이제라도 어떤 경계를 설정할 수 있다는 것과 그 여자에게 지나친 동정심을 느끼거나 책임감을 느낄 필요는 없다는 것을 상기시켜 주었다. 그녀는 자신이 체념하게 된 큰 이유는 이 상황에서 무력감을 느꼈기 때문이라고 털어놓았다. 나는 그녀에게 다시 힘을 되찾으라고 권유했다. 나중에 그녀는 말하기를, 문제가 해결된 것은 아니지만 그 여자를 덜 배려하기로 결심하니 상황이 한결 좋아졌다고 했다.

가? 대답은 '아니오'다. 악마 카드는 우리가 불장난을 하고 있으며, 우리를 괴롭히고 파멸시킬 수 있는 상황들을 초래하고 있음을 경고한다. 우리는 우리의 동기나 상대방의 동기를 의심해 보아야 하며, 겉으로 보이는 것이 전부가 아님을 알아야 한다.

악마 카드가 중독을 나타내는 경우들도 있었다. 예를 들어, 중독되지 않았으면 사랑스러웠을 사람이 알코올 중독으로 인해 남을 학대하는 괴물이 되어 버린 경우를 나타낸 적이 있었다. 어떤 카드 읽기에서 악마 카드는 한 여성의 아들을 가리켰다. 그는 마약을 남용한 죄로 공공시설에 수용되었고, 편집증 환자라는 진단을 받았으며, 수년 동안 치료를 받아야 했다. 그런 경우에는 이미 피해를 입었으며, 현실을 직시하고 대처해야 한다. 그러나 아직 선택이 가능한 상황일 경우, 악마 카드의 메시지는 거기에서 빠져나와 다시는 뒤돌아보지 말라는 것이다. 만약 누군가가 악마 카드에 의해 상징되는 어떠한 행위들에 열중해 있다면 거기에는 무거운 대가가 뒤따를 것이다.

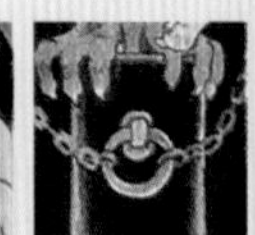

악마 카드 해석하기

나는 불쾌한 이미지들을 가볍게 다루어야 한다고는 생각하지 않지만 공포나 공황 같은 감정들은 재빨리 진정시킨다. 그러한 감정들은 내담자나 카드 해석자에게 도움이 되지 못한다. 이 카드가 나온 것을 보면 염려가 되겠지만, 일반적으로 이것은 이른바 악마의 힘에 관한 것이 아니다. 현대에는 악마 카드가 대부분 집착을 가리키는데, 종종 건전하지 않거나 파괴적인 인간관계를 통해 나타난다. 연인 카드와 비교해 보는 것도 도움이 될 것이다. 그 카드 역시 연인들이 나란히 서 있는 것을 보여 주기 때문이다. 연인 카드는 천상의 천사가 그 결합을 축복하는 빛과 사랑의 이미지이지만, 이와 달리 악마 카드는 어둡고 불길하며 질투, 통제, 중독, 남용, 잔인성, 또는 자신의 필요를 위하여 다른 사람을 교묘히 부리는 것을 상징한다.

점성학과의 연결

악마 카드를 적절히 반영하는 것은 전갈자리의 공동 지배자인 명왕성이다. 어둡고 파괴적이고 강박적인 것들은 모두 명왕성적이다. 이 행성과 더불어 우리는 대체로 손실, 고통, 잔인성 또는 공포 등의 특징이 있는 큰 변화를 경험하게 된다. 삶은 악몽처럼 변하고 우리의 능력은 극한까지 시험을 받는다. 악마 카드의 주제는 명왕성과 금성의 결합에서 더욱 강력하게 반영된다. 여기에는 보답 없는 사랑의 고통, 채워지지 않는 욕망, 절실한 필요, 외로움, 최악의 집착 등 치명적으로 끌리는 것들이 있다.

XVI 탑

콘크리트 탑이 바위산의 꼭대기에 구름 위까지 솟아 있고 위에서는 번개가 내려친다. 창문 밖으로 불꽃이 뿜어져 나오고, 겁에 질린 두 인물은 아래로 떨어지고 있다. 그들의 유일한 탈출 수단은 밑에 놓인 미지의 어둠 속으로 뛰어드는 것뿐이다.

the Tower

전통적 의미 오래된 건물이 산산이 부서짐

죽음 카드나 악마 카드와 마찬가지로 이것은 타로 카드 중에서 시각적으로 가장 불안하게 만드는 카드 가운데 하나이다. 내담자에게 가장 먼저 알려 주어야 할 것은 탑 카드가 물리적인 수준의 파괴를 의미하는 것이 아니라는 점이다. 탑은 우선 우리가 스스로 지어 놓은 삶의 구조물을 상징하는 은유이다. 우리를 형성하고 우리를 우리 자신으로 만든 모든 경험들과 모든 믿음, 견해, 태도들이 이 구조물을 이루며, 우리가 현재 따르고 있는 규칙들과 양식들을 결정한다. 역설적인 것은 이런 표면적인 안전함이 너무나 쉽게 우리의 감옥이 되어 버리고, 우리의 선택들은 간수들이 되어 버린다는 것이다.

주어진 맥락이 없이는 탑 카드가 무엇을 의미하는지를 예측할 수 없다. 탑 카드는 우리를 예측할 수 없는 영역으로 인도하기 때문이다. 우리가 예상할 수 있는 것은 오직 예기치 않은 일이 일어나리라는 것뿐이다. 만약 직업이나 인간관계와 같이 특정 질문에 대한 카드 배열에서 탑 카드가 나타난다면, 가장 쉽게 말할 수 있는 것은 그 문제가 원만하게 풀리지는 않을 것이라는 것이다. 심지어 가장 잘 짜여진 계획이나 의향일지라도 극적으로 뒤집혀서 결국은 통제할 수 없는 상태, 적어도 우리의 통제를 벗어난 상태로 바뀔 수 있다. 믿었던 직위는 경쟁자에게 돌아갈 수 있고, 회사가 파산할 수도 있으며, 파트너가 아무런 예고 없이 돌연 우리를 버리고 다른 사람을 택할 수도 있다. 또는 우리를 놀라게 하거나 충격을 주는 소식을 들을지도 모른다.

우리의 내면세계의 관점에서 탑 카드는 우리를 그 자리에서 멈춰 세우고 거꾸로 뒤집는 시기를 말한다. 카드에 그려진 인물처럼 우리는 방향 감각을 상실한 채 분노와 근심과 공포라는 악마들과 싸우려고 애쓰며 밑으로 떨어지고 있는지도 모른다. 촉매가 되는 계기는 다양할 수 있지만 그 결과는 같을 것이다. 즉 우리는 우리가 생각했던 그런 사람이 아니라는 것, 우리는 생각만큼 강인한 사람이 아니라는 것, 그리고 다른 사람에게 일어날 수 있는 일은 우리에게도 일어날 수 있다는 것을 깨닫고 충격을 받게 된다. 우리의 세계, 우리 자신, 다른 사람들에 관한 내면화된 이미지들은 붕괴되고, 아무리 주의를 기울여 다시 세우려 노력해도 결코 예전과 똑같아지지 않을 것이다.

이 지점에 하나의 선택이 있다. 커다란 재앙에 직면하여 우리는 산산이 부서져서 흩어져 버릴 수도 있고, 아니면 잔해를 청소하고 충격에서 회복하며 자신의 낡은 답안지를 던져 버릴 수도 있다. 이렇게 하기는 쉽지 않다. 그러나 파괴되고 있는 삶의 폐허에 집착하는 것은 아무런 소용이 없다.

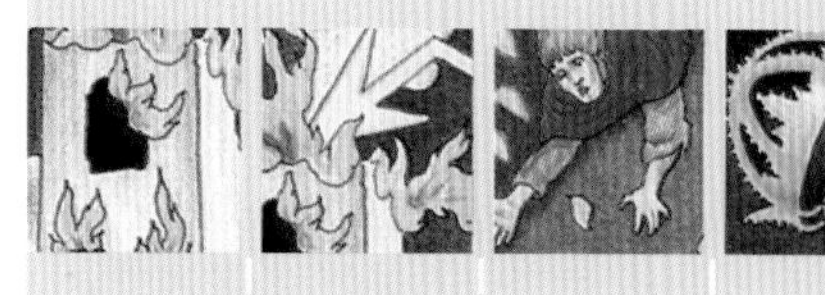

탑 카드 해석하기

탑 카드가 카드 배열에 나타나면, 그것은 보통 마른하늘에 벼락이 치듯이 커다란 변화가 일어날 것이라는 것을 가리킨다. 원조나 도움이 갑자기 끊길 수도 있다. 바깥세상과 관련하여 탑은 우리의 계획이나 일을 망치는 뜻밖의 사건을 상징한다.

천왕성과 중년의 위기

천왕성은 자신의 성격과 잘 어울리게도 불규칙한 공전 궤도를 갖고 있으며, 황도대를 여행한 뒤 회귀하는 데 76~84년이 걸린다. 이것은 천왕성이 38번째와 42번째 생일 사이에 여행의 중간 지점에 도달한다는 의미인데, 그 지점을 천왕성의 반환점(Half Return)이라 부른다. 심리 점성학에서 이것은 중년의 위기에 해당한다. 이 시기에 우리는 시간의 흐름을 민감하게 의식하며, 인생의 의미가 무엇인지 의문을 품기 시작한다. 우리가 항상 당연하게 받아들였던 것들을 면밀하게 조사하게 되고, 점성학 체계에서 바로 앞에 있는 행성인 토성에 대해 반란을 일으킨다. 토성은 규칙에 따라 움직이는데, 천왕성은 그것들을 깨트려 버린다. 토성은 윤리적이고 분별 있고 체계적으로 일하지만, 천왕성은 그 경계들을 허물고 신중한 태도를 과감히 내던져 버린다.

점성학과의 연결

천왕성은 반란과 혁명과 뜻밖의 변화를 나타내는 행성이다. 천왕성의 기질이 강한 사람은 인습에 얽매이지 않으며 비범하고 총명하다. 그러나 불안정하고 정신적인 질병을 앓기 쉽다.

천왕성이 반환점을 도는 시기는 우리가 그 동안 하지 못했던 일들을 지금이 아니면 결코 할 수 없기 때문에 하게 되는 때이다. 잘못된 사람과 결혼한 사람들은 이혼을 한다. 미혼자들은 사랑에 빠져 결혼을 하게 된다. 그 동안 아이를 갖지 않았던 여자들은 갑자기 임신을 하거나 '마지막 기회'인 아이를 가지게 된다. 지루한 일자리에서 오랫동안 일하던 사람들은 직장을 그만두고 히말라야 산을 오른다. 여기저기 떠돌던 사람들은 직업을 갖게 된다.

요컨대 천왕성과 탑은 똑같은 메시지를 깨닫게 한다. 우리의 자아 계발, 행복 추구, 영적 성장을 위하여 불필요한 것들은 떠나보내야 하고, 잠재해 있던 우리의 일부분은 소생시켜야 한다는 것이다.

탑 카드는 종종 커다란 변화
또는 미지로 뛰어드는 것을 상징한다.

XVII 별

별 카드는 위안과 기쁨으로 다가온다. 앞의 두 카드인 악마 카드와 탑 카드는 모든 것이 무의식적이고 통제할 수 없고 파괴적인 영역으로 우리를 데려갔다. 별 카드는 폭풍이 지나간 뒤에 세상의 아침 모습을 상징하며, 모든 것이 씻겨 깨끗해지고 시야가 환해진 눈부신 햇살 속으로 우리들을 데려간다.

the Star

전통적 의미 새로워짐, 재생

이 카드는 우리의 신체에 관해서는 아주 좋은 카드로서 우리의 리비도를 건강한 방향으로 개선시킨다. 악마가 필사적으로 욕망하는 고통은 사라져 버렸다. 우리의 성욕은 이제 우리의 인간성과 전체의 자연스러운 일부이다. 그래서 카드 읽기에서 별 카드가 나타나면 더 나아진 성생활이나 새로운 연인, 특히 우리의 진정한 욕구를 충족시킬 수 있는 방법을 알고 있는 사람을 가리킨다. 별 카드는 우리 자신에게 만족하는 것과 긍정적인 신체의 모습을 즐기는 것의 중요성을 일깨워 준다. 물병에서 쏟아지고 있는 물은 삶 그 자체를 상징한다. 그래서 이 카드는 건강과 넘치는 활력을 가리킨다. 별 카드는 건강이나 임신에 관해 궁금해 하고 있는지를 알 수 있는 가장 좋은 카드 가운데 하나이다. 이 카드는 완쾌나 임신을 약속하기 때문이다. 사실 어떤 사람이 아기에 관해 묻고 있다면, 별 카드가 나온 것은 그녀가 이미 임신했다는 것을 의미할 수도 있다.

상징체계에 있어서 가장 유쾌한 것들 중의 하나는 물리적으로 불가능한 것들을 해석해 내는 기술이다. 별 카드가 그 좋은 예이다. 이 카드는 푸른 하늘에

별 카드에서 보이는 흐르는 물은 종종 건강과 넘치는 활력을 상징한다.

별이 선명하게 보이는 낮의 모습을 묘사하고 있기 때문이다. 이것은 우리가 별들을 볼 수 없을 때에도 별들은 항상 그 자리에 있다는 것을 상기시킨다. 이 메시지는 삶에 있어서도 많은 것들에 똑같이 적용된다. 어떤 것이 우리에게 뚜렷이 보이지 않는다 하여 그것이 그곳에 없다는 것을 의미하는 것은 아니다.

카드 읽기에서 별 카드는 긍정적인 결과를 가리킨다. 이 카드는 행운과 재생의 카드이다. 따라서 복잡한 것은 단순해지고 침울한 것은 점차 사라져서 삶이 편해진다.

별 카드는 일반적으로 배열에서 좋은 카드로 보이는데, 특히 사랑과 인간관계, 성에 관한 질문일 때 그러하다. 나는 50대 후반의 한 여성을 기억하는데, 그녀는 마사지와 향기 요법으로 늙어 가는 몸을 관리하고 있다고 말했다. 나는 살이 축 처진다고 해서 성적 매력이 없어지는 것은 아니라는 그녀의 생각에 찬성했다.

그러나 불리한 카드들과 갈등 관계에 있는 카드는 어떠한 카드라도 위기의 근원을 나타낸다는 것을 기억해야 한다. 결혼 생활이 좌초할 위기에 놓인 듯한 여성을 위한 카드 읽기를 했을 때, 별 카드는 켈틱 크로스 배열의 중앙에서 은둔자 카드와 교차하였다. 은둔자 카드는 물러남과 홀로됨을 의미하므로 이것은 사실상 별 카드와 반대의 의미가 된다. 별 카드는 궁극적으로 신체적, 정신적 수준 모두에서 삶의 활력과 연결되는 것을 뜻하기 때문이다. 그녀의 사생활에 대해 물어보자, 그녀는 부부의 성생활이 중지되었다고 시인했다. 육체적인 접촉의 부족은 정서적인 친밀감을 약화시켰고, 그녀를 말할 수 없이 괴롭게 만들고 있었다.

그녀는 어떻게 해야 상황이 악화되지 않게 할 수 있는지를 몰랐다. 별 카드에 의해 상징되는 일체감과 접촉 없이는 그녀가 은둔자 카드의 상태에서 빠져나올 길을 찾을 수 없었다. 카드 읽기가 진행됨에 따라 어떤 종류의 상담이 도움이 될 것이라는 점이 명백해졌다. 해결해야 할 문제들이 아주 많았기 때문이다.

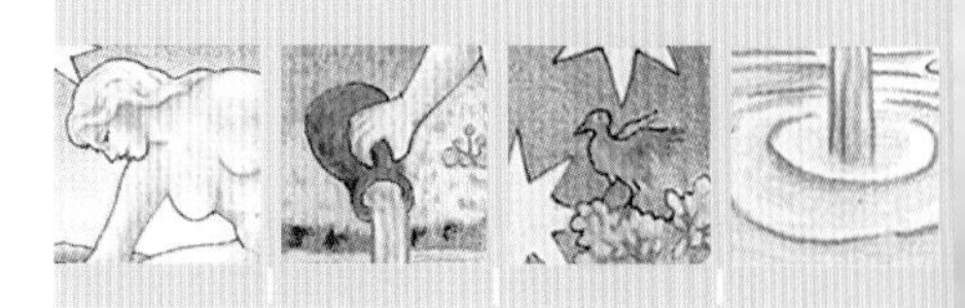

별 카드 해석하기

별 카드는 주로 그 단순성 때문에 아름다운 카드이다. 나체의 여성이 호숫가의 풀밭에 무릎을 꿇고서 양손에 물병을 들고 대지와 호수에 물을 붓고 있다. 이것은 재생과 유희, 자연으로의 회귀, 환경과의 조화를 표현한 그림이다. 이 처녀는 만족감을 한껏 발산하며, 진정한 행복은 물질적인 소유나 다른 사람에게서 오는 것이 아님을 일깨워 준다. 그녀가 혼자서 즐겁게 놀이를 즐길 때 그녀의 평화와 평온은 내면에서 나온다.

재탄생의 강력한 이미지로서 그녀에게 자기의식이 없다는 점 역시 중요하다. 몸과 영은 하나이며, 감추거나 두려워하거나 억제할 것이 아무것도 없다. 물의 원소는 우리의 정서를 상징하는데, 별 카드에서 우리는 감정이 자유롭게 흐르고 수치라는 것을 몰랐던 어린 시절의 천진함으로 되돌아갈 수 있다.

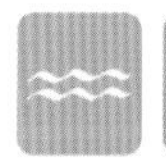   

점성학과의 연결

별 카드의 중심적인 상징은 흐르는 물이므로 물병자리와 관련된다고 유추할 수 있을 것이다. 그러나 물병자리는 사실은 공기의 궁이다. 그래서 나는 별 카드를 변화하는 물의 별자리인 물고기자리에 비유하는 것을 더 좋아한다. 물고기자리는 가장 풍요롭고 본능적인 별자리 중의 하나이며, 바다의 신이자 꿈의 행성인 신비로운 해왕성에 의해 공동으로 지배된다. 별 카드는 금성의 가장 강력한 별자리인 물고기자리에 있는 금성과도 같다.

XVIII 달

달은 여성, 여성적 에너지 그리고 출산 능력의 강력한 상징이다. 달의 궤도는 28일의 월경 주기를 따르며, 달이 차고 기우는 것은 수태, 임신과 출생의 패턴을 상징한다. 반대로, 남성적인 힘 혹은 태양의 힘은 태양의 모양이 변하지 않듯이 고정되어 있고 직선적이다. 그러나 달이 매일 밤 모양을 바꾸는 것처럼 여성들의 감정과 기분은 호르몬의 영향을 받으며 변화무쌍하다.

the Moon

전통적 의미 변화, 불확실

이 카드에서 우리는 하나의 원 안에서 달의 세 단계 즉 초승달, 반달, 보름달을 보게 된다. 그것은 차례로 처녀, 어머니, 주름진 할머니 등 전형적인 세 가지 얼굴과 대응한다. 달의 세 여신도 있다. 초승달은 아르테미스(Artemis), 보름달은 대지의 어머니인 데메테르(Demeter), 그리고 오컬트와 연관된 시기로서 초승달이 나타나기 전 어두운 3일인 그믐달은 마녀 헤카테(Hecate)이다.

달은 무의식의 영역 즉 무의식적인 감정, 욕구, 본능, 반응 등을 지배한다. 타로에서 달의 전통적인 예언적 의미를 반영하는 것은 이 신비롭고 그늘진 정서의 세계이다. 달 카드가 카드 배열에 나오면 그것은 변화, 변동, 불확실성, 혹은 심지어 망상의 상황을 나타낸다. 초승달이 마치 쪼개진 조각처럼 보이지만 사실은 전체 모습 가운데 일부분만 보이는 것과 마찬가지로 사물들은 보이는 모습과 같지 않을 수 있으므로 우리는 보이는 모습에 의문을 던질 필요가 있다.

달 카드는 20대 후반 여성의 관계 배열에서 중심 카드였다. 그녀는 18개월 동안 애인과 동거해 왔고 그를 매우 사랑했다. 그러나 그가 청혼을 했음에도 그녀는 미래에 대한 확신이 없었다. 중심 카드는 문제의 핵심, 혹은 모든 문제들의 중심에 있는 이슈의 요점을 종종 알려준다. 그래서 나는 그녀가 확신하지 못하는 원인을 달로 보고서 달에 초점을 맞추었다. 내가 이 카드의 상징인 망상 혹은 속임에 관해 말하자, 그녀는 동의하는 뜻으로 고개를 끄덕였다. 또 다른 여자를 알고 있는지를 물었을 때 그녀의 대답은 '예' 였다. 그녀는 한동안 옳지 않은 일을 했다고 느꼈고, 다소 부끄러워하며 그에게 온 편지를 읽었다고 털어놓았다. 그녀는 편지를 발견하고서 자신이 가장 두려워하던 상황을 확인하게 되었다. 그 편지는 단순한 연애편지가 아니었다. 9개월 된 아들을 안고 있는 다른 여자의 사진이 들어 있었던 것이다.
그녀의 말을 종합해 보면, 그는 다른 여자친구가 임신했을 무렵 나의 내담자를 만난 것이 분명했다. 그는 다른 여자 친구에 대해 말한 적이 없고 아기의 존재를 언급한 적도 없었다. 이 편지에는 그의 현재의 여자친구에 대한 언급이 없었다. 따라서 다른 여자 역시 아무것도 모르고 있음에 틀림없었다. 이 고통스러운 상황에는 달의 모든 특징들이 있었다.
놀랍게도 그러나 다행히도 관계 배열에서 미래 카드들은 훌륭했다. 컵 2번 카드(결합)와 컵의 기사 카드(구혼자)였다. 그래서 나는 그가 그녀와 결혼하고 싶어 하는 마음은 진실이라고 느꼈다. 그녀는 모든 일이 분명히 밝혀지기를 원했는데, 그녀가 진실의 궁인 궁수자리의 사람이므로 나는 앞으로 그렇게 하는 것이 최선책이라는 데 동의했다.

"나는 안다."라는 말은 명백한 논리나 이유에서 나오는 확실한 목소리이다. 그러나 달 카드에 대해 좋은 태도는 "그런 것 같다."이다. 왜냐하면 우리는 표면에 드러나지 않는 흐름에 맞추어지고 우리의 본능과 본능적인 반응에 의해 인도되기 때문이다. 달이 어떤 상황을 나타낼 때는 아무것도 서두르지 말아야 한다. 우리는 상황이 펼쳐지고 발전되는 것을 보기 위해 기다리는 동안 자기를 보호하기 위해 건강한 냉소주의를 견지할 필요가 있다.

나 자신의 카드 읽기에서 나는 또한 달이 삼각관계에 있는 다른 여성을 가리키는 것을 발견하였다. 불행히도 여성적인 힘의 부정적인 면은 교묘히 조종하고, 간사하고 교활하며, 잘 속일 수 있다는 것이다. 그리고 달 카드는 속임수의 성격이 있고 대단히 복잡하거나 고통스러울 수 있는 각본들을 가리킬 수 있다.

달 카드 해석하기

보편적인 수준에서 달 카드는 상징으로 가득 차 있다. 물에서 기어오르는 가재는 무의식적인 것들을 상징하고, 반면에 달을 향해 짖고 있는 개와 늑대는 헤카테와 관련이 있는 동물들로서 우리를 보름달의 광기와 마법 속으로 안내한다. 달의 변화하는 모습은 조수의 변화를 나타내고 마법의 주문, 씨뿌리기, 수확에 적절한 시기인지 아닌지를 알려준다. 유능한 마법사나 점성가라면 중요한 일을 다루기 전에 먼저 반드시 달의 활동을 확인한다. 시간의 점성학에서는 개인의 탄생 순간보다는 알고 싶은 시기의 차트 계산을 더 중시하는데, 달의 이전과 다음 좌상을 가장 먼저 파악하며 판단에 중요한 기준으로 여긴다.

점성학과의 연결

달은 많은 의미를 지니고 있다. 달은 가정, 가족, 보호, 안전을 상징하는 물의 궁 게자리를 지배한다.
달은 밤의 여왕이며 여성, 무의식, 수용성, 어둠, 거울, 그리고 습관적이고 본능적인 혹은 변화무쌍한 모든 것을 지배한다.
모두들 자신의 태양 궁을 안다.
그러나 당신은 자신의 달 궁을 아는가?
당신이 남자이건 여자이건 달은 당신의 여성적인 면, 욕구, 본능적인 반응 그리고 감정적인 반응들을 나타낸다.

XIX 태양

해바라기가 활짝 핀 담장과 말에 올라타고 있는 벌거벗은 아이 위로 커다란 태양이 햇살을 뿌리고 있다.
어린 아이는 기뻐하며 두 팔을 활짝 벌리고 있는데, 마치 삶의 선물과 황금빛 미래의 약속을 껴안으려는 것 같다.
달은 여러 모습과 얼굴을 가지고 있지만, 태양은 한 가지 얼굴만 가지고 있으며 결코 모습을 바꾸지 않는다.
그래서 우리는 어두운 밤의 세계로부터 삶이 훤히 들여다보이고 복잡하지 않은 한낮의 찬란한 빛으로 나온다.

the Sun

전통적 의미 성공, 행복

태양은 모든 창조의 근원이자 생명의 궁극적인 상징이며, 어떤 카드 읽기에 나와도 훌륭한 카드이다. 신체적인 측면에서 태양은 싱싱한 건강과 활력, 전반적인 안녕을 상징하며, 건강에 관한 어떤 질문에도 매우 좋은 징조를 나타낸다. 심리적인 측면에서 이 카드는 좋은 정신 건강에 대해 알려주며, 건강하고 긍정적이며 집중된 느낌과 관계된다.

어떤 상황이나 사건, 목표를 나타낼 때 이 카드는 확실한 성공을 상징한다. 태양은 우리 위에서 빛나고, 우리는 세인의 주목을 받고 있으며, 우리의 영광의 순간이 목전에 있다. 손을 내밀기만 하면 정당한 칭찬과 인정을 받을 수 있으며, 적절한 시기에 적절한 장소에 있다는 느낌과 소속감이 있다.

태양 카드에서 보이는 승리의 적절한 장소는 일의 중심에 있는 것과 관계되는 경우가 많다. 태양이 우리 태양계의 중심이며 다른 행성들이 둘레를 회전하는 중심 천체이듯이, 태양은 우리가 자기 우주의 중심에 있다는 것을 말해 준다. 이것은 한 번에 그치는 성취만이 아니라 우리의 활동 영역이나 진정한 재

내가 3년 전에 카드 읽기를 해 준 여성의 카드에서 태양 카드가 나왔다. 현대의 타로는 단지 점을 보는 것뿐만 아니라 문제 해결을 돕는 상담과 도움을 제공하고 있다. 그것은 대다수의 카드 읽기가 인생의 문제나 어려움, 위기들 때문에 이루어진다는 것을 의미한다. 하지만 때로는 인생의 문제들이 꽤 많이 해결되어 좋은 길을 가고 있는 사람들에게도 카드 읽기를 하는 즐거움이 있다.
이 여성에게서 그러한 읽기가 나왔다. 그녀가 도착하였을 때 나는 그녀가 아주 좋아 보인다는 것을 알아차렸다. 사실 그녀는 싱싱한 건강과 에너지를 확실히 발산하고 있었다. 그리고 태양 카드가 그녀의 과거 카드들 중 하나로 나왔다. 나는 그녀가 힘 있고 성공적인 지위로 옮겨 가고 있다고 언급하였고, 그녀는 최근에 직장에서 승진했다고 얘기했다. 이것은 그녀에게 아주 좋은 변화였다. 그녀는 현재 주목받는 여성이었고 이 상태를 좋아하고 있었다.
그녀의 다른 과거 카드는 컵의 시종 카드였는데, 그것은 종종 임신을 나타낸다. 나는 그녀와 남편이 아기를 가지려 애쓰고 있는지 물었고, 그녀는 두 달째 피임약을 끊고 있다며 시인했다. 태양 카드와 한 쌍으로 컵의 시종 카드가 나온 것을 보고서 나는 그녀가 이미 임신을 하였거나 막 임신하려고 한다고 판단했다. 그녀는 실제로 2주일 후에 임신했다. 태양 카드는 멋진 관계 배열에서 중심 카드로 반복해서 나왔다(그녀도 역시 사자자리다).

능을 찾음으로써 외부 세계에 드러날 수 있다. 우리의 내면세계에 대하여 태양은 인간의 행복이라는 붙잡기 힘든 목표를 상징한다. 태양 카드는 관계 배열에서 탁월한 카드이다. 이 카드는 정서적으로 우리가 빛과 사랑, 따뜻함의 공간에 있다는 것을 보여 주기 때문이다. 우리는 필요하고 존중받고 소중한 사람이며, 배우자의 세계에서 중심에 있다.

사자자리

점성학에서 태양 카드는 불의 궁인 사자자리를 지배한다. 당신이 아는 사자자리 사람들을 생각해 보라. 그러면 당신은 그들이 중심 무대를 차지할 수 있는 상황을 얼마나 많이 찾아내고 그런 상황에서 성공하는지를 곧바로 알아차릴 것이다. 사자자리 사람들을 대중 앞에 서게 하면 그들은 자신을 특별하게 느끼고 더없이 행복해 할 것이다. 반면에 사자자리 사람들에게 가장 슬픈 것은 사랑받지 못하는 것이다. 그들은 위축되어 우울해지고 괴로워할 것이다.

신체적 측면에서 태양 카드는 건강과 활력,
일반적인 안녕을 말한다.

점성학과의 연결

태양은 우리의 본성, 개성 그리고 의식을 상징한다. 태양은 일 년에 한 번 황도대 주위를 운행하며, 태양이 돌아오는 날이 우리의 생일이 된다. 그래서 우리는 생일에 "그날이 많이 돌아오고 행복하기를 빕니다."라고 축하한다. 성격적으로 태양은 불의 궁인 사자자리를 지배한다. 사자자리의 원형은 사람들을 격려하고 영감을 주는 사람일 수 있다. 그들은 아마도 정상에 있으며 우두머리 행세를 할지도 모른다. 그러나 그들은 마음이 넓고 창의적이다. 사자자리들은 문자 그대로 따뜻함을 찾으며 사랑과 인정의 햇살을 얻으려 애쓴다.

XX 심판

심판 카드는 강력한 재탄생의 이미지를 표현한다. 그림의 전경에서는 남자와 여자, 아이가 관에서 일어나 천사의 나팔 소리에 응답하여 위를 향해 팔을 벌리고 있다. 배경에서는 다른 인물들이 바다에서 올라오고 있다.

Judgement

전통적 의미 새로워짐, 평가, 새로운 시작

이 카드가 배열에 나타날 때, 나는 '심판'이라는 단어가 암시할 수 있는 가혹함이나 징벌이라는 어감을 없애기 위해 항상 이 상징들에 주의를 기울이게 한다. 실제로 이 카드는 긍정적인 카드이며, 통합과 부활의 승리를 알려 주는 카드이다. 또한 우리를 일깨우는 부름이자 우리가 무시할 수 없는 목소리로서, 어둠 속에서 나와 의미 있는 삶을 충만하게 살라고 촉구한다.

심판 카드는 즐겁게 축하하는 분위기다. 왜냐하면 우리가 자주 마주쳤던 재탄생의 약속이 파악하기 힘든 모호한 개념이 아니라 이제 현실이기 때문이다. 인생의 전망이 우리 앞에 펼쳐질 때 '마침내'라는 느낌과 안도감이 있다. 이 카드는 메이저 아르카나의 마지막에서 두 번째 카드이며, 세상이 우리 자신이라는 것을 완전히 깨닫기 전까지 거치는 여행의 마지막 단계다. 여기에는 해방감이 있고 완성에 가깝다. 문은 열려 있으며, 이제 우리가 해야 할 일은 문을 통과해서 걸어가는 것뿐이다.

심판 카드가 배열에 나올 때, 우리는 올바른 길 위에 있고 모든 장애물들을 이미 빠져나왔다는 것을 안다. 중요한 것은 우리가 너무나 힘들게 찾은 그 길에서 벗어나지 않는 것이다. 지금은 망설이거나 저항하거나 겁먹을 때가 아니라 보답을 요구할 때이다. 즉 행복할 권리와 우리 자신을 훌륭하게 여길 권리를 요구할 때인 것이다.

주된 메시지는 우리가 기꺼이 과거를 청산하고, 그 동안 배운 교훈에 비추어 새롭게 시작하고, 그 교훈들이 가리키는 결정들을 받아들이는 것이다. 만약 우리가 과거를 떠나보내고, 다른 사람이나 우리 자신을 용서하고, 크게 바뀌고, 오늘 할 일을 내일로 미루지 않는다면, 놀라운 신세계는 우리의 것이다. 이 변화의 순간이 개인적 발전에서 오건 특정한 경험에서 오건, 그것은 상관이 없다. 왜냐하면 우리의 내부 세계와 외부 세계는 흔히 서로를 반영하기 때문이다.

"당신 주변에서 무슨 일이 일어나고 있든지, 거기에는 어떤 중요한 변화를 일으키기 위한 내면의 부름과 추진이 있다. 그 변화는 세속적이고 즉각적인 어떤 것일 수도 있고, 인생을 바라보는 관점의 전면적인 변화일 수도 있다. 사실상 그 사람은 이미 바뀌었다. 낡은 상황, 낡은 자아는 이미 죽었다. 문제는 그것을 인정하느냐 마느냐 하는 것일 뿐이다."[15]

어떤 맥락에서건 심판 카드는 궁극적으로 인간 정신의 대단한 용기와 회복력, 끈기에 대한 찬사이다. 재탄생이라는 우리의 승리의 순간은 생존을 축하한다.

점성학과의 연결

심판 카드는 목성을 연상시킨다. 목성은 해방, 새로운 지평 그리고 보답의 행성이기 때문이다. 하지만 상징적인 죽음과 재탄생의 진행 과정은 명왕성에 속한다. 그래서 이 카드는 명왕성적 여행의 긍정적인 결과도 나타낸다. 우리는 이제 지혜와 지식, 경험의 도움으로 강인해졌고 힘을 얻었다. 명왕성은 첫째로 소멸과 분해의 대리인이지만, 우리는 먼지로부터 정말로 가질 만한 가치가 있는 것을 재생하고 구해 낸다.

30세의 홀어머니를 위한 카드 읽기에서 켈틱 크로스의 중앙에서 심판 카드가 검의 여왕 카드(과부)와 교차했다. 그녀는 아이의 아버지에게 버림받고서 심한 외로움을 느끼고 있었다. 아이의 아버지는 그녀가 임신했다는 말을 듣고도 모른 척했다. 어린 딸은 지금 여섯 살인데, 아이를 기르는 것이 그녀에게는 길고도 외롭고 힘든 싸움이었다.
검의 여왕 카드는 나의 내담자가 어렸을 때 과부가 된 그녀의 어머니에 대해서도 알려 주었는데, 이것은 대단히 중요한 정보였다. 그녀의 어머니는 자신이 과부가 될 줄 알았더라면 결코 아이를 갖지 않았을 것이라고 말함으로써 부지불식간에 딸의 자존감을 파괴했다. 그들 사이에는 애정이 없었다.
나의 내담자는 자신도 어머니처럼 애정을 보여 줄 수 없는 홀어머니가 되는 것을 반복하고 있다는 것을 예리하게 알아차렸다. 그녀에게는 다른 애인들이 있었지만 자신이 모두 밀어내 버렸다는 것을 인정하였다. 사랑받고 인정받고자 하는 그녀의 절박한 욕구는 남자들에 대한 분노 그리고 남자들이 결국은 자신을 떠날 것이라는 저변의 믿음과 절망적으로 상충하고 있었다. 그녀는 말할 수 없이 매력적인 여성이었지만 자신을 평범한 사람이라고 믿고 있었다. 그녀가 계속 유지해 온 유일한 관계는 그녀를 정기적으로 구타하는 남자와의 관계였다는 것은 그리 놀라운 일이 아니었다.
심판 카드에 관해 대화하는 동안, 그녀는 자신의 문제들을 다루기를 정말로 원한다고 열정적으로 말했다. 그녀는 오랫동안 치료받기를 거부해 왔는데, 그 이유는 "벌레들이 들끓는 깡통을 열고 싶지 않았기" 때문이라고 했다. 이것은 전형적인 저항 반응이다. 나는 뚜껑은 이미 열려 있으며, 만약 그녀가 개인적인 발전을 위해 노력하지 않겠다고 선택한다면 뚜껑이 다시 닫힐 것이라고 대답했다.
나는 그녀가 이미 희생자 역할에서 벗어나기 시작했고, 일단 상담을 받겠다고 결심하면 심판 카드의 메시지를 알아차리고 과거를 청산할 수 있으며, 또한 그녀 자신의 삶을 파괴하고 있고 다음에는 딸의 인생까지도 쉽사리 파괴할 수 있는 반복의 억압하는 힘에서 풀려날 수 있을 것이라고 믿었다.

XXI 세계

메이저 아르카나의 마지막 카드에서는 자주색 띠를 두르고 양손에 지팡이를 든 처녀가 축하하는 분위기에서 즐겁게 춤을 추고 있다. 성공의 상징이며 지팡이 6번 카드의 승리를 반영하는 커다란 월계관이 처녀를 둘러싸고 있다.

the World

전통적 의미 완성, 성취

이 카드는 운명의 수레바퀴 카드에 나온 상징을 다시 보여 주고 있다. 우리는 여기에서 다시 완전함과 영원함의 이미지, 율동적인 자기 순환의 패턴을 따르는 세계를 본다.

바보 카드의 목표이자 최종 목적지인 여기에서는 완전한 의식과 통합이 성취되며 어떠한 기능도 차별되지 않는다. 카드 읽기에서 세계 카드가 나오면, 우리가 목적지에 도착했다는 것, 즉 내부 세계와 외부 세계의 교훈들을 배워서 그것들을 내면화했다는 것을 발견하는 심리적 연령에 도달했다는 것을 가리킨다.

좀더 세속적인 측면에서 세계 카드는 목적의 달성, 성공하는 이야기, 목표의 성공적인 실현과 성취 그리고 행복한 결말을 알려 준다. 삶의 중요한 과업이나 단계를 마쳤고, 이러한 의미에서 세계 카드는 결말인 동시에 시작이다. 성공은

세계 카드는 세상이 제공하는 모든 기회들을 누리며 삶을 충만하게 살 수 있다는 것을 보여 준다.

멈추는 것이 아니라 이 세상에서 올바른 곳에 자리 잡으며 앞으로, 위로 나아가는 것이다. 그리고 우리는 세상이 제공하는 모든 기회들을 누릴 수 있다는 것을, 이제 삶의 선물을 완전히 누리면서 앞으로 나아갈 수 있다는 것을 깨달으며 전진하는 것이다.

점성학과의 연결

점성학에서 전체성, 완전성 그리고 개체화의 유일하고도 가장 강력한 상징은 태양이다. 태양에 대한 상형 문자는 전체성의 상징인 단순한 동그라미이며, 이 동그라미의 중앙에는 의식의 중심을 나타내는 점이 있다. 나머지 천궁도가 무엇을 말하든지, 태양 궁은 우리의 본질적인 자아와 출발점을 말하고 있는데, 다른 모든 것들은 이 주위에서 돌고 진화한다. 의료 심리학에서는 태양을 생명 유지에 절대 필요한 것으로 본다. 태양은 심장과 몸의 중심 구조인 척추를 지배하기 때문이다.

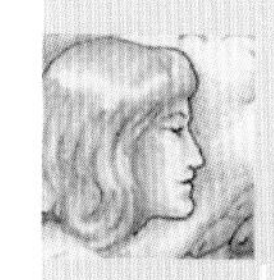

세계 카드 해석하기

운명의 수레바퀴 카드와 마찬가지로 이 카드는 황도대의 네 가지 궁의 상징들이 각 모서리에 놓여 있다. 금발의 남자는 물병자리를, 독수리는 전갈자리를, 황소는 황소자리를, 그리고 사자는 사자자리를 상징한다. 이것들은 황도대의 네 가지 '고정된' 궁들로서 견고함, 안정성, 물질화를 나타내는 양식이다. 각 궁은 네 가지 원소들 중 한 가지를 나타내며 차례대로 의식의 네 가지 기능을 상징한다. 즉 물병자리—공기—지성과 이성, 전갈자리—물—느낌과 본능, 황소자리—흙—감각과 실용성, 사자자리—불—직관과 영감.

40대 후반 여성을 위한 카드 배열에서 세계 카드가 나왔는데, 메이저 아르카나로서는 이 카드가 유일했다. 그녀는 오랫동안 행복한 결혼 생활을 해 오고 있었고 훌륭하게 성장한 20대의 두 자녀가 있었기에 표면적으로 그녀의 생활은 만족스러웠고, 아주 좋아 보였으며, 금전적인 문제도 없었다. 기꺼이 그녀와 자리를 맞바꾸고 싶어 할 수많은 내담자들에 대한 생각이 순간적으로 내 머리를 스쳐 갔다. 물론 이것이 진짜 이슈였다. 그녀는 자신이 좋은 처지에 있다는 것을 알고 있었고 불만을 가질 권리가 없다고 느꼈다.

그런데 그녀는 속담에 있는 '빈 둥지' 증후군으로 고통을 겪고 있었다. 왜냐하면 두 자녀들이 막 집을 떠나 독립했고, 오랫동안 해 왔던 시간제 일을 지난해에 자연스럽게 그만두었기 때문이다. 그녀는 말 그대로 어떻게 시간을 보내야 할지를 알지 못했다.

나는 이제는 인생의 한 가지 길이 끝났고 다른 하나의 길이 시작될 때라는 시각에서 세계 카드에 집중했다. 나의 견해로는 이것은 어려운 카드 읽기였다. 왜냐하면 그녀는 내 말이 좋은 뜻임을 이해했지만 어떻게 나아가야 할지 전혀 감을 잡지 못했기 때문이다. 그런데 이 사례에서는 점성학이 도움이 되었다. 천체력을 살펴보니, 약 6개월 뒤에 그녀의 목성이 돌아올 예정이었다.

목성의 주기는 12년이고 12년마다 원래의 위치로 귀환하므로 나는 그녀에게 대략 12년 전 지난번 목성 귀환 때를 돌이켜 보라고 요청했다. 그때 어떤 기회가 주어졌는가, 혹은 어떤 변화가 인생을 더욱 충만하게 하였는가? 그녀는 이 시기에 비서 일을 배우기 위해 대학에 다녔으나 배운 것을 사용한 적은 없었다. 나는 그녀에게 정말로 흥미를 느끼는 것을 배우는 데 남는 시간을 써 보라고 제안했다. 이것은 그녀가 비슷한 마음을 가진 사람들과 만나고 완전히 새로운 세계로 들어가는 방법이 될 것이다.

3

마이너 아르카나

마이너 아르카나는 56장의 카드로 구성되어 있다. 이 장에서는 마이너 아르카나의 첫 부분인 40장의 카드를 다루는데, 각각 에이스 카드에서 10번 카드까지 네 벌의 짝패로 이루어져 있다. 각 짝패의 도입부에서는 각각의 짝패가 불, 흙, 공기, 물이라는 네 가지 점성학적 원소와 어떻게 비교되는지 볼 것이다. 그리고 각 카드마다 개요를 서술했으며, 그 카드를 맥락에서 설명하기 위해 나 자신이 직접 경험한 일화들을 덧붙였다.

마이너 아르카나

마이너 아르카나는 지팡이, 펜타클, 검, 컵 등 네 벌의 짝패로 구성되어 있다.
보통의 놀이 카드에 있는 클로버, 다이아몬드, 스페이드, 하트와 서로 관련이 있다. 보통의 카드와 마찬가지로
각 짝패는 에이스에서 10번까지로 이루어져 있다.

52장으로 된 보통의 놀이 카드와는 달리 마이너 아르카나는 56장으로 이루어져 있다. 각 짝패에 네 장의 궁정 카드가 더 있기 때문이다. 네 장의 궁정 카드는 왕, 여왕, 기사 그리고 시종이며 다음 장에서 별도로 다룬다.

어떤 해석자들은 사용하고자 하는 배열의 종류에 따라서 마이너 아르카나와 메이저 아르카나를 실제로 나누어 사용하기도 할 것이다. 다른 해석자들은 만약 마이너 아르카나가 마지막 결과 카드로 나왔다면, 그 마이너 아르카나를 뒤집어 놓고 메이저 아르카나가 나올 때까지 카드를 계속해서 돌린 뒤 그 메이저 아르카나를 '그 문제의 결과'로 받아들인다.

하지만 각 아르카나의 상대적인 장점에 관한 고정된 규칙은 없다. 카드를 할 때 나는 언제나 전체 카드 한 벌을 사용한다. 각 카드는 깨달음으로 가는 바보 카드의 여정에서 저마다 중요한 역할을 행한다는 것을 기억하는 것이 중요하다. 인생의 모든 경험들은 나름의 자리가 있으며, 마이너 아르카나들은 매우 강력한 이미지들을 표현할 수 있다.

시련과 고난

'마이너' 라는 단어는 이 카드들이 덜 중요하다는 것을 곧바로 암시한다. 나는 대체로 이 카드들이 삶의 주요 변화나 전환점을 알려 주는 것이 아니라 인생의 시련과 고난을 얘기하는 경향이 있다는 것을 알게 되었다.

지팡이

다른 타로 카드에서는 지팡이를 막대기 혹은 장대라고도 부른다. 라이더 웨이트 계열에서 지팡이는 생명으로 싹트는 새싹들이 달려 있는 긴 막대기로 그려져 있다. 이 이미지는 활기찬 생명력과 성장 잠재력이 있음을 암시한다. 지팡이는 상징적으로 표현된 상황에 따라 다양한 방식으로 사용된다. 싸울 때는 무기 삼아 휘두를 수 있고, 호신용으로 지닐 수도 있으며, 승리의 기쁨으로 높이 들어올릴 수도 있다.

지팡이는 다양한 상징적 의미가 있으나 새로운 삶이나 성장을 의미할 때가 많다.

펜타클

펜타클은 동전으로 묘사되며, 다섯 개의 끝이 뾰족한 별의 문장이 새겨져 있다. 또한 마술과 깊은 관련이 있고, 이교 사상과 그리스도교 신비주의와 관련이 있는 상징이다. 펜타클은 하나의 연속된 선으로 그려질 수 있는데, 이것은 보호를 상징한다. 타로에서 펜타클은 금전적이거나 실제적인 문제와 주로 관련되어 있으며, 우리가 돈과 자원을 어떻게 모으고, 받고, 소비하고, 저축하고, 사용하는지를 설명해 준다. 그리고 가난함에서 부유함까지의 스펙트럼을 보여 준다.

펜타클은 보통 돈과 같은 실제적인 문제와 연관되어 있다.

검

검의 상징에는 매우 큰 힘이 부여되었다. 검은 아서 왕의 엑스캘리버와 그리스 신화에 나오는 다모클레스의 검처럼 무수한 이야기들과 신화들에 나타난다. 검은 궁극적으로 남성적인 상징이며 힘과 남자다움, 용맹성을 상징한다. 지팡이와 마찬가지로 검도 공격이나 방어를 위해 사용할 수 있다. 검은 벨 수 있고 상처를 입힐 수 있다. 그래서 정서적인

검은 공격과 방어, 정서적인 문제들을 상징할 수 있다.

상처와 고통, 싸움을 상징한다. 용기나 의지가 부족하여 행동하지 않음으로써 야기되는 문제들을 상징할 수도 있다.

컵

컵은 행복에서 고통까지 모든 범위의 정서를 나타낸다.

물의 원소는 감정을 상징한다. 물은 담긴 그릇의 모양만을 취할 수 있듯이, 컵은 감정과 관계된 모든 것을 담는다. 컵 카드는 사랑에 빠지는 것에서부터 축하하기 위해서 또는 기쁨에 겨워 컵을 들어올리는 것에 이르기까지 행복의 모든 범위를 설명한다. 또한 상실이나 잘못된 사랑, 실망과 같은 인생의 쓰라린 시련의 정서적 고통도 나타낸다. 컵이 주목받지 못하거나 뒤집혀 있고 물이 땅 속으로 스며들고 있을 때는 불행을 나타내기도 한다.

점성학과의 연결

우리는 메이저 아르카나 카드들이 천천히 움직이는 행성들과 어떻게 대응하는지를 앞서 살펴보았다. 운명의 수레바퀴 카드와 목성, 탑 카드와 천왕성, 죽음 카드 혹은 악마 카드와 명왕성이 그런 예들이다. 마이너 아르카나 카드도 같은 방식으로 적용되지만, 여기에는 빠르게 움직이는 행성들 즉 달, 수성, 금성 그리고 화성 등이 포함될 수 있다. 항목마다 각각의 원소와 그 특성들에 대해 설명했다.

점성학과의 연결

네 벌의 짝패는 행성의 상징들을 반영하며, 다음 순서대로 네 가지 원소들에 상응한다.

지팡이

불 - 양자리, 사자자리, 궁수자리

펜타클

흙 - 황소자리, 처녀자리, 염소자리

검

공기 - 쌍둥이자리, 천칭자리, 물병자리

물

물 - 게자리, 전갈자리, 물고기자리

지팡이

지팡이 카드는 때때로 장대 혹은 막대기 카드라고도 불리며 창의적이고 예술적인 능력을 상징한다. 지팡이 카드는 에너지와 추진력을 나타내며, 우리가 개인적인 발달을 자극하는 상황들을 어떻게 다루는지를 보여 준다. 성장의 잠재력은 막 잎으로 자라나려 하는, 지팡이에 달린 새싹들로 상징된다.

점성학과의 연결

지팡이 카드는 다음의 상징과 연결된다.

화성 : 활동과 전쟁의 행성.
목성 : 확장과 지식, 행운의 행성.

점성학적 관점에서

지팡이는 에너지와 창의성, 직관을 지배하는 원소인 불에 상응한다. 불이 상징하는 주요 성질들과 특징들은 다음의 핵심어와 어구들에서 찾을 수 있다.

긍정적인 면 | 따뜻한, 다정한, 애정 어린, 감정을 표현하는, 자발적인, 직관적인, 관대한, 대담한, 충성스러운, 용기 있는, 영감을 받는, 통찰력이 있는, 정직한, 정의감과 정정당당한 행동, 열심인, 기민한, 활발한, 역동적인, 쾌활한, 낙관적인, 모험을 즐기는, 자신감 있는, 단호한, 독립적인, 자발적으로 시작하는, 진취적인.

부정적인 면 | 경솔한, 무모한, 순간적인 감정으로 내뱉는 말, 격정적이고 급하고 불같은 성미, 격앙하는, 쉽게 흥분하는, 지나치게 충동적인, 부주의한, 시작은 하지만 끝내지 못하는 것들, 과로로 인한 심신 쇠약, 이기적인, 요령과 수완의 부족, 자만하는, 편협한, 공격적인, 마찰을 일으키는, 과장하고 각색하려는 강한 성향.

지팡이 카드는 불의 원소를 나타내며, 창의적 에너지와 예술적인 능력, 직관력을 지배한다.

지팡이 에이스

간단히 말해서, 에이스 카드는 각 짝패의 1번 카드이므로 시작을 상징한다. 지팡이 에이스 카드는 기회, 특히 새로운 프로젝트에 대한 기회를 말한다. 이것은 우리의 열성과 어느 정도의 독창성을 요구하는 창의적인 일일 때가 많다.

만약 예술적, 창의적 혹은 영적인 관련이 명백하지 않다면, 지팡이 에이스는 새로운 문을 열어 줄 새 직업 그리고 단계를 밟아 전문가가 될 수 있게 하는 새로운 기술을 배울 기회를 의미할 수 있다. 때로는 여행의 기회를 나타내기도 한다.

모든 에이스 카드들과 마찬가지로 구름 속에서 나온 손이 지팡이 하나를 내밀고 있다. 이것은 신의 섭리, 신성의 개입, 도움을 주는 손길을 암시한다. 지팡이를 잡고, 시야를 넓히고, 우리 자신의 진취적 기상을 활용하는 것은 우리에게 달렸다. 지팡이 에이스는 자신감이나 열성과 같은 긍정적인 불의 성질들이 새로운 프로젝트나 모험을 시작하는 데 가장 큰 자산이라는 것을 상기시켜 준다.

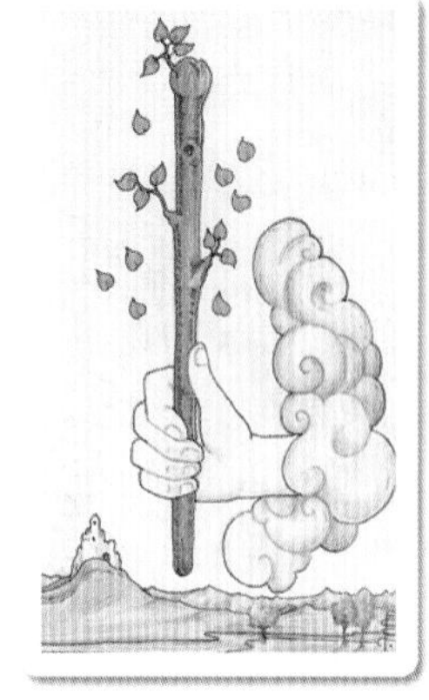

ACE OF WANDS

지팡이 에이스는 종종 직업에 관한 것을 나타내며, 우리가 정말로 하기를 원하고 우리를 고무시키는 것들을 보여 준다. 예를 들어, 이 에이스 카드는 책을 쓰려고 하는 남자에게 중심 카드였다. 글을 쓰려면 더 많은 시간을 확보해야 했기에 그는 정규직을 그만두고 시간제 일을 하려고 했다. 그에게 필요한 것은 오로지 과감히 모험을 감행할 때가 무르익었다는 격려와 확신이었다.

이 카드는 유명한 멜로드라마를 그만두고 좀더 진지한 드라마에 출연하려고 했던 여배우에게도 나왔다. 이 변화는 위험이 따르는 것이었다. 왜냐하면 그녀의 이름과 얼굴이 매일 나오던 텔레비전에서 사라질 것이고, 어떤 의미로 그녀는 자신의 경력을 다시 시작해야 했기 때문이다. 그러나 그녀는 자신에게 들어오기 시작하는 제의들에 흥분했는데, 그것들은 그녀를 완전히 새로운 길 위에 올려놓을 것이었다.

이 두 가지 사례에서 돈은 가장 중요한 동기가 아니었다. 실제로 모험을 시작하는 초기에는 수입이 줄어들 것으로 보였다. 하지만 이 두 사람은 창의적인 욕구를 충족시키고 자신이 해야 할 일이라고 느낀 것을 하고 싶어 했기 때문에 이 상황을 받아들일 준비가 되어 있었다.

지팡이 2번

잘 차려입은 남자가 성 위에 서서 그 앞에 펼쳐져 있는 땅을 살펴보고 있다. 그는 왼손에 지팡이 하나를 쥐고 있고, 오른손에는 작은 지구본을 들고 있다. 다른 지팡이는 그의 뒤편에 똑바로 서 있다.

II

에이스 카드들은 하나의 행동 경로를 가리키는 경향이 있는 반면, 2번 카드들은 선택과 딜레마 혹은 결합을 가리키는 경우가 많다. 또 하나의 요인이 활동하기 시작했다. 당신이 새로운 지평들을 알아차리게 될 때는 어떤 불안감이 있다. 아마도 처음에는 불만족이라는 느낌이 일어날 것이다. 갈림길에 다다랐다는 느낌이 들며, 이제는 어떤 방향으로 갈지 곰곰이 생각하고 결정해야 한다. 상황의 이해득실을 따져 볼 필요가 있다.

나의 카드 읽기에서 이 카드는 지리적인 의미에서 어디에 있을지를 결정하려는 사람들에게 자주 나왔다. 지팡이 2번 카드는 세상에는 자기 집의 뒤뜰보다 더 많은 것들이 있다는 것을 점점 더 인식하게 되는 것을 가리킨다. 이것은 동경이나 의심을 일으키며, 여기에는 선택해야 할 것이 있다. 이사하는 것은 진지하게 고려할 문제일 수 있지만, 당신은 세상이 제공하는 기회들을 붙잡을 수 있으므로 선택을 하지 않고는 못 배길 것이다.

어떤 상황에서든지 이 카드의 메시지는 문자적으로든 어떤 상황 안에서든 그대로 머무는 것과 이동하는 것 사이에 선택이 있다는 것이다.

지팡이 3번

지팡이 2번 카드에서는 남자가 손에 지구본을 들고 있다.
지팡이 3번 카드에 있는 인물은 등을 보이고 먼 지평선을 바라보고 있다.

III

많은 면에서 이 카드의 메시지는 지팡이 2번 카드와 같다. 바깥에는 넓은 세계가 있으며, 무엇을 할지, 어디로 갈지, 어떻게 그곳으로 갈지를 결정해야 한다. 하지만 이 사람은 이제 성에서 내려왔고, 산꼭대기에서 아래를 내려다본다. 이것은 우리의 길을 가고 있다는 것을 암시한다.

아직은 심사숙고라는 요소가 남아 있다. 이 카드는 아이디어나 모험을 계획하는 단계라는 것을 나타내기 때문이다. 펜타클 3번 카드도 역시 이 주제를 담고 있지만, 좀더 금전적이거나 실제적인 수준이다. 지팡이 3번 카드는 개인적, 영적 수준에서 행운을 찾는 것과 더욱 관련이 있다.

이 카드는 종종 당신이 앞으로 나아갈 길을 찾고 있고, 해답은 바깥에 있다는 것을 알고 있지만 그것들을 찾는 방법을 아직 모르고 있다는 것을 의미할 수 있다. 과감히 뛰어들기 전에 행동을 위해 준비하고 있다는 것을 암시한다.

나는 고향을 그리워하는 마음이나 동경이라는 맥락으로도 이 카드를 본다. 당신의 마음은 다른 어떤 곳에, 멀리 있는 어떤 사람과 함께 있지만, 당분간 멀리 떨어져 있어야 한다.

지팡이 4번

네 개의 지팡이가 성으로 들어오는 출입구를 이루고 있다. 성은 안정과 번영을 상징한다. 지팡이들의 꼭대기는 화환으로 장식되어 있고, 두 명의 주요 인물인 행복해 보이는 한 쌍이 환영의 뜻으로 꽃다발을 높이 들고 있다.

IV

4라는 숫자는 확고한 토대 위에 고정된 안정성과 연관될 때가 많다. 집의 네 귀퉁이 혹은 나침판의 네 방위, 동전의 고정된 앞뒷면, 착 달라붙어 움직일 수 없는 것 등이 그런 예들이다. 하지만 지팡이 4번 카드는 이 개념의 긍정적인 측면을 보여 주며, 안정과 번영을 상징할 때가 많다. 타로 해석자가 카드에 각각 이름을 붙이는 것은 해석에 유용한 방법인데, 지팡이 4번 카드를 '행복한 귀향'이라 부른 것은 내가 처음은 아닐 것이다. 이 카드는 어떤 재결합을 준비하고 있을 때 나타나는 경우가 많은데, 동반자나 가족과의 재결합일 수도 있다. 그리고 새로운 가정, 가정 안에서의 행복, 동반자와의 결혼이나 동거를 상징할 수도 있다. 또는 그저 휴가나 휴식을 위한 때를 나타낼 수도 있다.

지팡이 4번 카드는 종종 '행복한 귀향' 카드라고 불리며, 어떤 종류의 재결합이 일어나고 있을 때 보인다.

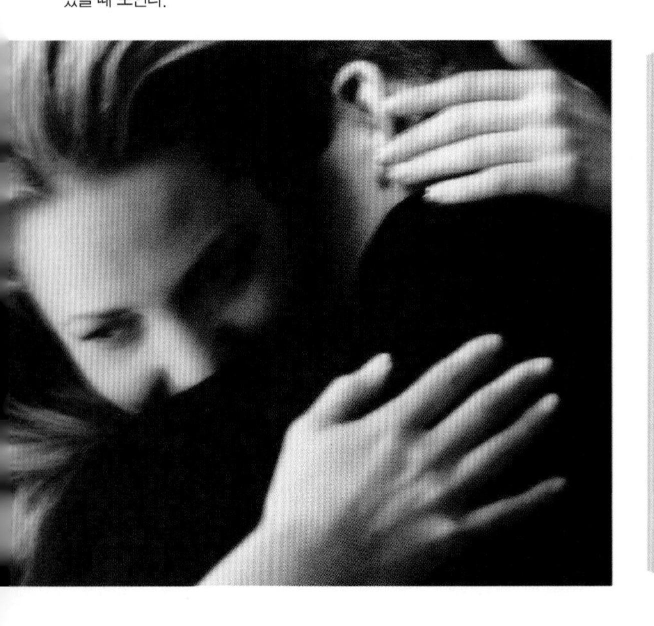

지팡이 4번 카드는 젊은 여성을 위한 카드 읽기에서 연인 카드와 성공을 알려 주는 지팡이 6번 카드가 나온 뒤에 결과 카드로 나왔다. 그녀는 늦은 여름에 있을 자신의 결혼 준비로 바빴는데, 그 결혼식은 양가의 많은 가족들이 참여하는 그 해의 주요 행사였다. 모든 가족이 함께 모이는 것은 오랜만에 처음이기 때문에 이 결혼은 재결합의 의미가 매우 강했다. 그녀는 새 보금자리를 꾸미고 가구를 들여놓을 것과 신혼여행을 계획하고 있었다. 이 해석은 특별한 사건이나 문제가 없는 사람의 경우였다. 그녀는 그저 앞으로 어떤 일들이 일어날지 알고 싶을 뿐이라고 말했고, 이런 결과가 나오자 기뻐했다.

지팡이 5번

다섯 명의 젊은이들이 맞붙어 싸우면서 각자 지팡이를 무기로 삼아 휘두르고 있다.

V

이 카드는 재미로 하는 싸움을 묘사하고 있는 것으로 간주되기도 하지만, 나의 경험으로 지팡이 5번 카드에 특별히 장난스러운 것은 없다. 반대로, 이 카드는 진행 중인 논쟁이나 직장에서의 이해관계, 다른 사람들의 다툼 또는 어떤 종류의 중상모략에 연루되거나 둘러싸일 때 나오는 경향이 있다. 이 카드는 분열과 다툼을 나타내며, 불화와 옹졸함 그리고 사소한 말썽을 가리킨다.

분명히 경우에 따라 큰 차이가 있지만, 당신은 성가신 일에서부터 꽤 걱정스러운 문제에 이르기까지 다양한 이야기를 듣게 될 것이다. 하지만 친구나 가족 또는 동료와의 갈등이건, 당신보다 더 큰 힘을 가진 사람과의 충돌이건, 지팡이 5번 카드가 가리키는 문제들은 대체로 그다지 크게 파괴적이지는 않다. 그 문제나 감정의 동요는 그 당시에는 다루기가 어렵거나 고통스러울 수 있지만, 심각한 해를 끼치지 않은 채 지나가는 경향이 있다. 이러한 갈등으로 인해 나빠진 관계라면 당신에게 꼭 필요한 관계가 아닐 것이다.

지팡이 5번 카드는 흔히 내담자가 분명한 경계선을 긋고, 분쟁의 근원과 거리를 둘 필요가 있음을 나타낸다. 가장 확실한 것은 다른 사람을 위해 그들의 다툼에 끼어들지 말아야 한다는 것이다.
이것은 내가 20대 초반의 한 여성에게 해 준 조언이었다. 그녀는 작은 팀의 일원으로서 그리스에서 처음 맞은 여름철에 일을 하고 있었는데, 그것은 그녀가 꿈꾸어 왔던 목가적인 분위기는 아니었다. 계속되는 언쟁들, 신경을 곤두세운 다툼들, 패거리를 짓는 행동들이 이어졌다. 젊은이들로 이루어진 미숙하고 엉망으로 운영되는 팀에게는 거의 불가피한 결과였다. 이들 중에는 처음으로 집을 떠나서 일하는 사람들도 있었다. 섭씨 38도가량 오르내리는 무더운 날씨에 있다 보면 대부분 부글부글 끓는 냄비처럼 변하게 된다. 나의 내담자는 사람들로부터 거리를 두었고, 다른 곳에서 새로운 친구 몇 명을 사귀었으며, 그 여름이 끝날 무렵 그곳을 떠났다. 물론, 팀 동료들과 주소나 전화번호를 교환하지도 않았다.

지팡이 6번

이 카드는 월계수 화관으로 장식된 지팡이를 들고서 말을 타고 개선 행진을 하는 젊은 남자를 보여 준다.
거리에 늘어서서 그에게 환호를 보내고 있는 군중들은 다른 지팡이들을 높이 들어올리고 있다.

VI

지팡이 6번 카드는 성공 카드이다. 이 카드는 찬사와 인정을 받는 성취를 가리킨다. 나의 경험에서 이 카드는 결혼식, 시험이나 운전면허 시험의 합격, 혹은 힘든 상황에서의 성공적인 결과 등을 보여 주었다. 역시 전후 맥락이 중요하지만, 대개 적절한 보답이 주어지며 진행되는 문제들은 훌륭한 결과를 얻게 된다.

자기 사업을 시작하려는 젊은 여성에게 이 카드가 나왔다. 그녀는 점점 불안해지고 있었다. 왜냐하면 전 재산을 이 사업에 몽땅 쏟아 부었지만, 몇 가지 중요한 공문서를 얻지 못하고 있었기 때문이다. 그녀는 더 이상의 손실을 줄이기 위해 사업을 그만두어야 하는 것인지 고민하고 있었다. 카드 읽기는 이 문제를 반영하여 지팡이 5번 카드가 중심 카드로 나왔고, 그녀는 관청과 싸우고 있는 중이라고 확인해 주었다. 다행히 결과 카드는 지팡이 6번 카드였으며, 결국에는 그녀가 승리할 것이라는 것을 암시하였다. 그녀의 사업은 계속 번창하고 있다.

지팡이 7번

보이지 않는 사람들이 여섯 개의 지팡이를 휘두르며 한 남자를 공격하고 있고,
남자는 지팡이 하나를 이용하여 이 공격을 막아내고 있다.

지팡이 7번은 자기 방어의 카드이다. 하지만 나는 물리적인 폭력으로부터 자신을 방어해야 하는 상황에서 이 카드가 나오는 것은 아직 한 번도 보지 못했다. 그러나 이 카드가 검 카드나 매우 음울한 메이저 아르카나 카드와 나란히 나올 경우에는 그럴 가능성을 배제할 수 없다.

이 카드는 당신에게 해를 끼치거나 위협을 가하는 사람으로부터 자신을 보호하는 것과 같이 자신의 영역이나 공간을 방어할 필요가 있다는 점을 지적하는 경우가 많다. 이 카드는 스스로 일어서는 것이 중요하다는 것을 상기시킨

다. 이러한 관점에서 이것은 용맹과 용기의 카드이며, 확고한 입지를 다지는 것이 중요하다. 이 카드는 사랑하는 사람을 위해 보호자의 역할을 맡는 것도 의미할 수 있다. 지팡이 5번 카드의 경우처럼, 나는 자립 능력이 없는 사람을 보호해 주는 경우가 아니라면 다른 사람들의 싸움에 나서지 말라고 충고한다. 이것은 이웃들과 문제가 있는 어느 여성의 사례였다. 그녀의 아들이 이웃집 소년과 어울려 놀기 시작하였는데, 그녀는 이 소년이 버릇없고 약한 아이를 괴롭히기 때문에 아들에게 나쁜 영향을 미칠 것이라고 느꼈다. 지팡이 7번 카드가 나와서 그녀의 방어적인 본능이 정당하다는 것을 확인해 주었다.

VII

지팡이 8번

구름 속에서 나온 손이 지팡이를 내밀고 있는 에이스 카드를 별개로 치면, 이 짝패에서 사람이 그려지지 않은 유일한 카드는 지팡이 8번 카드이다. 이 카드는 지팡이 8개가 비스듬히 아래로 기울어져 있고, 들판을 가로질러 흐르고 있는 강이 단순한 배경을 이루고 있다. 이 지팡이들이 공중을 날고 있으며 곧 땅으로 떨어질 것이라고 볼 수도 있다.

이 카드는 이동과 전진의 카드이다. 이 카드가 나올 때는 사람의 노력이 아니라 이런저런 사건들이 어울려 일을 진전시키는 경우가 많다. 이 카드는 대개 기다리는 기간이 끝나 가고, 변화의 때가 되었으며, 기대하거나 원하던 사건들이 펼쳐지기 시작할 것이라는 것을 의미한다. 자유롭다는 느낌이 따를 때도 많은데, 이것은 신체적인 의미일 수도 있고, 우리를 억제하고 있었거나 문제와 고통을 일으켜 왔던 정서적인 속박으로부터의 해방을 의미할 수도 있다. 이 카드는 지연의 끝과 장애물의 제거를 알려 준다. 그래서 성공과 만족의 카드이다.

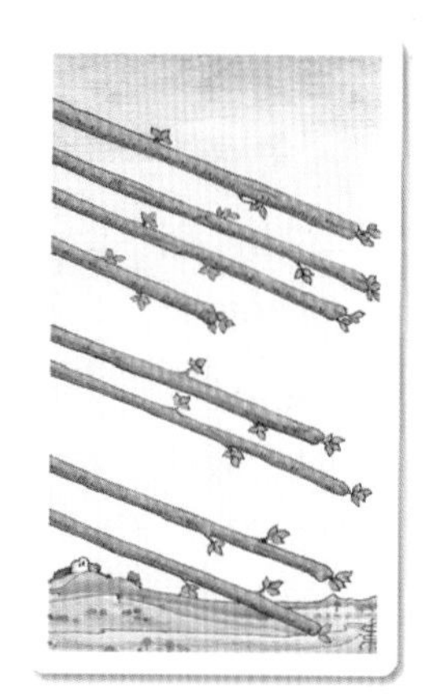

VIII

내 경험에 따르면, 이 카드는 시험을 치거나 직장에 지원한 결과 또는 긍정적인 변화를 가져올 소식을 기다리는 상황에서 나왔다. 또한 여행, 특히 해외로 떠나는 여행을 나타낼 때가 많다. 그래서 긴 휴가나 짧은 휴가, 스트레스에서 벗어나는 시기를 나타낼 수도 있다.

지팡이 9번

이 카드는 싸움터에서 방비를 하고 있는 한 남자를 보여 준다. 그는 머리에 붕대를 감고 있고 지팡이 하나를 단단히 쥐고 있다. 다른 8개의 지팡이는 마치 장벽을 이루듯이 그의 뒤편 땅바닥에 박혀 있다.

IX

이 짝패의 마지막이 가까워 옴에 따라 우리는 극도의 난관과 스트레스와 싸워야 한다. 이 카드는 '싸움에 지친' 카드인데, 어떤 종류의 호된 시련이나 인내 시험의 한가운데에 있을 때 한결같이 나타난다. 카드에 있는 인물은 피를 흘렸으나 고개를 숙이고 있지는 않다. 그래서 주요 메시지는 비록 당신이 상처를 입었다고 느끼거나 한계에 이르렀더라도, 그리고 이 싸움이 당신의 마지막 남은 힘까지 앗아갈지라도 당신은 여전히 서 있고 싸울 준비가 되어 있다는 것이다.

나는 끔찍하게 잘못되어 버린 관계들과 지독히 어려운 이혼 과정을 겪고 있는 사람들, 극심한 스트레스를 받으면서도 직장에 매달려 있으려고 애쓰는 사람들을 위한 카드 읽기에서 이 카드가 나오는 것을 보았다. 그러나 어떤 상황에서든 기억해야 할 중요한 점은 싸움이 아직 끝나지 않았다는 것이다. 부상당한 채 방비하고 있는 인물이 경계하고 있는 모습은 방심하지 말고 계속 경계하면서 자기를 방어할 필요가 있다는 것을 암시한다.

6개월 된 아기를 둔 신혼부부 내담자의 켈틱 크로스 배열에서 지팡이 9번 카드는 최근의 일을 설명해 주었다. 나는 그녀가 최근에 인내하기 힘든 한계 상황에 있었던 것 같다고 말했는데, 그녀도 인정하였다. 그런데 그녀의 이야기를 들어 보니, 이 카드는 그녀의 삶보다는 오히려 남편의 삶을 더 묘사하고 있음이 분명했다. 남편은 직장 일 때문에 아내와 아이를 만날 수도 없었고, 결혼 생활에 대한 중압감이 너무 커서 이혼을 피하기 어렵다고 생각했다. 그래서 그는 직위를 낮추어 달라고 회사에 요청했다. 그는 가족과 함께 더 많은 시간을 보내기 위하여 차라리 돈을 덜 버는 길을 선택했다.

지팡이 10번

지팡이 9번과는 다르게 지팡이 10번 카드에 있는 인물은 부상을 당하지는 않았으나, 10개의 지팡이를 모두 짐으로 안고 완전히 구부리고 있다. 우리는 그의 얼굴을 볼 수 없고, 그는 너무 많은 짐에 시달려서 자신이 어디로 가고 있는지 알 수 없다. 그가 할 수 있는 일은 그저 앞으로 한 발짝씩 내딛는 것뿐이다.

어쩌면 당연하게도 이 카드는 업무 압박감이나 특정한 상황 또는 책임이 너무 벅차서 감당하기 힘들 때 나타나는 경우가 많다. 이 카드가 나올 때면 나는 늘 이 상황을 완화시킬 방법을 찾으려 애쓴다. 심각하게 스트레스를 받을 때 우리는 때때로 주위를 둘러보는 것을 잊어버리며, 그리하여 얻을 수도 있었을 도움을 놓치고 만다. 또는 말하지 않아도 다른 사람들이 우리의 곤경을 알아차리고 구해 줄 것이라고 믿으며 일부러 둘러보지 않는지도 모른다. 어느 쪽이건 당분간은 압박받는 경험을 피하지 못할 수 있다. 그러나 짐을 나누거나 정신적 도움을 받는 길을 찾으려 하는 것은 해롭지 않다. 그리고 어떤 종류의 순교도 해답은 아니다.

X

어떤 50대 여성의 중심 카드로 지팡이 10번 카드가 나왔다. 가부장적 힘과 권위의 카드인 황제 카드가 함께 나왔으므로 나는 그녀가 위협적인 상황에 놓여 있다고 느꼈다. 그녀가 들려준 이야기는 최악의 상황이라는 것을 확인해 주었다. 그녀는 남편에게 너무나 억압을 당하여 문자 그대로 나아갈 바를 알 수 없었다. 그녀는 남편과 대화를 하기 위해 온갖 노력을 다했지만 그는 방해로 일관했다. 그녀가 대화를 하려고 시도하면 그는 외면해 버렸고, 그녀가 편지를 쓰면 쓰레기통에 내버렸다. 그의 첫 반응은 늘 분노였고, 가사를 돕거나 그녀의 일에 관심을 보이기를 거부했다. 그녀는 모든 면에서 갇혀 있고 위축되고 완전히 지쳐 있다고 느꼈다.
이런 상황에서는 어디서부터 시작해야 할지 알기가 어렵다. 하지만 나는 그녀의 경험을 확인해 준 카드에 주의를 기울이게 하면서, 이 짐을 내려놓는 모습을 마음속으로 그려보고 이 상황에서 벗어나 주위를 둘러볼 때 무엇이 보이는지 살펴보라고 요청하였다.

펜타클

간혹 코인(Coins)이나 디스크(Discs)라고도 불리는 펜타클은 언제나 돈과 물질세계에 관한 것을 상징한다.
하지만 때로는 자기 가치 그리고 우리가 사물과 다른 사람, 일과 같은 것에 부여하는 가치와 관련된 메시지를 전해 준다.

점성학과의 연결

펜타클은 다음의 상징들과 연결된다.

금성 : 사랑과 즐거움의 행성이며, 돈을 지배한다.
토성 : 노동, 질서 그리고 모든 실제적인 문제들의 행성.

점성학적 관점에서

펜타클은 감각, 자연 그리고 실제적이고 현실적인 모든 것들을 지배하는 원소인 흙과 상응한다. 다음의 핵심어와 어구들은 흙이 상징하는 주요 성질과 특징들을 보여 준다.

긍정적인 면 | 실제적인, 실용적인, 유능한, 믿을 수 있는, 부지런한, 조심스러운, 성실한, 관능적인, 촉각적인, 위안이 되는, 침착한, 충격을 받지 않는, 평온한, 견고한, 꾸준한, 안정된, 금욕적인, 인내하는, 마음이 친절한, 기초를 둔, 공급자, 빈약한 유머 감각, 예의 바른, 목적의식, 목표 지향적인, 끈기 있는.

부정적인 면 | 고정된, 진행이 더딘, 동작이 느린, 지루하고 답답한, 현학적인, 보수적인, 지나치게 조심하는, 지나치게 진지한, 탐욕스러운, 돈과 물질에 대해 지나치게 염려하는, 완고한, 변화에 저항하는, 상상력이 부족한, 둔감한, 비관적인, 위험을 감수하지 않는, 매사에 흑백논리로 접근함.

펜타클은 흙의 원소와 연관되며, 자연과 무척 가깝고 믿을 수 있고 꾸준하고 안정적인 사람들이나 실제적인 상황들을 설명한다.

펜타클 에이스

에이스 카드들은 처음을 의미하므로 펜타클 에이스는 돈과 함께 하는 신선한 출발을 나타낼 수 있다. 이것은 다양한 방법으로 실현될 수 있다. 예를 들어 월급이 오르거나, 다른 데서 추가로 돈이 들어오거나, 대출이나 증여 또는 유산과 같은 형태로 뭉칫돈이 들어올 수도 있다. 나중에 번창하게 될 새로운 일자리나 사업 기회를 나타낼 수도 있다. 때로는 보석이나 금처럼 큰 값어치가 있는 선물을 의미하기도 한다.

ACE OF PENTACLES

재정적인 퇴보

만약 이 에이스 카드가 문제를 의미하는 카드와 함께 나온다면, 돈 문제와 관련하여 실망하거나 퇴보할 수 있으니 주의해야 한다. 첫째 아이를 임신하고 있는 젊은 여성을 위한 카드 읽기에서 해석하기 어려운 카드가 나왔는데, 켈틱 크로스 배열의 중앙에 펜타클 에이스 카드가 나왔고 교차 카드로 검의 시종 카드가 나왔다. 이 시종 카드는 좋게 보면 신뢰하기 어렵고, 최악의 경우에는 속기 쉽다고 해석한다. 이 경우에 이 카드는 그녀의 배우자를 가리키고 있었다. 그는 오랫동안 그녀와 사귀어 왔는데 그 동안 과거가 다소 복잡한 편이었다. 두 사람은 아직 결혼을 하지는 않았지만, 이제 그녀가 임신을 했으므로 그는 동거를 계획하고 있었다. 그녀가 처음 임신을 했을 때, 남자는 즉시 아기를 위해 목돈을 따로 떼어놓았다. 그러나 다음 달부터 그는 이 돈을 점차 다른 용도로 쓰게 되었고, 카드 읽기를 한 당시에는 거의 모두 없어진 상태였다. 따라서 이 경우에 펜타클 에이스는 특정 목적을 위한 뭉칫돈이었지만 그녀에게는 결코 오지 않을 돈이었다.

펜타클 에이스는 40대 여성을 위한 카드 읽기에서 아주 가까운 미래 카드로 나왔다. 그녀는 직장이나 기회 면에서 별다른 전망이 없는 상태였다. 내가 이 카드의 의미를 얘기해 주었을 때, 그녀는 머리를 가로저으며 많은 돈이 그렇게 빨리 들어올 리는 없지만 정말 내 말대로 이루어진다면 얼마나 좋겠느냐고 말했다. 그리고 6주 뒤에 그녀는 여동생이 복권에 당첨되어 수표를 보내왔다는 사실을 알려 주었다.
하지만 나는 펜타클 에이스 카드가 대개는 일 문제와 관련되거나 특정한 목적이나 이유를 위한 돈을 가리킨다는 것을 알게 되었다. 예를 들어, 이 카드는 어떤 여성의 과거 카드로 나왔는데, 그녀는 차를 사기 위해 부모님에게서 4,500달러를 받았다고 시인했다.

펜타클 2번

젊은 남자가 양손에 펜타클을 들고 있고, 펜타클들은 숫자 8 모양의 고리를 이루고 있는 끈 안에 있으며, 그는 쉬지 않고 저글링을 하는 것으로 보인다. 배경에는 폭풍우 치는 바다 위에 떠 있는 배들이 보인다.

II

이 카드의 그림은 카드의 의미를 잘 설명하고 있다. 이 카드는 흔히 자금 압박을 받거나 수지 균형을 맞추기 위해 애쓰고 있을 때, 또는 빚으로 빚을 갚아야 하는 상황에 있을 때, 심지어 두 가지 직업을 가지고 일할 때에도 나타난다. 이 카드는 종종 돈 문제와 관련된 변화를 가리키지만, 이것이 언제나 쉽거나 명백하거나 간단하지는 않다. 저글링을 하는 것은 끊임없이 일을 계속 진행시키며 일정한 속도를 정확히 유지하는 것이 중요하다는 것을 가리킨다. 타이밍이 가장 중요하다. 배경 그림의 폭풍우 치는 바다에서 일렁거리는 배들은 어떤 상황이, 반드시 금전적인 것은 아니지만, 처음에 인식하는 것보다 더 불안정할지 모른다는 것을 의미할 수 있다. 당신은 공을 떨어지지 않게 하는 데 정신이 팔려 있기 때문에 서서히 혼란에 빠지고 있다는 것을 알아차리지 못한다. 혹은 상황이 매우 위험해질 가능성이 있다는 것을 알지만, 현재로서는 다른 선택의 대안이 없거나 현실과 직면하고 싶지 않기 때문에 등을 돌리고 무시하고 있는지도 모른다.

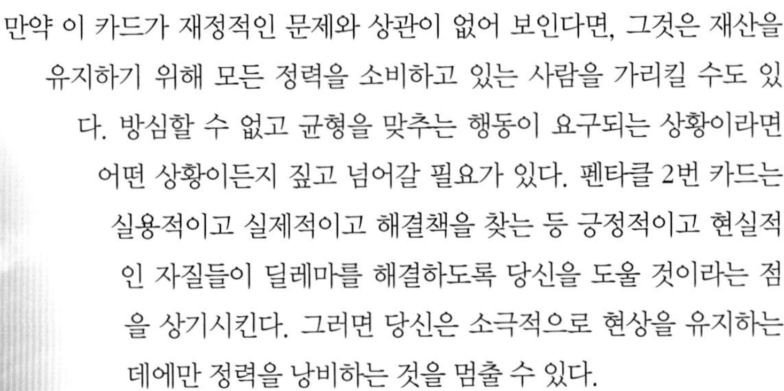

만약 이 카드가 재정적인 문제와 상관이 없어 보인다면, 그것은 재산을 유지하기 위해 모든 정력을 소비하고 있는 사람을 가리킬 수도 있다. 방심할 수 없고 균형을 맞추는 행동이 요구되는 상황이라면 어떤 상황이든지 짚고 넘어갈 필요가 있다. 펜타클 2번 카드는 실용적이고 실제적이고 해결책을 찾는 등 긍정적이고 현실적인 자질들이 딜레마를 해결하도록 당신을 도울 것이라는 점을 상기시킨다. 그러면 당신은 소극적으로 현상을 유지하는 데에만 정력을 낭비하는 것을 멈출 수 있다.

펜타클 2번 카드는
흔히 개인적 재정 문제를
잘 다룰 필요가 있다는 것을 보여 준다.

펜타클 3번

세 사람이 두 개의 아치형 입구 앞에 서 있는데, 좋은 옷을 입고 있는 두 사람이 전문가처럼 보이는 장인과 상의를 하고 있다.

III

지팡이 짝패에서 3번은 행동을 위해 준비를 갖춘다는 메시지를 전달한다. 이러한 주제는 펜타클 3번 카드에서도 반복되지만, 이 카드는 개인적이거나 영적인 성취와 달리 금전 문제나 특정한 프로젝트에 관한 것이다. 펜타클 3번 카드는 사업 시작이나 승진 등 돈을 버는 것과 관련된 협상이 진행되고 있다는 것을 나타낸다. 또는 이미 불어난 돈을 자산 구입이나 투자 등에 사용하는 것을 가리킬 수도 있다.

이 카드는 항상 필요한 전문 기술이나 지식을 갖추고 있는 제3자의 필요성이나 존재를 가리킨다. 이 전문가는 은행 지점장이나 경영관리 담당 중역, 변호사 혹은 건축가일 수도 있다.

이 카드가 새로운 벤처 사업이나 프로젝트를 나타낼 경우, 나는 혹시 전문가의 도움이나 안내를 받고 있는지를 묻고, 만약 아니라면 그렇게 하는 편이 좋겠다고 권유한다. 이 단계에서는 세심한 부분까지 신경을 쓰는 것이 매우 중요하다. 왜냐하면 최종 결과는 준비를 얼마나 잘 했느냐에 따라 달라지기 때문이다. 이 카드는 기초를 쌓고, 시간을 들여 조사하고, 협상의 기술을 배우는 것을 나타낸다.

펜타클 4번

한 사람이 앉아 있고, 네 개의 펜타클은 그에게 안전하게 붙어 있다.
펜타클 하나는 양손에, 다른 하나는 머리 위에, 나머지 둘은 발밑에 있다.

IV

좋게 보면 이 카드는 자기의 자산을 잘 지키고 그간 벌거나 모은 것을 굳게 붙잡고 있으라는 경고의 카드이다.

하지만 카드 속의 인물은 좋은 옷을 입고 왕관을 쓰고 있는 중요 인물인데, 이 경고가 어느 정도까지 타당할 것인가? 최악의 경우에 이 카드는 부유하지만 함께 나누려 하지 않는 인색함을 나타낸다. 그러나 이것은 두려움을 가리킬 수도 있다. 중요한 것은 재물뿐이며 재물이 줄어들 수 있다고 믿기 때문에 재물의 안전에 집착하며 두려워하는 것이다.

이 카드가 나올 때는 수많은 근심이 근저에 깔려 있을 수 있다. 금전적인 상황이나 다른 어떤 상황이 몹시 걱정되어 꼼짝 못하고 있을 수 있다. 현재 상태를 유지하고 고수하려는 데 온 힘을 쏟고 있으므로 움직일 수가 없거나 움직이기를 거부할 수 있다. 이와 같은 봉쇄는 두 가지 방식으로 작용한다. 아무것도 빠져나올 수가 없고, 어느 것도 들어갈 여지가 없다는 것이다. 이런 마비 상태에 있는 한, 아무것도 바뀔 수 없다. 어떤 곤경에 처해 있건, 적당히 놓아버리고 마음을 편안히 하며 에너지나 현금이 잘 흐르도록 하는 것이 강력히 요구된다.

펜타클 5번

눈이 내리는 바깥에 두 명의 걸인이 있고 그 가운데 한 명은 목발을 짚고 있는 그림인 펜타클 5번 카드는 역경의 카드이다.
교회를 나타내는 스테인드글라스 창문에 다섯 개의 펜타클이 그려져 있는데, 집이 없는 두 명의 걸인에게는 이 창문 너머의 세계로 들어갈 수 있는 길이 없는 것처럼 보인다. 그들은 이 창문을 알아차리지 못하는지도 모른다.

이 카드는 분명히 금전적인 측면에서의 궁핍을 나타낸다. 일자리를 잃었거나 병이나 장애 때문에 일할 능력이 없을 때, 아니면 단순히 수지를 맞추기 위해 안간힘을 쓰고 있을 때에도 나올 수 있다. 그러나 이 카드는 영적 빈곤을 의미할 수도 있으며, 인생의 의미가 없어졌다고 느낄 때 나오기도 한다. 이 카드에는 은유적으로 차가운 세계에 내던져졌다는 느낌도 있다. 따라서 다른 사람에게 도움을 구했지만 거절당했을 수도 있다. 또는 어떤 사람과 함께 하기를 간절히 원하지만, 그 사람이 마음의 문을 굳게 닫고 열어 주지 않아서 절망적인 외로움을 느낄 수도 있다. 어떤 상황에 처해 있건, 도움이 필요하다는 것 그리고 금전적이든 정서적이든 문제를 바로잡기 위해 어떤 조처가 필요하다는 것은 분명하다.

V

펜타클 6번

펜타클 6번 카드는 부유한 남자가 한 손에는 천칭을 들고 있고, 다른 손으로는 무릎을 꿇고 손을 벌려 구걸하는 두 거지 가운데 한 명에게 동전을 떨어뜨려 주는 모습을 보여 준다.

이 카드는 빚을 갚는 카드이다. 남이 당신에게 빌려 간 돈을 갚거나 당신이 남에게 빌린 돈을 갚을 필요가 있음을 나타낸다. 어느 쪽이건 채권과 채무를 청산하는 경우이다.

돈을 주는 인물이 유복하고 행운을 나누어 주는 위치에 있으므로 이 카드에는 자선이라는 의미도 있다. 이것은 친절하고 너그러운 품성을 지닌 사람을 가리킨다. 카드 읽기의 맥락에 따라 다른데, 당신이 그런 사람에게서 금전적이거나 다른 어떤 도움을 받게 되거나, 아니면 당신이 바로 절실히 도움이 필요한 사람을 도울 수 있는 사람일지도 모른다.

VI

천칭은 항상 공정함과 균형의 상징이므로 어디에서 이런 주제가 작용하는지를 아는 것이 중요하다. 어떤 것을 돌려주어야 하거나 다른 사람이 베풀어 준 지원이나 호의에 감사를 표현해야 할 수도 있다. 도움을 베푸는 사람이 딱히 없다면, 이 카드는 대출을 받거나 준비할 필요가 있음을 알려 줄 수도 있다.

펜타클 7번

한 젊은이가 괭이에 기댄 채 앞에 쌓인 7개의 펜타클을 바라보며 생각에 잠겨 있다.

VII

이 카드는 평가와 숙고의 카드이다. 어떤 상황 속에서 또는 어떤 프로젝트에서 얼마나 멀리 왔는지를 돌이켜 볼 때인 것이다. 이미 실질적인 진전을 이루었기에 이 카드는 성취를 나타낼 때도 많지만, 아직은 해야 할 일이 더 남아 있고 가야 할 길이 많이 남아 있다. 이것은 잠시 일을 멈춘 것뿐이다.

이 카드가 나올 때는 어떤 갈림길을 나타내는 경우가 많다. 같은 길로 계속 가야 할지, 아니면 새로운 길로 가야 할지를 선택해야 할 수도 있다. 더 이상의 노력이 결실을 맺거나 보람이 있을지는 더 두고 보아야 한다.

주된 메시지는 대개 계속하라는 것이며, 장기간의 중지는 잘못일 수 있다는 것이다. 이제는 이미 해 놓은 일을 작업에 이용할 때이다. 이 카드가 인간관계와 관련된 문제에서 나온 것을 본 적이 있지만, 그보다는 긴 시간이 걸리는 프로젝트나 큰 목표와 관련되어 나오는 경향이 있다.

펜타클 7번 카드는 학위를 반쯤 마친 어느 젊은이의 마음 상태를 보여 주었다. 그만두고 싶고 포기하고 싶은 유혹이 몹시 강렬했다. 그래서 우선 나는 그가 겪는 감정은 많은 학생들도 경험하는 것이며, 중압감이 심하고 도저히 시험을 통과할 수 없을 것 같을 때는 그런 감정을 경험한다고 말해 주었다. 비록 앞으로 해야 할 일들이 산더미처럼 느껴졌지만, 중요한 것은 이미 이루어 낸 일들을 바라보고, 이렇게까지 해 놓고 이제 와서 포기하는 것은 정말 안타까운 일이라는 것을 자신에게 상기시키며 시들해진 에너지를 북돋우는 것이었다.

이 카드가 나올 때는 종종 신념과 인내가 필요한 상황을 나타낸다. 만약 우리가 이 고비를 극복하고 끝까지 마무리를 해 내면 결국은 많은 보상을 받게 될 것이다.

펜타클 8번

젊은 남자가 작업대에 걸터앉아 자신의 펜타클을 조각하고 있다. 여섯 개의 펜타클은 이미 완성되어 그의 앞에 쌓여 있고, 나머지 하나는 작업을 기다리며 바닥에 놓여 있다.

이 카드는 대부분 열심히 일하는 기간을 나타내지만, 반드시 길고 고된 작업을 나타내는 것은 아니다. 이것은 장인의 카드이다. 따라서 지금은 당신이 이미 연마한 기술을 완성시키거나 더 큰 수익력을 가져올 새로운 기술을 연마해야 할 때이다.

이 카드는 종종 일할 기회나 새로운 프로젝트를 암시하며, 이미 이루어 놓은 일에 대한 자부심도 엿보인다.

VIII

펜타클 8번 카드는 한 젊은 여성의 카드 읽기에서 켈틱 크로스의 중앙 카드로 나왔는데, 이동과 진행을 상징하는 지팡이 8번 카드가 교차 카드로 나왔다. 그녀는 최근에 일자리에 지원했지만 거절당한 일이 있었다. 하지만 그녀가 정말로 원했던 것은 여행이었다. 따라서 지팡이 8번 카드와 교차하는 펜타클 8번 카드에는 또 하나의 해석이 있었다. 그녀는 어딘가로 떠나고 싶었지만 일자리를 구해야 한다는 생각이 그 바람을 가로막고 있었던 것이다.

펜타클 9번

펜타클 9번 카드는 아름다운 옷차림을 한 부유한 여성이 근사하고 풍요로운 배경 속에서 편안히 있는 모습을 보여 주고 있다. 이 카드의 분위기는 풍부함과 고요함 그리고 안정이다.

IX

펜타클 짝패의 마지막으로 다가갈수록 우리는 풍요로움을 보게 되며, 컵 카드와 마찬가지로 이 짝패도 9번과 10번 카드가 가장 좋은 카드이다. 이 여성의 유일한 동무는 그녀의 손목에 앉아 있는 새이다. 이 새는 맹금류이며, 장갑을 낀 그녀의 손목에 앉아 있는 것으로 보아 아마도 매일 것이다. 매 사냥은 부유한 계층의 스포츠이므로 이것은 그녀가 여유로운 상류 계층이라는 것을 암시한다. 따라서 여기에는 진정한 부유함이나 심지어 대대로 전해진 재산, 또는 그녀에게는 돈이 전혀 문제되지 않는다는 분명한 메시지가 있다.

이 카드에는 고독이라는 느낌도 있지만, 이것은 외로움과는 전혀 다른 것이다. 내 경험에 의하면, 이 카드가 나올 때는 거의 항상 신체적으로 혼자 있는 것을 가리키지만 어떤 방식으로든 대비가 되어 있다.

이 카드가 나올 때는 배우자가 잠시 부재중일 수도 있고, 어떤 사람이 혼자 있음을 긍정적인 방식으로 즐기며 자기 뜻대로 살아가는 생활의 이점과 혜택들을 누릴 수도 있다. 이 사람은 종종 안전한 생활 방도를 마련해 놓고서 이런 삶을 함께 나누기에 알맞은 사람을 즐거운 마음으로 기다릴 수 있는 사람일 때가 많다.

이 카드는 또한 내적인 평화나 만족은 궁극적으로 다른 사람이 아니라 우리 자신에게서 나온다는 것을 일깨워 준다. 당신은 자신의 세계를 다른 사람들로 가득 채우기 전에 먼저 자신의 환경과 조화를 이루는 법을 배울 수 있는 생활의 공간이 필요할 수도 있다.

펜타클 9번 카드는 한 여성을 위한 카드 읽기에서 나왔는데, 그녀의 남편은 바다에서 일하기 위해 막 떠나려던 참이었다. 남편은 여러 달 동안 떠나 있을 예정이었지만, 그들에게는 이미 많은 돈이 있었고 그는 앞으로도 큰 돈을 벌 능력이 있었다. 그녀는 잠시 동안 혼자서 어린 자식들을 잘 키우며 생활해야 한다는 것을 알고 있었지만, 현실적이고 물질적인 황소자리 사람인 그녀는 이런 상황을 전혀 불안해하지 않았다. 그녀는 자신에게는 돈이 대단히 중요하며, 자신과 남편은 이번 일을 미래를 위해 더 많은 재산을 모을 수 있는 절호의 기회로 여긴다고 솔직히 인정했다.

펜타클 10번

삼대가 펜타클 10번 카드를 아름답게 장식하고 있다. 할아버지, 부부, 그들의 아이들 그리고 애완견 두 마리가 풍요롭고 다채로운 배경에 둘러싸여 있다.

펜타클 10번 카드는 궁극적인 풍요와 안전을 나타낸다. 이것은 가족 안에서의 부유함과 관대함의 결과일 때가 많다. 이 카드는 오랫동안 성실히 일한 결과로 얻게 된 돈이나 재산을 상징하기도 한다.

카드 읽기에서 이 카드가 나오면 가족으로부터 금전적인 도움이 있다는 것을 의미할 수 있다. 또는 정신적인 지원이 있을 수도 있지만, 어느 쪽이건 여기에는 도움이 필요한 곳에 도움을 주고자 하는 바람과 능력을 가진 친족이 있다. 이것은 가족 내에서 이루어지는 유산 상속, 돈과 소유물의 우호적인 분배를 가리킬 수도 있다.

돈은 다른 곳에서 나올 수도 있는데, 특히 잘 안정되어 있고 이미 이윤을 남기고 있는 단체나 조직에서 나올 수 있다. 특정한 맥락이 무엇이건 간에 이 카드는 금전적 상황이 좋아질 것임을 의미한다. 만약 이것이 일을 통해서라면, 새로운 일자리나 큰 사업 기회, 놀랄 만한 승진의 가능성이 있다.

검

검은 무기이다. 따라서 우리는 검을 공격하거나 방어하는 데 사용하기도 하고, 싸우거나 탈출하는 데 사용하기도 한다. 어느 쪽이든 우리는 갈등에 휘말린다. 검은 우리가 살면서 만나게 되는 분쟁과 싸움에 어떻게 대처하고 어떻게 대응하는지, 우리의 적이나 내면의 싸움에 어떻게 대처하는지를 보여 준다.

점성학과의 연결

검은 다음의 상징들과 연결된다.

수성 : 마음의 행성이며 의사소통 방법의 행성이다.
화성 : 행동과 싸움의 행성이며, 마르스는 신화에서 전쟁의 신이다.

검은 우리 자신이나 타인에게 상처를 입힐 수 있으므로 이 카드들은 고통과 번뇌, 노여움, 수많은 언짢은 감정들을 나타낸다. 이러한 점에서 검 카드는 가장 어려운 짝패이며, 에이스 카드를 제외하고는 그 어떤 카드도 편하거나 즐겁지 않다.

점성학적 관점에서

검은 지성과 추상적인 것을 지배하는 원소인 공기에 대응한다. 공기가 상징하는 주요 성질과 특성들은 아래에 열거된 핵심어와 어구들에 나타나 있다.

긍정적인 면 | 민첩한, 총명한, 지적인, 분석적인, 창의적인, 독창적인, 표현력이 좋은, 소통을 잘하는, 말재주가 뛰어난 사람, 다재다능한, 느긋한, 가벼운 분위기, 기분을 좋게 해 주는 사람, 호기심이 있는, 흥겨워 하는, 잘 알아차리는, 객관적인, 이성적인, 체계적인, 과학적인, 윤리적인.

검은 공기의 원소를 나타내며 무기이다. 다양한 힘든 감정들을 의미할 수도 있다.

부정적인 면 | 설교적인, 논쟁적인, 공감하지 못하는, 지나치게 사무적인, 흑백논리의, 거만한, 불안정한, 광적인, 괴상한, 적응력이 약한, 냉소적인, 인색한, 현실적이지 못한, 지나치게 원칙적인, 완고한, 시야가 좁은, 우유부단한, 무감각한.

검 에이스

에이스는 시작이므로 다른 세 가지 짝패들처럼 에이스는 기회와 신선한 출발을 의미한다. 이것은 검 에이스의 경우에도 마찬가지지만, 여기에는 도전이 주어지고 있으며 검을 붙잡고서 굳은 결의로 온 힘을 다하여 검을 휘두를지는 당신에게 달려 있다는 의미가 있다. 이 카드는 종종 새로운 모험적 프로젝트나 사업을 말하는데, 대개는 시작 단계나 미성숙 단계에 있는 것을 나타낸다. 이 검은 왕관을 쓰고 있다. 따라서 도전의 추구나 야망의 실현은 분명히 성공할 것이다.

ACE OF SWORDS

이 카드는 진실과 정의의 검도 상징할 수 있으므로 소송을 진행 중이거나 다른 사람을 위해 대신 싸우고 있을 때도 나타날 수 있다. 그러나 어떤 맥락에서건 이 카드는 용기, 지략, 일편단심의 필요성을 나타낸다. 당신의 목표를 성취하기 위해서는 젖 먹던 힘까지 쏟아 부어야 할지도 모른다.

검 에이스 카드는 인터넷 사업을 막 시작하려 했던 젊은 여성의 가까운 미래 카드로 나왔다. 그녀는 적어도 처음에는 그 일이 많은 배짱을 필요로 하며 혼자 힘으로 해 내야 한다는 것을 깨달았다. 그녀가 얼마나 잘 노력하느냐에 따라 사업이 성공하거나 실패할 것이었다. 그러나 나는 검 위에 있는 왕관을 가리키며, 그녀에게 그 사업과 자신의 창의력에 대한 믿음을 가지라며 용기를 불어넣어 주었다. 그녀의 아이디어는 뛰어났으며, 어떤 경쟁자들보다도 이미 한발 앞서 있는 것처럼 보였다.

이 카드의 상징이 그 사업과 얼마나 완벽하게 맞아 떨어지는지도 주목할 필요가 있다. 그녀가 사업을 시작하게 된 동기는 창조적인 욕구(지팡이)를 충족시키고자 하는 바람이나 모험심 또는 많은 돈(펜타클)을 벌고자 하는 바람이 아니라, 아직은 추상적인 개념에 불과한 아이디어를 실현시키려는 의도였다. 점성학적 상징에서도 컴퓨터와 기술은 공기의 원소와 관련이 있다. 따라서 새로운 인터넷 사업은 이 에이스 카드에 의해 정확히 상징되었다.

검 2번

한 여자가 눈을 가리고 바다에 등을 돌린 채 앉아서 두 개의 장검을 손에 들고 균형을 유지하고 있다. 검들은 그녀의 가슴에서 교차하고 있다.

II

이 카드는 당신이 정신적 마비 상태에 빠져서 결정을 내리거나 단호히 행동할 수 없을 때 나타나는 경향이 있다. 당신은 현재의 상태를 유지하기 위해서 헛되이 노력하느라 주위에서 일어나는 일을 무시하고 있다.

검 2번 카드는 타조가 궁지에 몰리면 머리를 모래 속에 파묻는다는 속담과 같다. 만약 당신이 곤란한 문제들을 무시한다면 그 문제들이 저절로 사라질 수도 있고, 아니면 당신 스스로 그런 문제들이 아예 없다고 믿어 버릴 수도 있다. 그러나 둘이라는 숫자는 선택을 암시할 때가 많다. 이 카드가 나올 때는 불쾌한 문제와 맞서 싸우는 데 대한 두려움을 극복해야 할 필요가 있다.

검 2번 카드는 이십대 후반의 여성을 위한 카드 배열에서 나왔다. 이것은 가까운 과거를 나타내는 카드였고, 이에 앞서 연인 카드가 나왔었다. 이러한 결합은 그녀가 애정 생활에서 우유부단하다는 점을 암시했다. 그녀는 인정했고, 더불어 자신은 한동안 관계를 그만두고 싶었다고 덧붙였다. 그녀는 어떤 식이든 끝내는 것에 어려움을 겪는다고 인정했지만, 자신이 변화를 감행하고 수동적이 아니라 능동적으로 행동하기 전에는 자신의 삶이 계속 그런 상태로 갇혀 있을 것이라는 점을 알 수 있었다.

검 3번

이 카드의 그림은 타로 카드 중에서 매우 극적인 이미지들 가운데 하나이다.
세 개의 검이 심장을 관통하고 있으며, 배경에는 구름이 끼어 있고 비가 내리고 있다.

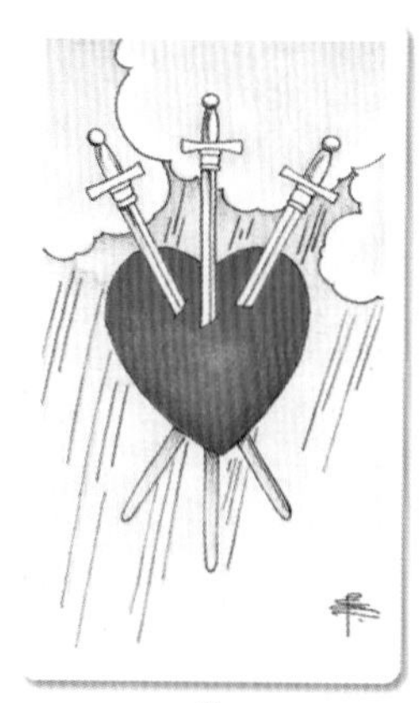

III

좋게 보면 이 카드는 우울한 기분이나 씁쓸한 실망감, 좌절이 엄습하는 카드이지만, 최악의 경우에는 당신에게 깊은 상처를 준 어떤 사람 혹은 어떤 것으로 인한 가슴이 찢어지는 슬픔과 아픔, 고통을 가리키는 카드이다. 어느 쪽이든 이 카드는 우울한 그림이다. 이 카드가 나올 때는 태양이 다시 나오기를 기다려야 하는 경우일 때가 많다.

그 동안 당신은 개인이나 세상에 대한 슬픔과 환멸, 심지어 분노를 느끼는 시기를 겪게 될 것이다. 당신이 얼마나 빨리 회복되느냐는 괴로움과 냉소주의에 빠지지 않으면서 얼마나 빨리 이런 것들을 버리고 앞으로 나아갈 수 있느냐에 달려 있다.

이와 같은 시나리오는 사십대 중반의 여성을 위한 카드 읽기에서 나왔다. 그녀의 남편은 그녀를 버리고 다른 여자에게 가 버린 상태였다. 그녀는 전갈자리였는데, 아무도 전갈자리 사람을 당해 낼 수 없다. 왜냐하면 "천국에는 미움으로 변해 버린 사랑과 같은 분노가 없고, 지옥에는 멸시 당한 여자와 같은 격분이 없기"[16] 때문이다. 이별은 일 년 전에 일어났지만, 그녀는 여전히 맹렬한 복수심에 불타고 있었고, "나는 그 사람이 행복하기를 원하지 않아요."라고 스스럼없이 내뱉었다. 그러나 이야기를 다 들어 보니, 남편의 새로운 관계를 방해하려는 그녀의 모든 노력에도 불구하고 그는 행복해 보였다. 나는 고통을 겪고 있는 사람은 그녀뿐임을 지적하지 않을 수 없었다.

검 4번

한 남자가 자신의 무덤에 누워 있다.
그의 뒤쪽 벽에는 세 개의 검이 매달려 있고, 하나는 그의 옆에 놓여 있다.

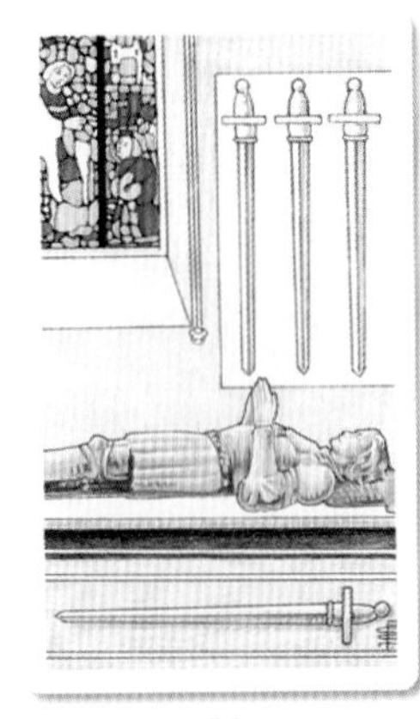
IV

언뜻 보면 죽음의 카드로 보이지만, 이 남자는 천장을 향해 기도하듯이 두 손을 모으고 있다는 점을 주목해야 한다. 하지만 이것은 이 카드에서 생명이나 움직임을 나타내는 유일한 표시이다. 그렇지 않다면 이 카드는 완전히 정지해 있는 모습일 것이다.

검 4번 카드는 종종 질병을 나타내는데, 특히 회복기에 접어드는 상태를 보여 준다. 그래서 나는 보통 이 카드를 '회복의 카드'라고 말한다. 내 경험에 따르면, 이 카드는 주로 일상적인 행동을 할 수 없게 만드는 심각한 질병 상태나 수술을 나타냈다. 만약 이 카드가 다른 어려운 카드들과 함께 나온다면, 생명을 위협하는 질병일 수도 있다. 만약 이 카드가 미래 카드로 나오면, 나는 항상 사람들에게 최대한 건강에 관심을 기울이고 자신을 돌보라고 촉구한다.

한 젊은 여성을 위한 카드 배열에서 이 카드가 과거의 카드로 나왔는데, 은퇴와 휴식의 카드인 은둔자 카드와 함께 나왔다. 그래서 이 카드 결합은 그녀가 실제로 병상에 누워 있었다는 것을 암시했다. 그녀는 맹장 파열로 인해 목숨까지 위험할 수 있는 복막염을 앓다가 이제 막 병원에서 퇴원했다고 시인했다. 사실 그녀는 죽을 것이라고 생각했었고, 이러한 경험은 신체적으로나 정서적으로 깊은 상처를 남겼다. 다행히도 현재 상태를 나타내는 카드가 치료와 회복을 의미하는 별 카드였고, 결과 카드는 좋은 건강과 에너지, 성공을 의미하는 태양 카드였다. 나는 주저 없이 그녀의 병이 완벽하게 회복될 것이며, 그녀가 전보다 더 많은 활력과 삶의 욕구를 갖게 될 수 있다고 말해 주었다.

검의 4번 카드는 신체적 회복뿐만 아니라 정신적 외상이나 어떤 종류의 고통스러운 경험 뒤에 갖는 정서적 치유의 시간을 의미할 수도 있다.

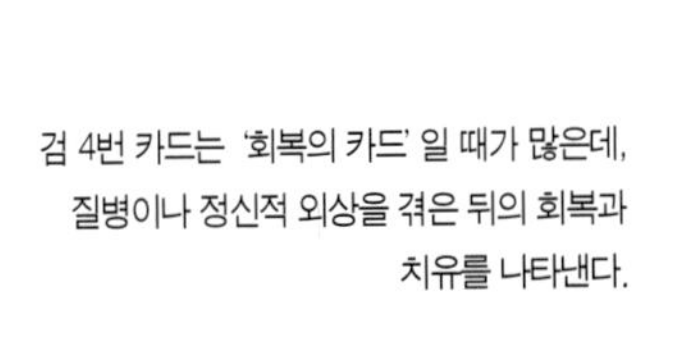
검 4번 카드는 '회복의 카드'일 때가 많은데,
질병이나 정신적 외상을 겪은 뒤의 회복과
치유를 나타낸다.

검 5번

한 남자가 승리감에 젖어서 세 자루의 검을 들고 있다. 다른 두 자루의 검은 바닥에 놓여 있는데, 싸움에서 물러서 있는 두 사람의 패배자가 버린 것으로 보인다.

V

이것은 패배의 카드이며, 당신이 대적하기에 너무나 강한 적수 혹은 당신이 얻고자 하는 것을 주지 않는 상대와 맞닥뜨렸음을 보여 줄 수 있다. 이것을 깨닫게 되는 것은 고통스러운 과정이다. 그리고 이미 싸움이 있었는지, 격화되고 있는지, 곧 일어날 것인지는 카드의 배치를 보고 짐작할 수 있다.

나의 경험에 따르면, 이 카드는 사소한 말다툼이 아니라 심각한 다툼을 나타낸다. 이것의 원인은 성격의 충돌이나 의지 간의 싸움일 수도 있다. 이 카드의 주된 메시지는 파괴적인 상황에서 벗어나는 것이다. 왜냐하면 당신은 거의 확실히 패배할 싸움을 하고 있기 때문이다. 그러나 만약 내담자가 이 피해를 복구하고 불화를 치유하고자 결심한다면, 또는 다른 카드들이 화해를 가리킨다면, 나는 일반적으로 우선 냉각기간을 갖도록 권한다. 감정이 격앙되어 있을 때는 이룰 수 있는 것이 거의 없기 때문이다. 만약 당신이 승리자의 입장에 서 있다면, 당신이 얻었거나 얻고자 하는 것이 무엇인지를 자문해 볼 필요가 있다. 이 승리는 무의미한 승리일 수도 있으며, 승리의 맛은 곧 씁쓸한 맛으로 바뀔 수도 있다.

검 5번 카드는 재혼을 한 사십대 후반의 남성을 위한 카드 읽기에서 나왔다. 신혼 기간이 끝나 가면서 이들은 곧 돈 문제로 다투게 되었고, 서로 자신을 무시한다고 비난했으며, 정서적으로나 육체적으로 멀어지게 되었다. 이 그림은 연이어 나온 펜타클 5번 카드(육체적, 정신적 황폐함)와 탑 카드(분열과 상처) 그리고 컵 4번 카드(활기 상실과 낙담)에 의해 잘 설명되었다.

그는 결국 집을 나와 버렸다. 그러나 그는 화가 나서 그렇게 행동하긴 했지만, 자신이 돌아가려고만 하면 아내가 즉시 받아 줄 것이라고 내심 믿고 있었다고 털어놓았다. 그녀가 그렇게 하지 않았을 때, 그는 자멸이라고 할 정도는 아니지만 자신의 승리의 순간이 매우 짧았음을 깨달았다. 그는 이제 아내가 돌아올 것인지를 알고 싶어 했다. 우리는 싸움과 비난과 모든 종류의 게임을 끝낼 필요성에 대해 대화를 나누었다. 결과 카드로 컵의 2번 카드가 나왔기에 나는 아직 재결합의 가능성이 남아 있으며 둘 다 그것을 바라고 있다고 말해 줄 수 있었다.

검 6번

몸을 구부린 여인과 아이가 나룻배를 타고 강을 건너고 있다.
그들 앞에는 여섯 개의 검이 나룻배 안에 똑바로 꽂힌 채 운반되고 있다.

VI

검 6번 카드는 문자적이든 비유적이든 여행을 가리킨다. 나는 종종 이 카드를 '여행의 카드'라고 부른다.

이 카드에 나타난 슬픔의 느낌은 어떤 슬픈 사연 때문에 여행을 하게 된다는 것을 의미한다. 나는 이 카드가 장례식에 참석하기 위해 여행해야 했던 사람에게 나오는 것을 두어 번 본 적이 있다. 여기에는 저승의 강을 건너게 해 주는 뱃사공의 신화와 대응하는 점이 있다.

그러나 대체로 이 여행은 필수적이며, 만약 여행을 떠나지 않는다면 더 이상 도움이 되거나 건강하거나 살아갈 수가 없는 상황에 계속 머물게 될 것이다. 당신이 더 나은 곳으로 간다면 이별의 슬픔은 치유될 것이다. 이런 점에서 이 카드는 감정보다는 이성을 앞세워야 할 경우일 때가 많으며, 궁극적으로는 자기 발전과 향상의 카드이다. 예를 들어, 이 카드는 남편과 장기간 이별해야 하는 상황을 앞둔 여성에게 나왔는데, 그녀의 남편은 일 때문에 집을 떠나야 했다. 그녀는 이 이별이 자신을 힘들게 하겠지만 이 결정의 혜택들에 초점을 맞추어야 한다는 것을 알고 있었다.

검 7번

한 남자가 다섯 개의 검을 들고서 막사로부터 도망치고 있다. 두 개의 검은 땅에 꽂힌 채 뒤에 남겨져 있다.
그는 능력껏 최대한 많은 것을 훔쳐서 달아나는 도둑일지도 모른다.

언뜻 보면 이 카드는 검 5번 카드와 매우 비슷하다. 그러나 7번 카드는 다른 종류의 패배이다. 왜냐하면 이것은 싸움이 아니라 도주의 카드이며, 어떤 상황에 머물며 결전을 벌이는 것이 아니라 그 상황을 피해 도망치는 카드이기 때문이다.

이 카드는 어려운 상황에서 탈출하기 위해 잔꾀를 쓰고 몰래 하는 행위를 떠올리게 한다. 이것이 반드시 나쁜 것은 아니며, 어떤 상황들에서는 손을 떼고 물러나는 것이 가장 좋은 대처 방법이다.

그러나 나는 이 카드가 자신이 어떤 일을 처리한 방법에 대해 죄의식을 느낄 때 나오는 것을 종종 보았다. 그것은 아마도 자신이 어떤 사람을 저버렸다고 느끼기 때문일 것이다. 여기에는 단호함이 결여되어 있으며, 문제를 직면하지 않고 몰래 가져가 버리고 있다. 만약 이 카드가 다른 사람을 가리키는 것이라면, 그는 당신에게 죄의식을 느끼고 있거나 어떤 것에 대한 당신의 대응을 두려워하고 있음을 의미할 수 있다. 아니면, 자신의 책임을 회피하거나 어떤 이유로 당신을 피하고 있을지도 모른다. 어떤 종류의 직면은 유용할 수 있다. 그래서 나는 대개 문제들을 바깥으로 끄집어낼 수 있는 방법에 대해 내담자와 의논한다.

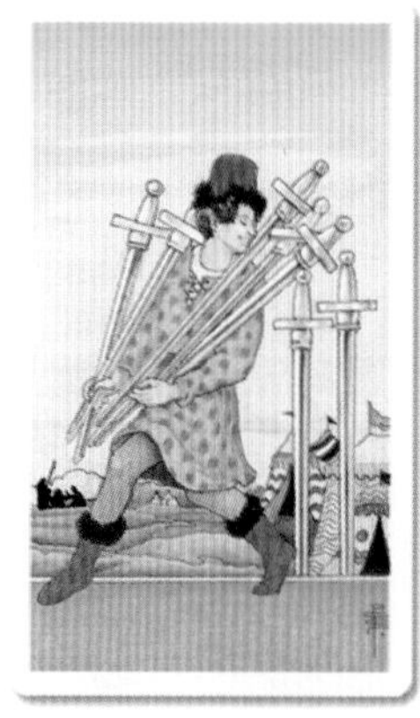

VII

검 8번

한 여자가 땅에 꽂혀 있는 여덟 개의 검 사이에 서 있다. 그녀는 눈이 가려진 채 밧줄로 묶여 있고 손이 뒤로 묶여 있다. 그러나 발은 자유로이 움직일 수 있음을 주목해야 한다.

이 카드는 어떤 환경이나 누군가에 의해 구석에 몰리거나 갇혀 있다고 느낀다는 것을 의미한다. 그러나 이처럼 에워싸여 있다고 느끼더라도, 자신이 벗어날 수 있다는 것을 깨닫기만 하면 여전히 빠져나갈 수 있다. 이 카드는 힘에 대한 카드이다. 자신의 힘을 다른 사람에게 주어 버리고 그 사람이 당신을 좌지우지하도록 내버려두었는가? 어느 정도까지 자신의 힘과 권위를 과소평가하고 무시하고 있는가?

VIII

이 카드가 나오면 나는 보통 선택의 여지에 대해 의논한다. 왜냐하면 우리가 어떤 상황이나 관계 혹은 강박관념 때문에 옴짝달싹할 수 없다고 느낄지라도, 사실 나는 이런 사례들을 익히 보아 왔는데, 우리는 여전히 선택의 대안들이 있다는 사실을 놓칠 때가 많기 때문이다. 검 8번 카드가 나올 때면 내담자들은 종종 "난 할 수 없어요."라는 말을 하는 경우가 많다. 그러면 나의 대답은 언제나 "왜 할 수 없나요?"이다. 당신이 처해 있는 어떤 상황은 자신이 스스로 만드는 것일 수 있다는 점을 깨닫게 되면, 이런 상태에서 스스로 빠져나올 수 있다는 것을 깨달을 수 있다. 그러나 이와 같은 고통스러운 자각의 지점에 도달하기는 쉽지 않으며, 이 카드의 고통과 좌절을 과소평가해서도 안 된다.

검 9번

어떤 사람이 침대에 앉아서 두 손으로 머리를 감싸고 있다. 절망하는 모습이다.
이 사람 뒤로는 아홉 개의 검이 벽에 가로로 걸려 있다. 그러나 이 검들은 검 10번 카드처럼 사람 몸에 꽂혀 있지는 않다.

IX

나는 이것을 '근심의 카드'라고 부른다. 이것은 종종 통제할 수 없이 커져 가는 근심이나 고뇌를 가리킨다. 이 카드가 나오면, 지금 최악의 상황을 가정한 두려움들로 자신을 몹시 괴롭히고 있음을 의미할 수 있다. 하지만 두려워하는 것은 상상하는 것만큼 나쁘지는 않을 수 있다. 오히려 진정한 문제는 혼자 고립되어 있을 수 있다는 점이다. 혼자서 문제를 해결해야 한다고 느끼며, 이 고통을 돕거나 완화시켜 줄 사람이 아무도 없다고 느끼고 있다. 만약 어떤 사람이 정말로 어찌할 바를 모르고 있다면, 그 사람은 불면증이나 우울증, 공황이나 편집증을 겪고 있을 수 있으며, 이것은 문제를 더욱 악화시킨다.

이 카드에 숨겨진 메시지는 머리를 감싼 손을 풀어 보고, 당신을 괴롭히는 문제가 무엇이건 그것을 치유하는 쪽으로 나아갈 수 있도록 주위를 둘러보라는 것이다. 모래에 머리를 파묻는 타조처럼, 손으로 감싸인 머리는 삶을 똑바로 바라보기를 거부하는 것을 상징한다. 이러한 의미에서 이 카드는 이러지도 저러지도 못함으로써 아무런 도움도 되지 않는 일종의 교착 상태나 마비 상태를 가리키는 검 2번 카드와 비슷하다.

검 10번

한 사람이 땅바닥에 엎드려 있고 열 개의 칼이 모두 그의 몸에 박혀 있다.

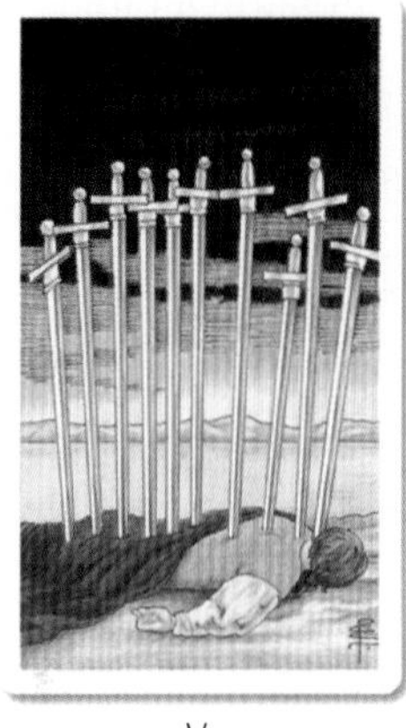

V

많은 면에서 이 카드는 죽음 카드와 흡사하다. 이 사람은 분명히 죽었으며, 그를 다시 살릴 수 있는 방도는 어디에도 없기 때문이다. 죽음 카드와 마찬가지로 검 10번 카드도 어떤 일이, 대개는 고통스럽게, 명백한 최후에 다다랐음을 의미한다. 나는 이 카드가 인간관계에 관한 질문의 맥락에서 나오는 것을 자주 보았다. 이 사람은 필사적으로 잃어버린 사랑을 되찾으려 하거나 힘든 동반자 관계를 유지하기 위해 노력하지만, 슬픈 현실은 그 관계가 끝났다는 것이다. 그것이 인간관계이건 직장이건 또는 어떤 다른 상황이건 다시 되돌릴 방법은 전혀 없으며, 뒤에서 문이 쾅 닫히도록 내버려두는 것이 최선의 방도일 때가 많다.

그러나 모든 죽음의 상징들에서 그렇듯이 동전의 뒷면에 있는 것은 재생이다. 검 10번 카드의 배경에 있는 지평선은 동이 트면서 황금빛 줄무늬로 물들고 있다. 이것은 "동트기 직전이 가장 어둡다."라는 말을 떠올리게 한다. 재생의 이미지는 고통이나 상실을 과소평가할 목적으로 사용되어서는 결코 안 되며, 우리에게 힘과 희망을 주는 용도로 사용되어야 한다. 이것은 어떤 것의 현재 상태가 끝나는 것일 뿐, 인생의 끝이 아니다.

검 10번 카드는 20대 초반 여성의 과거 카드로 나왔다. 그녀는 문제가 많은 가정에서 자랐는데, 새롭게 시작하기 위해 막 고향을 떠난 참이었다. 그녀는 가족 구성원과 더욱 가까워지거나 친밀해질 수 없다는 점에서 자신의 가족 관계는 사실상 끝났다고 느꼈고, 슬픈 일이지만 나 역시 동의하지 않을 수 없었다. 그러나 나는 검 10번 카드가 반드시 영원한 끝을 의미하는 것은 아님을 일깨워 주었다. 그리고 지금은 고통과 절망감을 느끼더라도 마음은 열어 놓는 것이 좋겠다고 권유했다. 그녀의 가족이 그녀가 원하는 대로 될 수는 없을 것이라는 점을 인정하더라도, 일단 그녀가 자신의 삶을 바꾼다면 미래에는 어느 정도 화해하게 될지도 모른다는 생각을 그녀가 간직할 수 있기 때문이었다.

컵

컵 카드는 우리의 사랑과 정서 생활을 상징한다. 그래서 관계 문제를 다룰 때 컵 카드는 특히 중요하다. 이 책에 수록된 카드 읽기의 사례들과 실습을 통해서, 당신은 질문 유형의 맨 윗자리에는 애정에 관한 문제들이 있음을 짐작하게 될 것이다. 평소에는 타로에 관심이 없는 사람들이라도 애정 생활에 문제가 생겨 해결하고자 할 때는 점을 쳐 보고 싶어질 것이다.

점성학과의 연결

컵 카드는 다음의 상징과 어울린다.

금성 사랑과 연애, 관계의 행성.
달 본능과 습관, 정서적 욕구를 지배.

현 시대에 컵은 의식(儀式)을 상징한다. 기독교의 성찬식에서 포도주 컵은 그리스도의 피를 상징한다. 그리고 우리는 컵을 들어 건배하며 건강과 행복, 성공을 기원한다. 하지만 과거로 거슬러 올라가 민속 전통을 살펴보면, 컵과 물 원소의 상징적인 연결, 그리고 출산과 감정이라는 여성적인 세계와의 관계를 발견하게 된다.

컵 짝패는 희망과 행복에서부터 상실과 절망에 이르기까지 인간의 모든 감정을 포함하고 있다. 컵 짝패는 또한 삶에서 만나는 다른 일들에 대해 어떻게 느끼는지, 그리고 어떤 일이나 상황, 결정이 어느 정도로 즐거움이나 고통을 줄 것인지를 말해 준다.

컵 카드는 관계 문제를 다룰 때 특히 중요하다.

점성학적 관점에서

컵 카드는 감정과 본능, 분위기를 지배하는 원소인 물에 해당한다. 물이 상징하는 주요 성질과 특성들은 다음의 핵심어와 어구들에 나타나 있다.

긍정적인 면 | 본능적인, 공감하는, 동정심 있는, 민감한, 감수성이 예민한, 다정한, 부드러운, 친절한, 보호하는, 양육하는, 자비로운, 낭만적인, 섹시한, 유혹적인, 매력적인, 불가해한, 심오한, 조용하지만 속이 깊은, 예술적인, 시적인, 풍부한 상상력, 창조적인, 예술에 대한 안목.

부정적인 면 | 쉽게 영향 받는, 변하기 쉬운, 변덕스러운, 속을 알 수 없는, 흥을 깨뜨리는 사람, 우유부단한, 교묘히 조종하는, 속일 수 있는, 의심 많은, 사생활에 지나치게 관심이 많은, 과대 망상적인, 신경이 과민한, 자기 연민에 빠진, 희생자 역할, 소심한, 불성실한, 산만한, 습관성의, 지나치게 감상적인 또는 지나치게 과거를 동경하는.

컵 에이스

다른 모든 에이스 카드와 마찬가지로 구름에서 나온 손이 컵을 내밀고 있다. 이 카드에서는 잘 꾸며진 컵을 손이 받치고 있고, 이 컵에서 다섯 갈래의 물줄기가 수련이 피어 있는 연못으로 폭포처럼 떨어지고 있다. 이것은 컵과 물 원소의 상징적인 연결을 떠올리게 한다. 비둘기 한 마리가 성찬용 제병을 물고 컵으로 날아 내려온다.

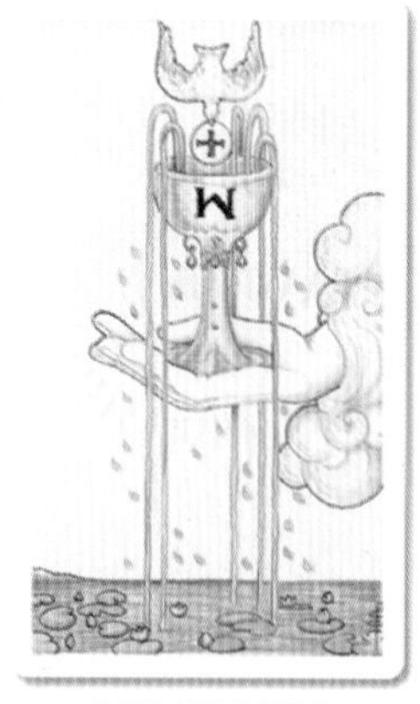

ACE OF CUPS

새로운 시작

에이스 카드들은 항상 시작을 나타내며, 컵 에이스는 정서 생활에 새로운 장이 밝아 오고 있다는 것을 상징한다. 이 카드는 종종 새로운 사람에게 강하게 끌리는 모습으로 다가오며, 사랑에 빠져 도취된 상태를 상징하고 흥미진진한 새로운 애정 관계를 만들어 낸다.

이 카드는 또한 과거에 상처를 받은 사람이라면 다시 시작할 준비가 되었다는 것을 보여 주기도 한다. 따라서 독신이며 사랑을 찾고 있는 사람에게는 더없이 낙관적인 카드라고 할 수 있다. 하지만 컵을 내밀고 있는 그림은 적극적으로 사랑을 찾는 것이 아니라 사랑의 기회가 주어질 것을 암시한다는 점을 기억할 필요가 있다. 당신이 사랑을 발견하는 것이 아니라 사랑이 당신을 발견한다. 그래서 이 카드는 결코 다시는 사랑하지 않을 것이라고 말하는 사람에게는 오히려 더욱 강력한 카드이다.

컵 에이스 카드는 종종
새로운 관계가 시작될 때 나온다.

마음의 갈망

컵 에이스 카드는 새로운 사업이나 프로젝트, 특히 마음을 끌거나 들뜨게 하거나 열정을 느끼게 하는 사업에 착수할 기회가 있음을 가리킬 수도 있다. 그러나 어디에서 행운을 찾고 있건, 인간관계나 직업, 혹은 새로운 가정에서 찾고 있건 상관없이 이 카드는 마음이 갈망하는 것에 대해 지극히 고무적인 카드라는 점에는 의심의 여지가 없다.

성장

컵이 물의 원소와 결합한 것은 다산(多産)을 의미하기도 한다. 그러므로 이 카드는 실제 임신이나 탄생의 신호일 수 있다. 그렇지 않을 경우에는 새로운 관계나 상황이 성장하고 잘 자라고 번영할 수 있다. 물은 또한 치유와 정화와 강한 연관성이 있다. 이 카드에는 평화와 용서, 영적인 가치들의 보편적인 상징인 비둘기도 있다. 따라서 만약 당신이 화해를 제안하고 불화를 치유할 필요가 있다면, 이것은 긍정적인 카드이다. 화해는 새로운 출발로 인도할 것이다.

"중세의 이교도, 마녀, 그리고 연금술 신비가들에게 있어서 컵은 근원적인 원소인 물을 나타내는 보편적인 상징이었다. 특히 대지와 그 위에 사는 모든 것들을 탄생시켰다고 여겨지는 자궁인 바닷물을 상징했다. 타로에서도 컵의 짝패는 똑같이 물의 원소를 상징했으며, 후기의 타로 카드들에서는 이와 동등하게 모성적인 상징인 심장으로 대체되었다."[17]

컵 2번

한 남자와 한 여자가 얼굴을 마주보며 함께 있다.
두 사람은 젊고 아름다우며 서로에게 자신의 컵을 들어 올린다.

이것은 분명히 '결혼' 카드이며, 두 사람의 결합과 함께 함을 보여 준다. 이 카드는 사랑에 빠지고, 약혼을 하고, 결혼 날짜를 잡거나 굳은 서약을 하는 등 매우 강한 관계를 가리킨다. 이 카드에는 올바름과 단순함이 있는데, 올바른 사랑은 복잡하지 않다는 것을 일깨워 준다. 이 카드가 인간관계의 맥락에서 나오고 그것을 부정하는 어려운 카드들이 없다면, 서로 같은 감정을 느끼고 있으며 강하게 결합할 것이라는 점을 확신할 수 있다.

II

컵 2번 카드는 한 친구를 위한 카드 읽기에서 나왔다. 그녀는 오랫동안 알고 지낸 사람과 막 사귀기 시작했는데, 속으로는 언제나 그 사람과 결혼하고 싶어 했었다. 카드 배열에서 컵의 2번 카드가 결과 카드로 나오자, 그녀는 기뻐했고 나 역시 안도감과 기쁨을 느꼈다. 내담자가 간절히 듣고 싶어 하는 것을 확인해 주는 순간은 정말 멋진 순간이다. 6년이 지난 지금도 그들은 여전히 함께 잘 살고 있다.

컵 3번

세 명의 젊은 여자들이 함께 원을 이루며 기쁨에 겨워 춤을 추고 있다. 그들은 춤을 추면서 마치 서로에게 건배하듯이 혹은 어떤 특별한 일로 인한 기쁨을 한껏 누리듯이 자신들의 컵을 높이 쳐들고 있다.

III

이것은 우정과 좋은 시절의 카드이다. 이 카드는 시내에 나가서 보내는 멋진 하룻밤에서부터 더 오래 지속되는 사랑과 교제의 기쁨을 나타낼 수 있다. 나는 이 카드가 특별한 축하의 시기를 나타내는 것을 왕왕 보았고, 약혼이나 결혼, 탄생의 소식을 가리키는 것도 보았다. 어떠한 경우이든지 컵의 3번 카드는 즐거움과 큰 기쁨, 파티 분위기를 나타낸다. 그것은 자기의 생활에 관한 일일 수도 있고, 아니면 우리가 관심 갖는 다른 사람에 관한 일일 수도 있다.

남자를 위해 카드를 읽건 여자를 위해 카드를 읽건, 이 카드는 때때로 여자 친구들의 가치를 가리킬 수 있다. 이것은 여성들 사이에 이루어진 특별한 관계나 여자 친구들끼리 즐기는 것에 대해 말할 수도 있다.

컵 4번

젊은 남자가 팔짱을 끼고 다리를 꼬고 앉아서 자기 앞에 늘어서 있는 3개의 컵들을 쓸쓸히 바라보고 있다.
그의 자세는 강하게 방어적이며, 수용하지 않으려는 태도를 나타낸다.
에이스 카드에서처럼 구름 속에서 나온 손이 네 번째 컵을 내밀고 있지만, 그는 알아차리지 못한다.

앞의 카드와는 매우 대조적으로 컵 4번 카드는 낙담을 나타낸다. 이 카드는 당신이 어떤 사람에 대한, 대개 당신의 감정에 응답하지 않는 사람에 대한 감정에 너무나 사로잡혀 있어서, 다른 기회들 심지어 바로 코앞에 있는 기회들조차 놓치고 있다는 것을 의미할 수 있다. 이 카드의 분위기는 활기가 없다. 이 카드는 어떤 사람이 이미 끝났거나 심지어 제대로 가져 보지도 못한 관계에 집착하며 과거에 갇혀 있을 때 나오는 경우가 많다. 실망감으로 괴로워하며 그런 생각에서 벗어나지 못하는 상황에서도 나올 수 있다. 여기에는 심지어 어떤 우울증이나 비관주의, "그런 게 다 무슨 소용이야?"라는 태도, 그리고 삶이 자신을 거부하고 있다는 믿음이 있을지도 모른다. 함께 나온 다른 카드들은 이것이 적당한 슬픔인지 아니면 원망이나 자기 연민인지를 판단하는 데 도움이 될 것이다. 하지만 어떠한 상황이건 이 카드의 메시지는 과거를 놓아 보내고 주위를 둘러봄으로써 다른 사람들을 알아차리라는 것, 그리고 다른 사랑들에 기회를 주라는 것이다.

IV

한 남자와 만나고 있던 40대의 여성을 위한 카드 읽기에서 컵 4번 카드가 나왔다. 그 남자는 아직 첫 번째 부인과 살고 있었지만 막 이혼하려던 참이었다. 이 경우에 컵 4번 카드는 분명히 그 남자를 가리키고 있었다. 왜냐하면 그는 새로운 혼약을 할 준비가 되어 있지 않았기 때문이다. 그의 자녀들은 다 자라서 독립했고 결혼 생활은 이미 오래 전에 끝난 상태였지만, 그는 아직도 결혼이 쓸모없다는 생각에 빠져 있었다. 나의 내담자는 그의 감정을 이해 못하지는 않았지만, 한편으로 그들이 함께 얼마나 좋은 시간을 보낼 수 있는지 혹은 그녀가 그에게 얼마나 많은 것을 줄 수 있는지를 그가 거의 모르는 것 같다고 느꼈다. 이 경우에는 희망적인 상황을 나타내는 다른 긍정적인 카드들이 있었다. 그리고 컵의 4번 카드는 이 애정 관계를 재촉할 수 없다는 것을 상기시켜 주지만, 시간이 흐르고 부드럽게 권유를 하면 그녀의 인내심이 보답을 받을 것이라고 느꼈다. 나중에 그렇게 되었다는 소식을 전해 들었다.

컵 5번

검은 옷을 입은 경직된 모습의 사람이 슬픔에 잠겨 고개를 떨구고 있는데 고통을 겪고 있음이 분명해 보인다.
그의 앞에는 세 개의 컵이 바닥에 넘어져 있고, 물은 땅 속으로 스며들고 있다.

V

컵 4번 카드와 마찬가지로 이 카드는 슬픔을 나타낸다. 하지만 컵 4번 카드가 대체로 낙담을 가리키는 반면, 컵 5번 카드는 일반적으로 훨씬 더 깊고 가슴이 찢어질 듯한 고통을 가리킨다. 나는 컵 5번 카드를 종종 '비탄의 카드'라고 부른다. 왜냐하면 이 카드는 누군가가 애통해 하거나 비탄해 하지 않을 때는 거의 나오지 않기 때문이다.

정서적인 면에서 이것은 이혼과 같은 큰 상실의 카드이며, 정신적 외상의 초기 단계를 나타낸다. 이때는 감정들이 아직 생생하며, 다시 시작한다는 것은 불가능한 일처럼 보인다. 이 카드가 나올 때는 그 사람의 고통을 인정해 주는 것이 중요하다. 그래야만 이 인물의 뒤편에 똑바로 세워져 있는 2개의 컵으로 관심을 돌릴 수 있기 때문이다. 이 두 개의 컵들은 여전히 지켜야 할 어떤 사랑이나 행복이 있다는 것을 상징한다. 혹은 단순히 인생은 계속되며, 때가 되면 우리도 다시 사랑하게 될 것이라는 것을 의미할 수도 있다.

낭만적인 의미의 사랑을 잃는 것과는 별개로, 컵 5번 카드는 여전히 사별의 고통을 겪으며 애통해 할 때 나타날 수 있다.

컵 6번

배경에 있는 오래된 건물과 두 사람의 시골풍 옷차림, 꽃들이 가득 꽂힌 컵들로 미루어 이 카드는 시골 풍경을 묘사하고 있다. 순진무구함과 단순함이 암시되어 있다.

VI

두 명의 인물은 몸집이 작은 어른일 수도 있고 아이들일 수도 있는데, 이 애매함이 그 자체로 정보를 제공한다. 컵 6번 카드는 종종 과거와 회상을 가리킨다. 우리는 때때로 어린 시절을 추억하며 감상에 빠지게 된다. 이것은 소박한 가치들로 되돌아갈 필요가 있음을 가리킬 수도 있고, 우리가 지나치게 이상적이거나 순진하다는 것을 나타낼 수도 있다.

내 경험에 따르면, 이 카드는 옛 애인을 다시 만날 때, 혹은 어릴 적부터 알던 사람이나 적어도 오래전부터 알던 어떤 특별한 사람이 우리의 삶 속으로 다시 들어오는 것을 나타내는 경우가 많이 있었다. 또는 현재 진행되고 있는 관계이지만 과거에 강한 뿌리를 가진 관계를 가리킬 때도 있었다.

컵 7번

윤곽만 보이는 인물이 구름 속에 있는 일곱 개의 컵들을 바라보고 있다. 여섯 개의 컵들에는 보물이나 무서워 보이는 것들이 담겨 있고, 중앙에 있는 일곱 번째 컵은 천으로 덮여 있다.

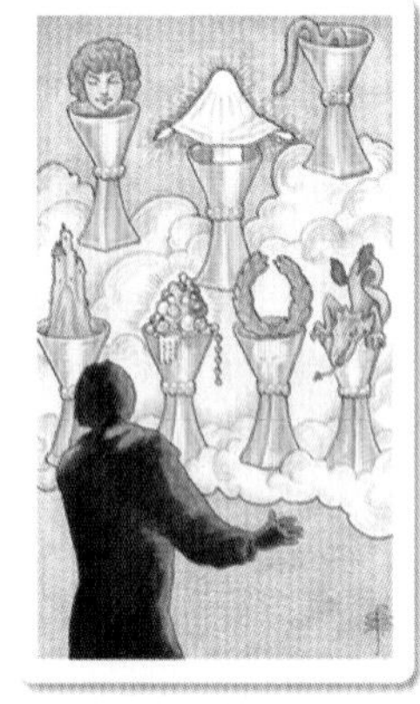
VII

나는 이 카드를 종종 '선택의 카드'라 부른다. 천으로 가려진 컵은 모든 선택이나 결정에 존재하는 미지의 양을 나타낸다. 우리는 결코 모든 것을 미리 알 수 없으며, 절대적인 보증도 없다. 위험의 요소는 항상 있는 것이다.

이 카드는 위험을 감수할 필요가 있고, 당신이 아직 망설이고 있는 관계나 행동 방향에 대해 입장을 분명히 할 필요가 있음을 암시한다. 이 카드는 거의 항상 혼란스러운 상태를 표시한다. 즉 자신이 얻을 수 없는 것을 갈망하고 있지나 않은지, 또는 남의 떡이 더 커 보인다고 생각하고 있지나 않은지 의심하고 있는 것이다. 그러나 주된 메시지는 영원히 서서 바라보고만 있을 수는 없다는 것이다. 만약 기꺼이 앞으로 나아가 뛰어들지 않는다면, 당신은 자신이 무엇을 성취할 수 있을지 결코 알지 못할 것이다.

컵 7번 카드가 40대 초반의 여성을 위한 카드 읽기에서 나타났는데, 그녀는 정서적, 지적 욕구가 충족되지 못하는 결혼 생활을 해 왔다. 내가 이 카드의 메시지를 설명하자, 그녀는 자신을 완벽하게 묘사하고 있다고 말했다. 그녀는 아주 오랫동안 망설이고만 있었다는 것이다. 그녀는 위험을 감수해야 할 때가 어느 때보다 더 가까이 다가왔으며 완벽하게 떠날 수 있는 순간이 따로 있지는 않다는 점을 깨달았다고 말했다. 만약 그녀가 계속해서 안전하게 있으려고만 한다면, 그녀는 진정한 행복을 찾을 기회를 놓칠 수 있을 것이다.

컵 7번 카드는 우리가 과감히 뛰어들고
태도를 분명히 할 필요가 있다는 것을 자주 보여 준다.

컵 8번

여덟 개의 컵 모두가 그림의 전경에 겹쳐 쌓여 있고, 그 가운데 어느 것도 엎어져 있거나 숨겨져 있는 것은 없지만 그림의 인물은 컵을 등지고 떠나간다.

VIII

나는 컵 8번 카드가 타로에서 가장 슬픈 카드들 중 하나라고 늘 생각해 왔다. 특별한 어떤 것이 발견되었지만, 어떤 이유에서인지 그것은 거부당한다. 점성가들은 하늘에 태양과 달이 함께 있는 것을 알아차릴 것이다. 이것은 실제로는 불가능하지만 일식을 상징한다. 무언가가 가려져 보이지 않게 되었으며, 빛이 사라졌다. 또는 원하는 것을 어둠이 가리고 있다.

인간관계의 측면에서 볼 때, 순수하고 진정한 사랑이지만 시기가 너무 안 좋은 상황이 간혹 있다. 일식이라는 상징은 제3자를 가리킬 때가 많다. 일식은 태양과 달, 지구의 결합이며 그것들이 일렬로 정렬된 것이다. 그래서 잘못된 연애 이야기를 듣게 된다. 나는 이 카드가 연인이 있지만 가족에 대한 책임이 우선되어야 한다고 느끼는 사람에게 나오는 것을 몇 번 보았다. 그런 사람은 마음이 원하는 것 대신 의무를 선택하기로 결정한다.

컵 8번 카드가 50대 여성의 배열에서 나왔는데, 검 3번 카드(고통 혹은 실망)와 교차되었다. 마음이 갈망하는 것이 항상 연인인 것은 아니다. 이 부인은 오랫동안 저축한 돈으로 꿈에 그리던 산장을 구입했다. 그러나 그 집으로 이사를 하자마자, 그녀는 그 집이 아름답긴 하지만 거기서 살 수는 없다는 것을 깨달았다. 그녀는 그 집을 좋아할 것이라고 생각했으나 실제로는 그렇지 않았다. 카드 읽기를 할 즈음, 그녀는 그 집을 매물로 내놓았고 바닷가에 있는 장소를 물색하고 있는 중이었다. 사실은 물가에 사는 것을 더 좋아한다는 것을 깨달았기 때문이다. 마침 그녀는 물고기자리 태생의 사람이었다.

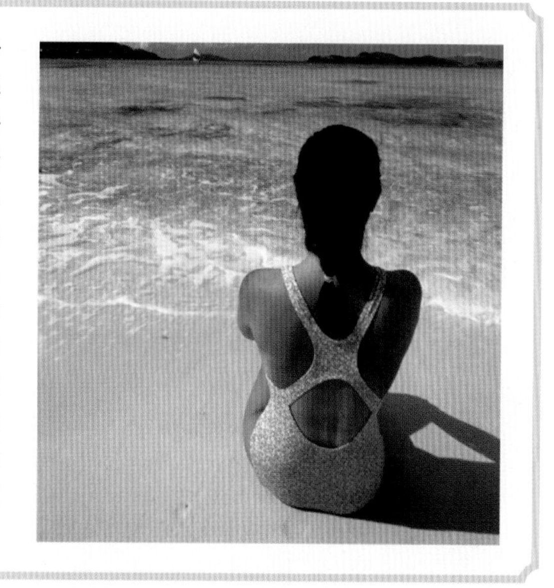

컵 9번

그림의 전경에 둥실둥실한 용모를 한 부유한 남자가 행복해 보이는 모습으로 앉아 있다.
그의 뒤쪽에는 모두 똑바로 선 아홉 개의 컵들이 파란색 천 위에 말편자 모양으로 늘어서 있다.

IX

이것은 만족의 카드이다. 당신은 원하는 곳에 있으며 유복하다. 여기에는 신체적인 면뿐만 아니라 모든 면에서 배불리 먹고 있으며, 인생의 즐거움을 향유할 수 있다는 느낌이 있다.

컵의 9번 카드는 '소망 카드'로도 알려져 있다. 그래서 이 카드는 어떤 배열에서 나오든지 기분 좋은 카드다. 이 카드는 당신이 원하는 것을 얻게 되며, 더구나 기대에 부응할 것이라는 점을 가리킨다. 이것은 어떤 것을 간절히 원하다가도 얻은 뒤에는 원하지 않는 경우가 아니다.

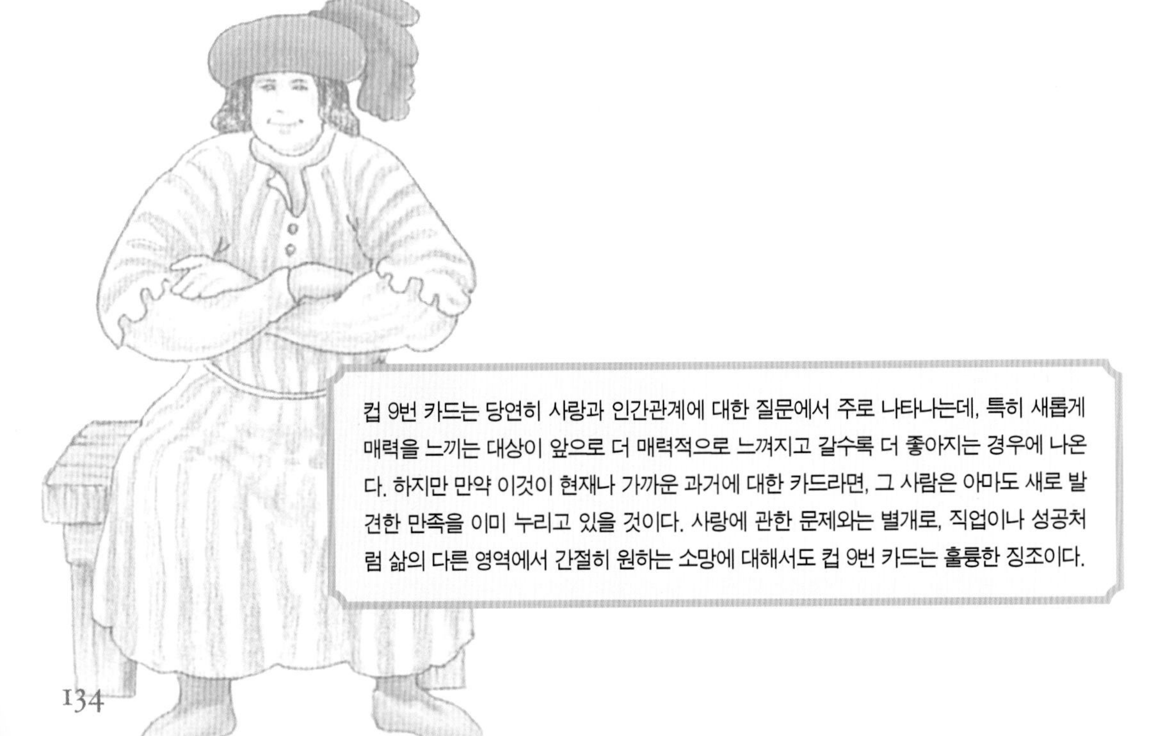

컵 9번 카드는 당연히 사랑과 인간관계에 대한 질문에서 주로 나타나는데, 특히 새롭게 매력을 느끼는 대상이 앞으로 더 매력적으로 느껴지고 갈수록 더 좋아지는 경우에 나온다. 하지만 만약 이것이 현재나 가까운 과거에 대한 카드라면, 그 사람은 아마도 새로 발견한 만족을 이미 누리고 있을 것이다. 사랑에 관한 문제와는 별개로, 직업이나 성공처럼 삶의 다른 영역에서 간절히 원하는 소망에 대해서도 컵 9번 카드는 훌륭한 징조이다.

컵 10번

부부가 하나 되어 기뻐하는 모습으로 집 앞에 서 있고, 그들 옆에서는 두 자녀들이 뛰어놀고 있다. 그들 위에는 10개의 컵들이 무지개 모양으로 둥글게 늘어서 있다. 그들은 자신의 이 세계를 바라보면서 감사를 드리듯이 하늘을 향해 손을 내뻗고 있다.

카드 읽기에서 이 카드가 나올 때마다, 나는 흔히 "컵은 사랑을 의미하며, 10개는 가장 좋은 것입니다."라고 설명한다. 펜타클 짝패에서처럼 컵 짝패의 10번은 가장 좋은 상태를 가리킨다. 관계의 측면에서 이 카드는 함께 사는 것, 결혼, 자녀들, 깊은 만족 그리고 지속적인 안정감을 나타낸다. 당신이 소망하는 목표가 어떤 분야이건 이 카드는 성공과 성취, 축하를 나타낸다.

X

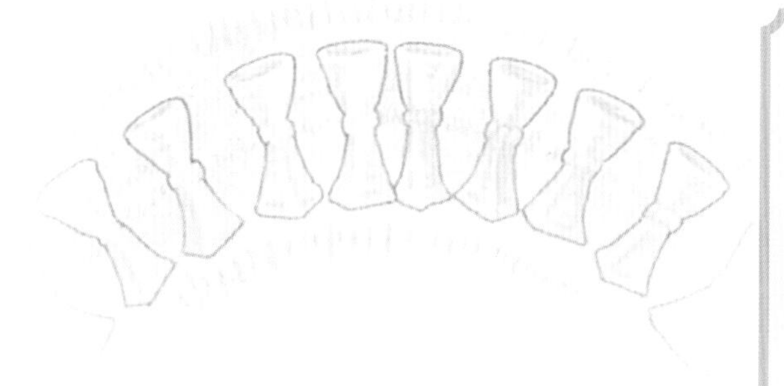

컵 10번 카드는 한 여성에게 가까운 과거 카드로 나왔는데, 그녀는 12년 동안 결혼 생활을 해 오고 있었다. 그녀의 남편은 성격이 불같고 완고하며 외부 세계에 흥미를 느끼지 못하는 사람이어서, 그녀는 더 이상 남편과 함께 살 수 없다고 느꼈다. 최근에 그녀는 남자 동료와 사업상 출장을 다녀오면서 멋진 시간을 보냈다. 그녀는 컵 10번 카드를 맛보았다. 하지만 그녀는 이 동료가 자극제일 뿐 해답은 아니라는 것을 현명하게 인정했다.

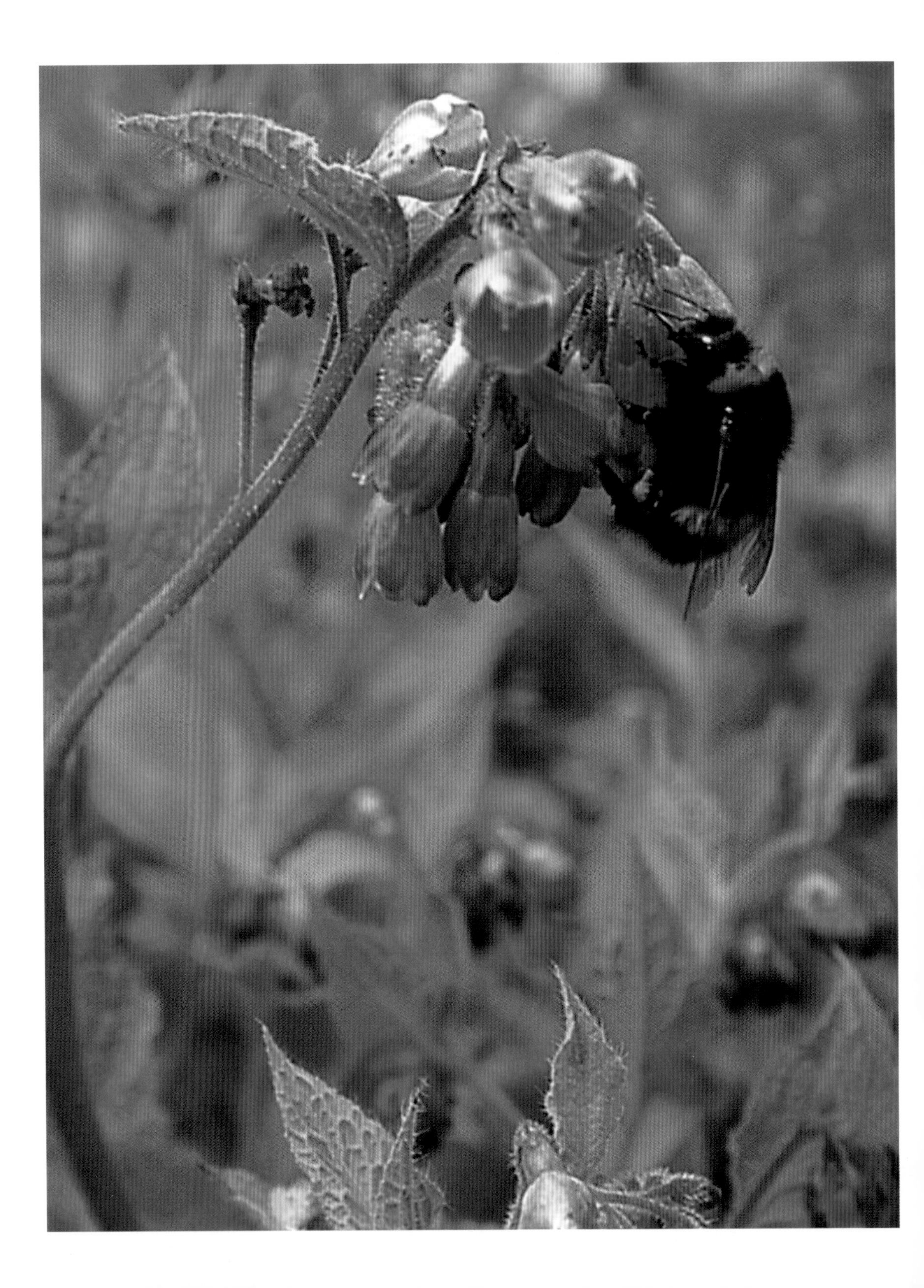

4

궁정 카드

이 카드들은 마이너 아르카나의 두 번째 부분을 구성한다. 네 가지 짝패마다 각각 왕, 여왕, 기사, 시종이 있으므로 궁정 카드는 모두 16장으로 이루어져 있다. 이 카드들은 우리 자신이나 다른 사람 또는 상황의 성격 특성을 설명해 줄 수 있다. 이 장에서는 각각의 해당 가능성에 대해 해석하고 점성학과 비교했으며, 내가 실제 경험한 일화들을 덧붙였다.

궁정 카드

타로 중에서 궁정 카드는 아마도 해석하기가 가장 어려운 카드일 것이다. 이 카드들은 세 가지 방법으로 해석될 수 있다. 즉 다른 사람을 나타낼 수도 있고, 상황을 묘사할 수도 있으며, 우리 자신의 성품의 측면들을 상징할 수도 있다. 하지만 일단 우리가 구조를 잘 알게 되면, 이 카드들의 모호성은 줄어든다.

반응과 행동

상황들은 관련된 사람들의 특징을 반영하는 경향이 있다. 궁정 카드는 우리가 실제로 무슨 문제를 다루고 있는지, 우리 혹은 다른 사람들이 어떻게 반응하고 행동하는지에 관하여 더 많은 정보를 제공할 수 있다. 그러므로 카드 배열에서 이런 카드들이 나오면, 우리는 특히 마음을 열고서 상황에 더욱더 주의를 기울일 필요가 있다.

각각의 궁정 카드들을 신체적 특징들과 조합하는 관행은 아마도 이런 카드들의 의미를 좀더 구체적으로 한정하고자 하는 바람에서일 것이다. 하지만 나는 경험상 궁정 카드가 금발 여성이나 큰 키에 검은 피부의 남자를 나타낸다는 식으로 작용하는 것을 본 적이 없다. 시종 카드, 기사 카드, 왕 카드가 늘 남자인 것도 아니고, 여왕 카드가 항상 여자인 것도 아니다. 궁정 카드가 다른 사람들을 묘사할 때, 그 카드들은 우리가 그 사람의 유형을, 그리고 우리 자신과 관련하여 그들을 어떻게 경험하는지를 개략적으로 파악하도록 돕는 데 가치가 있는 것으로 보인다.

여왕 카드

컵의 시종 카드는 예민하고 낭만적이거나 예술적인 사람을 보여 준다.

내담자가 여성일 때는 여왕 카드가 그녀를 나타내는 '표시자'로 작용하는 경우가 빈번했다. '표시자'란 내담자의 천성과 상황을 묘사하는 카드를 말한다. 일부 타로 해석자들은 해석을 시작하기 전에 하나의 궁정 카드를 표시자로 정한다. 하지만 나는 의식적으로 어떤 카드를 선택하지 않으며, 자연스럽게 나오는 카드를 보는 것을 더 선호한다.

만약 여왕 카드가 같은 짝패에서 시종 카드나 기사 카드, 왕 카드와 함께 나오면, 이것은 짝지어지는 것을 나타내며 관계 문제에서 대부분 좋은 조짐이다. 만약 여왕 카드가 다른 짝패의 다른 궁정 카드와 함께 나타나면, 공존이나 화합의 문제를 다룰 일이 있을 수 있으며, 각각의 쌍은 따로따로 해석될 필요가 있다. 예를 들어, 검의 기사 카드와 컵의 여왕 카드는 편안한 결합이 아니다. 여왕은 기사가 공감해 주고 부드럽게 대해 주기를 바라지만, 기사는 여왕의 마음을 알아차리지 못한 채 여왕의 감정을 쉽사리 거칠게 짓밟을 수

검의 기사 카드는 행동과 활동, 빠르게 발생하는 사건들을 보여 준다.

있다. 그래서 여왕은 짓밟히고 상처 받았다고 느끼게 되고, 그는 분노하고 참을 수 없게 된다. 하지만 만약 여왕 카드가 펜타클의 왕과 짝을 이루면, 이것은 훨씬 더 안정적으로 느껴질 것이다. 이 왕은 여왕이 번영할 수 있는 완벽한 조건들, 즉 안정성, 관능성 그리고 관용을 제공할 것이다.

점성학과의 상호 관계

펜타클의 여왕 카드는 인생의 좋은 것들을 즐기며 편안하게 사는 사람을 보여 준다.

지팡이의 왕 카드는 기민하고 원기 왕성하며 유능하고 위엄 있는 천부적인 지도자이다.

점성학은 심리학적으로 대단히 풍부하여 궁정 카드와 행성들과 궁들이 상호 관계를 맺도록 하는 데 도움이 된다. 이러한 상호 관계들은 엄격히 고정된 규칙들이 아니며, 우리의 해석을 향상시킬 수 있는 것들이다. 마이너 아르카나에서처럼 네 짝패들은 네 가지 원소 및 각 원소의 세 가지 점성학적 궁들에 대응한다.

행성이 특정한 궁에서 약한지 강한지는 더욱 상세한 이미지를 만들어 낼 수 있다. 예를 들어, 펜타클의 기사는 흙의 원소로, 더 나아가 화성으로 묘사될 수 있을 것이다. 만약 펜타클의 기사 카드가 잘 배치되어 있으면, 그는 기능 항진 궁인 염소자리에 있는 화성처럼 진정한 목적의식을 갖고 있고 온갖 난관에도 불구하고 자신의 야망을 이룰 수 있는 사람을 나타낼 수 있다. 만약 기사 카드가 나쁘게 배치되어 있으면, 기사는 품위 손상의 궁인 황소자리에 있는 화성처럼 완고하고 갇혀 있고 약한 자를 못살게 구는 사람을 나타낼 것이다. 그렇지 않으면 그는 세심한 처녀자리에 있는 화성처럼 정확하고 주의 깊은 사람을 묘사하거나 그런 기술들을 필요로 하는 상황을 보여 줄 수도 있다.

만약 카드를 마치 특정한 궁에 있는 어느 행성인 것처럼 여기며 귀를 기울이면, 상징에 대한 당신의 이해와 직관이 증진될 수 있다. 만약 궁정 카드가 어떤 사람을 묘사한다면, 그 사람은 관련된 짝패의 태양궁을 갖게 될 것임을 종종 발견할 것이다. 언제나 변함없이 그런 것은 아니지만, 나는 이 장에서 나 자신의 카드 읽기를 언급할 때 몇 가지 사례들을 보여 줄 것이다.

점성학과의 연결

이 상호 관계는 확고하게 고정된 규칙은 아니지만, 우리의 해석을 향상시키는 데 도움이 될 것이다.

시종 카드

수성—젊음, 아이디어, 의사소통의 행성.

기사 카드

화성—전쟁, 활동, 에너지의 행성.

여왕 카드

금성—사랑, 쾌락, 관계의 행성. 의사소통의 행성.

달—여성적인 모든 것과 감정을 지배하는 밤의 여인.

왕 카드

태양—남성적인 모든 것을 지배하는 낮의 빛.

목성—지식과 확장의 행성

토성—연령, 경험, 규율의 행성

시종

전통적으로 시종 카드는 젊음을 나타낸다고 한다. 만약 이 카드가 다른 사람을 나타내면, 대부분 당신보다 나이 어린 사람을 가리키지만 반드시 어린이를 의미하는 것은 아니다. 시종 카드는 이미 장성하여 따로 가정을 이룬 아들이나 딸을 나타낼 수도 있다. 시종 카드는 또한 우리보다 나이가 많지만 미숙하고 어린아이 같은 사람을 묘사할 수도 있다. 시종 카드가 상황을 나타낼 때는 대체로 아직 초기 단계에 있는 상황들이다.

지팡이의 시종

한 젊은이가 앞에 있는 지팡이를 잡고서 싹들을 찬찬히 바라보고 있다.
그는 사막에 서 있는데, 배경에는 세 개의 피라미드가 있다.

성격 면에서

이 카드는 자신감이 있고 기략이 풍부한 사람을 나타낸다. 지팡이는 불의 원소와 상관이 있으며, 이 시종 카드는 전형적으로 불의 성격, 즉 활기차고 창의적이고 긍정적인 특성들을 지니고 있다. 불의 유형은 따뜻함과 열의를 갖는 경향이 있다. 따라서 이 사람은 인기 있고 자발적이고 스스로 시작하는 사람이며, 다른 사람들에게 동기를 부여하고 영향을 미치는 방법을 알고 있는 사람이다. 이 사람은 당신에게 무엇인가를 가르쳐 주기 위해 당신의 삶 속으로 들어오고 있을지도 모른다. 그는 모험적인 사람이며, 외국인이거나 외국과 관련된 사람일 수 있다. 만약 이 시종 카드가 나쁘게 배치되면, 이 카드는 지나치게 충동적이고 불안정하거나, 시작은 하지만 끝마치지 못하는 성향을 가진 사람을 나타낼 수 있다.

PAGE OF WANDS

점성학과의 연결

양자리, 사자자리, 궁수자리에 있는 수성.

상황 면에서

지팡이의 시종은 통찰력과 창조적인 재능이 요구되는 새로운 프로젝트 계획이나 휴가 계획을 가리킬 수 있다. 이 카드는 또한 해외에서의 일자리 제안이나 외국에 거주하는 사람이 보내는 소식 등 해외에서 오고 있는 소식을 의미할 수도 있다.

지팡이의 시종은 거의 항상 마음에 드는 사람이나 새로운 친구, 때로는 연인이다. 한 젊은 여성을 위한 카드 읽기에서 이 시종 카드가 나왔다. 그녀는 여행 중에 한 남자를 만났는데, 그를 다시 만날 수 있을지를 알고 싶어 했다. 다른 카드들은 그럴 것 같지 않다는 것을 암시했지만, 나는 그녀가 덜 실망하도록 시종 카드는 우리의 삶에서 스쳐 지나가는 사람, 우리에게 무엇인가를 가르치거나 좋은 시간을 주는 사람이라고 설명해 주었다. 하지만 지팡이의 시종은 불안정하고 새로운 경험을 추구하기 때문에 반드시 좋은 배우자감이라고는 할 수 없다. 이 시종은 자유로운 정신의 소유자이며 정착할 준비가 되어 있지 않기 때문이다.

펜타클의 시종

한 젊은이가 펜타클을 높이 들고서 손끝 위에서 섬세하게 균형을 잡고 있다.

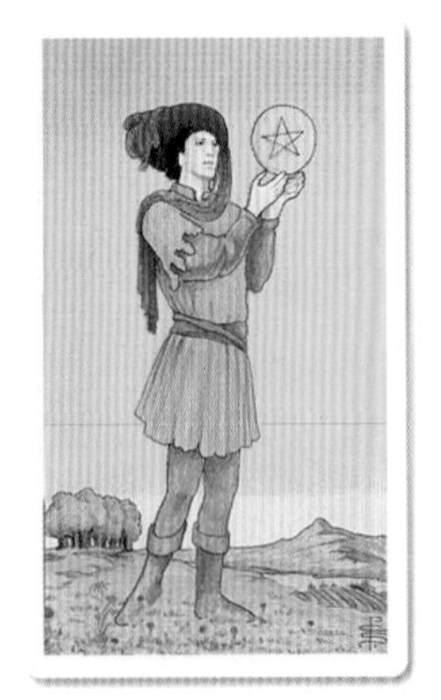

PAGE OF PENTACLES

점성학과의 연결

황소자리, 처녀자리, 염소자리에 있는 수성.

펜타클의 시종은 돈을 버는 아이디어에 대한 전조이다. 직업을 바꿀 필요성을 나타낼 수도 있다.

성격 면에서

이 사람은 사려 깊고 신중한 사람이다. 펜타클은 흙의 원소에 대응하며, 이 시종은 전형적으로 흙의 성격, 즉 믿을 수 있고 솜씨가 있으며 물질세계와 화합하고 돈의 가치를 인식하는 특성들을 지니고 있다.

상황 면에서

펜타클의 시종 카드는 새로운 프로젝트나 사업의 시작을 나타낼 수 있다. 이 카드는 돈을 버는 것과 관련된 모든 아이디어에 대해 좋은 징조이다. 이 카드가 판에 박힌 생활을 하고 있어 직업을 바꿀 필요가 있는 사람, 특히 자신에게 가장 잘 맞는 직업을 찾는 사람에게 나오는 것은 드문 일이 아니다.

펜타클의 시종 카드는 60대 남성의 카드 읽기에서 검 3번 카드와 교차하여 나왔다. 이 카드는 이 남성에게 고통과 괴로움을 안겨 주는 사람을 묘사하고 있었다. 시종은 그의 아들이 아니라 그가 가장 아끼는 직원이었다. 그는 이 직원을 사랑했고 굳게 신뢰했으며, 20년 가까운 나이 차이에도 불구하고 이제까지 교제해 오고 있었다. 실제로 그는 그 직원을 자신과 가장 가까운 사람 가운데 한 명으로 여겼으며, 무슨 일에 대해서도 터놓고 얘기할 수 있었다. 그리고 그의 아이디어와 의견을 모든 면에서 높이 평가했다. 이 사례가 펜타클의 시종을 얼마나 적절하게 묘사하는지 보기 바란다. 그는 내담자보다 어렸고, 믿을 수 있었고, 열심히 일하는 사람이었다. 그리고 이러한 흙의 특성들을 아이디어로 가득 차고 대화를 잘 하는 사람을 상징하는 수성이 얼마나 충실하게 만드는지를 주목하기 바란다.
검 3번 카드의 고통과 상심은 그가 이 직원에게 실망하거나 신뢰를 잃었기 때문이 아니라, 46세의 나이에 간암 말기 판정을 받았기 때문이었다. 나의 내담자에게는 이것이 개인적으로나 사업상으로나 비극이었다. 그는 이 상황을 받아들이기 위해 충분히 애쓰고 있었다.

검의 시종

다른 세 시종들은 정적이고 관조하는 듯한 모습인 데 반해 검의 시종은 활동적인 카드이다. 그는 두 손으로 검을 들어올려 공격적인 자세를 취하고 있어 마치 공격하거나 돌격하려는 듯 보이며, 머리카락은 바람에 휘날리고 있다.

성격 면에서

이 사람은 재빠르고 예민하지만, 다소 무정할 수도 있다. 검은 공기의 원소와 관계가 있으며, 이 시종은 전형적인 공기의 성격, 즉 이해가 빠르고 민첩하며 활기찬 특성들을 지니고 있다. 하지만 공기 유형의 사람들은 머리가 가슴을 지배하는 경향이 있으므로 다른 사람과 공감하고 그들의 입장을 충분히 고려하는 법, 그리고 자신의 행동이 상대방에게 어떤 감정을 초래할 수 있는지에 대해서 배울 필요가 있다.

PAGE OF SWORDS

상황 면에서

검의 시종은 너무 조급하게 서두르며 일들을 처리하고 있다는 것을 나타낼 수 있다. 행동에 뛰어들거나 공격을 감행하기 전에 훨씬 더 신중히 고려해 볼 필요가 있다. 전투는 이길 수 있으나 전쟁은 질 수도 있다. 따라서 자신이 원하는 최종 결과가 무엇인지를 생각해 보는 것이 중요하다. 여기에는 성급하게 덤비거나 경솔하게 결정하거나 그릇된 이유로 일할 위험성, 자신의 진정한 동기를 보지 못할 위험성이 대단히 크다.

점성학과의 연결

쌍둥이자리, 천칭자리, 물병자리에 있는 수성.

검의 시종 카드는 다소 믿음성이 없는 인물, 고의적이든 경솔해서든 남의 험담을 하거나 말썽을 일으키는 사람을 나타내는 경우가 많다. 이 사람은 동료들과 쉽게 친밀한 관계를 맺지 않으며 반감과 의심을 일으키는 경향이 있다. 젊은 여성을 위한 카드 배열에서 이 카드가 나왔는데, 그녀는 그 다음 주부터 출근하는 새 직장에 대해 질문한 참이었다. 나는 그녀에게 동료 가운데 그런 사람이 있을 수 있으니 동료를 사귈 때는 조심해야 한다고 경고했다. 나중에 들으니, 나의 내담자는 다른 여자 동료와 심각한 불화를 겪었고 이 때문에 한 달도 안 되어 그 회사를 그만두고 다른 곳으로 옮겼다고 한다.

컵의 시종

화려한 옷을 입은 젊은 남자가 바닷가에 서서 손에 들고 있는 컵에서 올라오고 있는 물고기를 응시하고 있다.

PAGE OF CUPS

성격 면에서

이 사람은 예민하고 낭만적이거나 예술적인 사람이다. 컵은 물의 원소와 관계가 있는데, 이 카드는 이 연결을 매우 강력하게 묘사하고 있다. 바다와 물고기는 물고기의 궁인 물고기자리의 상징을 직접 가리키고 있기 때문이다. 이 시종은 전형적인 물의 성격, 즉 상상력과 감정이 풍부하고 감수성이 뛰어난 특성들을 지니고 있다. 이 사람은 다소 순진하거나 지나치게 백일몽에 잠기는 성향이 있으므로 세상의 현실을 다루는 법과 그들의 꿈을 실현시키는 법을 배울 필요가 있다.

점성학과의 연결

게자리, 전갈자리, 물고기자리에 있는 수성.

상황 면에서

컵의 시종은 태아기 단계에 있는 것을 묘사할 수 있다. 물의 궁들은 모두 어떤 면에서는 생산력이나 재생산과 관련되어 있다. 컵에서 올라오고 있는 물고기는 탄생을 상징할 수 있으며, 끝까지 실행된다면 매우 생산적일 수 있는 아이디어의 잉태나 임신을 가리킨다. 물고기는 또한 새로운 관계를 시작하고 있고 감정과 관계의 세상 속으로 돌아가는 법을 배우고 있는 사람의 재생을 상징할 수 있다.

컵의 시종 카드는 때때로 임신을 가리킬 수 있다. 가끔 나는 질문이 분명히 명시되고 단순히 '예' 나 '아니오' 라는 답만 필요한 경우에는 한 장의 카드 읽기를 한다. 자신이 임신한 것 같다고 느끼는 젊은 여성을 위해 그런 카드 읽기를 한 적이 있다. 나는 평소처럼 그림면이 바닥으로 향하도록 카드를 뒤집어 부채꼴로 펼쳐 놓은 뒤, 그녀에게 한 장의 카드를 선택하도록 했다. 그녀는 컵의 시종 카드를 뽑았다. 나는 이 한 장의 카드 읽기로 그녀의 짐작이 맞고 정말로 아이를 잉태했다고 판단했다. 그 다음 주에 임신 검사를 했을 때 양성 반응이 나와서 카드 읽기의 결과가 확인되었다.

기사

시종이 전통적으로 소년을 나타내는 반면, 기사는 청년을 의미한다.
그러나 시종 카드를 설명하면서 언급했듯이 이것은 규정된 연령대를 가리키는 것이 아니며,
시종 카드의 경우와 똑같은 융통성이 적용된다. 내 경험에 따르면, 일반적으로 기사는 우리 나이 또래의 사람
혹은 나이는 우리보다 어리거나 많을 수 있지만 우리와 동료인 사람을 나타내는 경향이 있었다.

지팡이의 기사

지팡이의 기사는 말을 타고 있다. 지팡이의 시종 카드와 같이 그는 사막에 있고 배경에는 세 개의 피라미드가 있다. 이것은 이동의 카드이다.

KNIGHT OF WANDS

점성학과의 연결

양자리, 사자자리, 궁수자리에 있는 화성.

성격 면에서

이 사람은 정력적이고, 모험을 즐기며, 솔직하고, 충동적인 사람이다. 그는 시종과 비슷하게 전형적으로 불같은 특성을 보인다. 기사는 고집이 세거나 비현실적인 특성처럼 예측할 수 없는 불같은 성격을 가지고 있다. 이런 사람과 함께 있으면 매우 활기차고 흥분될 수 있다. 그러나 그는 끈기와 결의, 수단이 부족하여 일단 시작한 일을 끝맺지 못할 수도 있다. 연애 면에서는 기사는 상대방을 매혹시킬 수 있지만, 과연 그 사람이 변함없이 곁에 머물러 줄 것인지는 의문이다. 지팡이의 기사는 시종 카드와 마찬가지로 해외와 관계가 있을 수 있다.

상황 면에서

지팡이의 기사는 도전, 교육 기회, 새로운 모험, 급작스럽게 일어나는 사건을 가리킨다. 어떤 추진력이든 여기에는 매우 강력하게 밀고 나가는 힘의 느낌이 있다.

지팡이의 기사 카드가 두 아들의 홀어머니를 위한 카드 배열에서 나왔다. 그녀의 한 아들은 이미 집을 떠났고, 다른 아들은 대학에 들어갈 예정이었다. 그녀는 아들의 학비 보조금을 받을 수 없었으므로 다음 3년간의 학비 마련을 위해 단단히 각오하고 있었다. 사실상 이것은 그녀가 이 기간 동안 자신의 삶을 완전히 포기해야 한다는 것을 의미했다. 그런데 이 아들은 시작한 일을 끝내지 못한 적이 많았고, 진로 선택에 대해서도 이미 여러 차례 마음을 바꾼 경험이 있었다. 결과 카드는 세상을 바라보고 어딘가 다른 곳에 있기를 바라는 지팡이 3번 카드였다. 나는 그 아들이 3년간 진지하게 공부할 각오가 되어 있지 않은 것 같다고 느꼈고, 휴학과 같은 다른 대안을 함께 찾아보는 것이 좋겠다고 제안했다.

펜타클의 기사

펜타클의 기사는 건장한 검은 말에 걸터앉아 있다. 그는 유일하게 완전히 정지해 있는 기사이며, 가만히 앉아서 오른손에 들고 있는 펜타클을 찬찬히 바라보고 있다.

KNIGHT OF PENTACLES

점성학과의 연결

황소자리, 처녀자리, 염소자리에 있는 화성.

성격 면에서

이 사람은 인내심이 강하고 확고부동하며, 자신의 목적에 계속 집중할 수 있는 사람이다. 펜타클의 시종의 경우와 마찬가지로 이것들은 전형적인 흙의 특성들이다. 부정적인 면으로는 단조롭고, 완고하며, 지나치게 신중한 사람일 수도 있다. 이런 사람은 보통 자발적으로 일을 시작하거나 실행하는 사람이 아니며, 행동하도록 밀어붙여야 할 수도 있다.

상황 면에서

펜타클의 기사는 일반적으로 한동안 진전되어 온 상황이, 비록 그 동안 진척이 없었고 교착 상태에 빠질 위험이 있었더라도, 마침내 긍정적인 결과를 낳을 것이라는 점을 의미한다. 이 카드가 나와도 결과들은 빨리 이루어지지 않는 경향이 있지만, 그렇게 될 때 그것들은 오래 지속되며 기다릴 만한 가치가 있게 된다. 만약 이 카드가 활동성 부족을 나타내는 다른 카드들, 예를 들어 펜타클의 4번 카드나 검의 8번 카드와 함께 나온다면, 시간이 완전히 무르익기만을 믿고 기다리기보다는 일들이 올바른 방향으로 움직일 수 있도록 좀더 단호하게 밀어붙일 필요가 있다. 그렇지 않으면 당신은 노력할 가치가 없는 상황에 직면하거나, 계란으로 바위를 친다는 속담처럼 헛된 수고를 하고 있을 수도 있다.

펜타클의 기사 카드가 50대 초반의 여성을 위한 카드 배열에 나왔다. 다른 카드들은 낙담을 암시하였고, 기사 카드는 분명히 그녀의 아들을 가리켰다. 그는 20대 후반이었는데도 여전히 집에 있었고, 전혀 움직이려 하지 않았다. 이것은 점성학과의 상호 관계가 완벽하게 작용하는 사례였다. 그녀의 아들은 고정된 흙의 궁인 황소자리 태생으로서, 이 별자리는 육체를 안락하게 하는 것들 및 물질적인 가치와 관련된다.
이 상황에서 중요한 문제는 돈이었다. 왜냐하면 한편으로 그녀의 아들은 집을 떠날 만한 돈이 없다고 말했기 때문이고, 다른 한편으로는 그녀에게 계속 돈을 빌렸기 때문이다. 그녀는 아들이 집에서 놀고 있는 것이 자신의 잘못인 것처럼 여겨져 아들에 대해 죄책감을 느꼈는데, 이것은 또 하나의 문제였다. 그러나 과거에 그녀가 어떤 역할을 했건, 지금 다루어야 하는 것은 현재였다. 나는 그녀가 아들을 돌봐 주면 단기적으로는 서로 마음이 편하겠지만, 장기적으로 보면 어느 쪽에도 이롭지 않음을 지적하였다. 그녀는 이 상황이 바람직하지 않다는 것을 인정했다. 그리고 카드 읽기가 보여 준 중요한 점은 그녀 자신이 바로 그로 하여금 의존하도록 만들고 있다는 것이었다. 내가 해석한 카드의 메시지는, 아들은 강요하지 않으면 결코 떠나지 않을 것이므로 그녀가 용기를 내어 아들과 싸워야 한다는 것이었다.

검의 기사

검의 기사는 지팡이의 기사보다 한층 더 강력한 활동과 이동의 카드이다.
카드에 앞부분만 보이는 말은 전속력으로 돌진하고 있고, 기사는 몸을 앞으로 내밀고서 오른손에 든 검을 휘두르고 있다.

KNIGHT OF SWORDS

점성학과의 연결

쌍둥이자리, 천칭자리, 물병자리에 있는 화성. 물병자리의 공동 지배자이며 변화, 반란, 충격, 놀라운 일을 상징하는 천왕성의 특징도 있다.

성격 면에서

이 사람은 유능하고 대담하지만 무모한 사람일 수도 있다. 이 기사는 가는 곳마다 소동을 일으킬 수 있으며, 카리스마는 대단하지만 믿음성이 부족할 수 있다. 이 사람은 강력한 동맹자가 될 수 있지만, 자기 마음에 드는 동안만이다. 당신이 쉽게 상처 받을 수 있으므로 이런 사람을 너무 쉽게 신뢰하지 않도록 조심할 필요가 있다.

상황 면에서

검의 기사는 갑작스럽게 일어나거나 아주 뜻밖의 사건을 말해준다. 잘 대처할 사람이 없으면 상황이 나빠져서 혼란에 빠질 위험이 있다.

검의 기사 카드가 50대 후반의 여성을 위한 카드 배열에 나타났다. 첫 번째 카드는 심각한 불안을 가리키는 검 9번 카드였다. 검의 기사 카드는 최근에 사망한 친구의 남편과 관련된 그녀의 딜레마와 다가올 상황을 표현하였다. 친구의 남편은 사별의 충격을 감당할 수 없었고, 자신과 함께 살자며 그녀와 그녀의 남편을 설득하였다. 최근에 은퇴한 그녀는 남은 삶을 마음껏 누리면서 살겠다고 마음먹은 상태였고 미래는 밝아 보였다. 그녀는 자신이 원하는 것과 계획을 우선해야 할 것인지, 아니면 이 남자를 돕기 위해 그것들을 미뤄야 할 것인지에 관한 도덕적인 딜레마를 해결하기 위해 고민하고 있었다. 나는 조심하라고 경고했고, 남은 삶을 희생물로 바치기 전에 모든 대안들을 살펴보도록 권유했다.

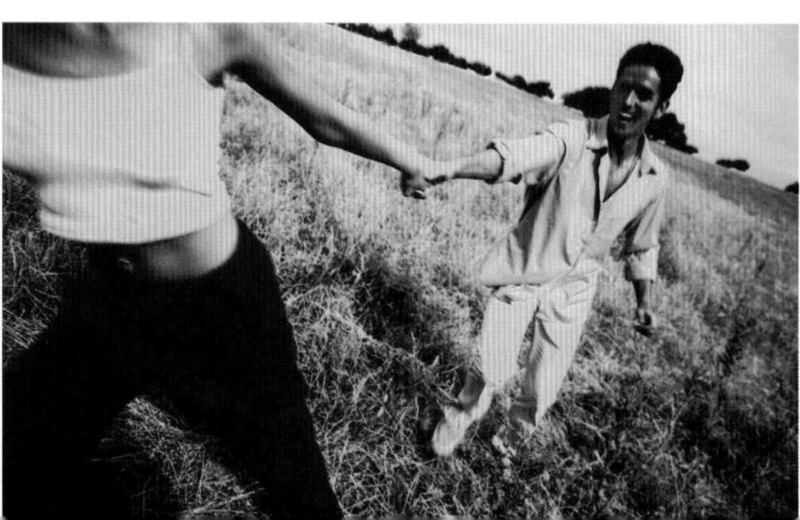

검의 기사는 당신을 쉽게 매혹시킬 수 있다.

컵의 기사

컵의 기사는 평화의 카드이다. 기사는 컵을 내밀고 있으며,
유순한 회색 말을 타고서 조용히 앞으로 나아간다.

KNIGHT OF CUPS

점성학과의 연결

게자리, 전갈자리, 물고기자리에 있는 화성. 물고기자리의 공동 지배자이며 상상, 몽상, 되찾음, 현실 도피, '융합의 추진' 을 상징하는 행성인 해왕성의 특징이 있다.

성격 면에서

이 사람은 애정이 깊고, 성실하며, 섬세한 사람이다. 이것들은 전형적으로 물의 특성이며, 컵의 기사는 가슴이 머리를 다스리는 사람을 묘사한다. 전통적으로 컵의 기사는 청혼을 나타낸다. 나는 이 카드가 전통적으로 멋진 구혼자로 여겨지던 인물, '빛나는 갑옷을 입은 기사', 청혼을 할 사람 또는 성실하고 헌신적인 관계를 원하는 사람을 나타내는 경우를 많이 보았다. 그러나 동전의 뒷면을 보자면, 이 사람은 삶의 실제적인 면에는 약할 수 있고, 특히 신혼 시절이 지나간 뒤에 직면하게 될 관계의 현실적인 면에 대해서는 아직 진정으로 준비되어 있지 않을 수도 있다. 만약 이 카드가 나쁘게 배치된다면, 당신은 그를 원하지만 그는 당신이 진정으로 원하는 것을 줄 수 없다는 것을 나타내는 경고일 수 있다.

상황 면에서

컵의 기사는 업무적인 제안에서부터 특히 당신의 마음을 끄는 아이디어나 계획들에 이르기까지 모든 종류의 제안을 나타낼 수 있다. 만약 이 카드가 어려움을 암시하는 다른 카드들과 나란히 나타난다면, 그 제안은 더욱 세부적으로 점검할 필요가 있다.

컵의 기사 카드가 30대의 여성을 위한 켈틱 크로스 배열의 중앙에서 검 9번 카드와 교차되어 나왔다. 검 9번 카드는 절망과 불안을 나타내므로 이것은 짝사랑의 경우로 보였는데, 내담자는 그렇다고 시인했다. 그녀는 이 남자의 사랑을 필사적으로 원했다. 그런데 나는 그녀가 과연 이 남자와 결혼하는 것도 그렇게 원하는 것인지, 그리고 우선 그럴 듯한 짝을 찾은 뒤에 어떻게든 맞춰 살아 보려고 하는 것은 아닌지 의심스러웠다. 그녀는 부분적으로는 그렇다고 인정했다. 다른 자매들과 친구들이 모두 결혼을 했기 때문에 짝을 만나려는 마음이 더욱더 강해지고 있다는 것이었다. 그러나 그녀가 집착하고 있던 남자는 비록 컵의 기사가 묘사하고 있듯이 애정이 많은 사람이었지만 그녀를 사랑하지는 않았다. 게다가 그는 이미 이혼한 적이 있어서 결혼을 원하지 않는다고 처음부터 그녀에게 말했다고 한다. 그렇지만 물론 그녀는 그의 마음이 바뀔 것이라는 희망을 붙잡고 있었다.
적중하는 카드 배열의 특징 중 하나는 한 가지 이상의 방식으로 읽을 수 있는 풍부한 상징들이다. 서로 상충하고 있는 검 9번 카드와 컵의 기사 카드가 어떻게 이 상황을 양쪽의 관점에서 분명히 설명하고 있는지를 주목하기 바란다. 여기에 남자의 태도와 과거 경험, 그리고 그녀의 좌절된 욕망이 보이고 있다. 카드 배열에 나온 다른 카드들 가운데 상황이 좋아질 것이라는 것을 나타내는 카드는 없었다. 그래서 이 남자는 결코 그녀의 빛나는 갑옷을 입은 기사가 되지 않을 것이라고 판단되었다.

여왕

여왕은 대체로 우리 삶에서 여자를 의미하지만 반드시 늘 그런 것은 아니다.
가장 중요한 점은 그 사람이 여자라고 가정하기 전에 여왕이 묘사하는 사람의 유형과
그 사람이 수행하는 역할을 살펴보는 것이다. 나이에 관해서는 여왕은 모든 연령대를 나타낼 수 있다.
부모나 권위자를 가리킬 수도 있다.

지팡이의 여왕

당당한 여성이 옥좌에 앉아 주위를 살펴보고 있다. 옥좌는 사자가 조각되어 있고,
발밑에는 검은 고양이가 앉아 있으며, 여왕은 손에 해바라기를 쥐고 있다.

성격 면에서

이 카드는 유능하고, 기략이 풍부하고, 강하며, 위엄 있는 사람이다. 이 사람은 자신의 세계의 중심이다. 가족의 핵심 인물이나 가족을 하나로 단합시키는 사람을 나타낼 수도 있다. 이 여왕은 부모를 가리킬 수도 있고, 유능하며 의욕적인 사업가를 의미할 수 있다. 이 사람은 탁월한 조직력을 가진 타고난 지도자이다. 다른 한편으로 이런 사람은 불의 궁인 사자자리와 관련된 상당히 까다로운 특성들, 즉 지독한 자만심과 지배하려는 태도 또는 주위 사람들을 좌지우지하려는 성향을 가질 수도 있다. 이 여왕은 자기처럼 일할 수 있는 사람은 아무도 없다고 믿기 때문에 남에게 일을 위임하는 데 어려움을 겪을 수 있다. 가장 강력할 경우에 그녀는 영매일 수도 있다.

QUEEN OF WANDS

점성학과의 연결

사자자리 또는 다른 불의 궁인 양자리, 궁수자리에 있는 달이나 금성.

상황 면에서

지팡이의 여왕은 잘 다루어지고 있는 문제들을 말한다. 왜냐하면 누군가가 전체 상황을 잘 파악하고 있기 때문이다.

지팡이의 여왕 카드가 40대 초반의 여성을 위한 카드 읽기에 나왔다. 그녀는 사자자리였다. 그녀의 달의 궁은 전갈자리였는데, 이것은 조절의 문제와 연관된다. 이 까다로운 점성학적 결합은 여왕 카드의 옆에 지팡이 9번 카드와 10번 카드가 배치된 카드 배열에 반영되었다. 이 여성의 주된 문제는 남편과 10살 된 아이의 끊임없는 요구들 때문에 받는 스트레스였다. 그들은 그녀에게 심하게 의존했으며 매사에 그녀를 필요로 했다. 그녀는 분노로 가득 차게 되었다. 그녀가 어떻게 변화시킬 수 있는지를 의논하기 전에, 나는 그녀가 어떻게 해서 이런 상황에 처하게 되었는지를 곰곰이 돌이켜 보라고 말했다. 그녀는 사람들이 필요로 하는 존재가 되고 싶어 했던 것은 아닌가? 그녀는 이제 궁지에 몰렸고, 분명히 주어야 하는 존재가 되었다.

펜타클의 여왕

장미 덩굴의 그늘 아래에 화려한 옷차림을 한 여성이 복잡한 무늬가 새겨진 옥좌에 앉아
무릎 위에 펜타클을 부드럽게 들고서 찬찬히 바라보고 있다.

QUEEN OF PENTACLES

성격 면에서

펜타클의 여왕이 앉아 있는 옥좌는 꽃과 식물이 무성하게 우거진 들판 위에 놓여 있는데, 이것은 풍부함과 비옥함을 나타낸다. 이 카드는 펜타클과 흙의 원소의 명백한 상호 관련성을 보여 준다. 이 사람은 살림이 넉넉하고, 주변이 편안하며, 풍요로운 땅에서 삶의 좋은 것들을 즐기고 있는 사람이다. 또한 안정되고, 돌보고, 건설적이며, 감사하는 사람이다. 이 여왕은 메이저 아르카나의 여황제와 아주 비슷한데, 여황제 역시 자연친화적이며 물질세계를 잘 아는 인물을 나타낸다.

점성학과의 연결

황소자리, 처녀자리, 염소자리에 있는 금성이나 달.

상황 면에서

펜타클의 여왕은 정원에 있는 모든 것이 장밋빛이라는 것을 나타낸다. 이 카드가 나올 때는 금전적으로나 정서적으로 대단히 안정된 상태를 나타내거나 앞으로 훨씬 더 많이 안정되고 상황들이 좋아질 것이라는 것을 가리킨다.

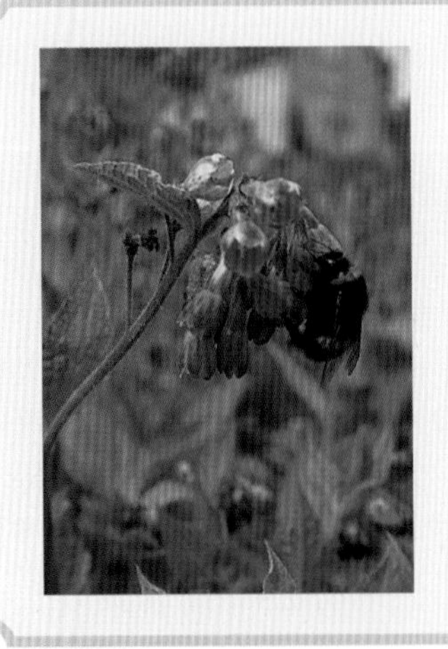

펜타클의 여왕 카드는 30대 후반의 여성을 위한 카드 배열에서 나왔는데, 그녀는 푸른 바다가 내려다보이는 언덕 위의 아름다운 집에 살고 있었다. 그 집은 그녀와 남편이 처음부터 끝까지 손수 지은 집이었다. 그녀는 자연 가까이 살면서 경험하는 아름다운 이야기들을 들려주었다. 그녀는 이런 삶을 굉장한 행운이라고 느꼈으며, 이렇게 아름답고 감사할 것들로 가득 찬 곳에서 살게 될 줄은 꿈에도 몰랐다고 말했다. 그녀는 당시 꿀벌을 치고 있었기 때문에 문자적으로나 비유적으로나 젖과 꿀이 흐르는 땅에서 살고 있었다.
그녀는 좋은 건강과 활력을 발산하고 있었으므로 펜타클의 여왕은 신체적인 면에서도 그녀를 잘 묘사하고 있었다.

검의 여왕

엄격해 보이는 여성이 옆모습을 보이며 회색 옥좌에 앉아 있다.
그녀의 표정은 다소 엄숙하고 쌀쌀해 보인다. 그녀는 똑바로 앞을 바라보며
오른손으로 검을 똑바로 세워 들고서 도전적인 자세를 취하고 있다.

QUEEN OF SWORDS

점성학과의 연결

쌍둥이자리, 천칭자리, 물병자리에 있는 금성이나 달.

성격 면에서

이 사람은 거칠고 독립적인 성격을 가진 사람이며, 자신이 원하는 것을 위하여 싸우거나 강경한 태도를 취할 태세가 된 사람이다. 또한 공정하고, 빈틈없고, 논리적이며, 사무적인 인물이다. 전통적으로는 이 여왕을 과부로 보지만, 이혼했거나 별거 중인 사람 또는 오랫동안 혼자 지냈고 다른 사람들과 쉽게 친해지지 못하는 사람을 나타낼 수도 있다. 여왕은 겉으로는 날카롭고 거칠어 보이지만, 때로는 몹시 외롭고 수줍은 사람이나 혼자서 세상을 살아갈 수밖에 없다고 느끼는 사람을 가리킨다. 세상을 더 안전하고 안정적으로 만들기 위해서 안전한 환경을 만드는 데 엄청난 정력을 쏟아 붓고 조금도 위험을 감수하지 않으려 하는 경향이 있다.

상황 면에서

검의 여왕은 유리한 조건을 이끌어 내기 위해 애써야 하는 힘든 거래나 강력한 반대를 나타낼 수 있다. 결과를 쉽게 얻기는 힘들 것이다. 이것은 극복하기 힘든 엄격한 규칙이나 일종의 관료주의에 대항하는 경우일 수도 있다. 일들은 매우 공정하게 그러나 규정에 따라 엄격히 처리될 것이며, 감상이나 개인적인 감정들이 끼어들 여지는 없을 것이다.

검의 여왕은 30대 초반의 여성을 위한 카드 읽기에서 나왔는데, 켈틱 크로스 배열의 중앙에서 펜타클 10번 카드와 교차했다. 그녀의 태양 궁은 황소자리였지만, 공기 원소의 짝패이며 협력의 궁인 천칭자리가 달의 궁과 관련되었다. 그녀는 직장에서 크게 성공하고 있었고, 많은 돈을 벌고 있었으며, 그녀의 가정은 서로 사랑하고 풍족하며 잘 배려하는 사람들이었다. 흙의 궁인 황소자리에 있는 그녀의 태양 그리고 번영과 평안한 가족을 상징하는 펜타클 10번 카드가 이 모든 것을 상징하고 있었다. 그녀는 최근에 새 집을 장만했지만, 외로움이 그녀의 인생을 불행하게 하고 있었다. 그녀에게는 이 집을 함께 할 사람이 아무도 없었는데, 충돌하고 있는 검의 여왕은 이 고립감을 뚜렷이 보여 준다.
나는 그녀가 어떻게 해서 검의 여왕처럼 되어 갔는지 그리고 이것이 그녀에게 어떻게 나쁘게 작용하고 있는지에 대해 집중했다. 냉소주의나 슬픔에 빠지는 것 또는 두려움이나 자부심으로 그녀의 약한 모습을 감추는 것은 단지 그 문제를 지속시킬 게 뻔했다. 나는 그녀에게 반드시 배우자가 필요하다는 생각을 고집하기보다는 그녀의 외로움을 덜 수 있는 다른 방법들을 찾아보라고 권유했다. 그녀는 좋은 배우자만 나타나면 모든 일이 다 해결될 것이라는 믿음에 도전할 필요가 있었다. 긍정적인 변화는 대부분 내면에서 시작된다.

컵의 여왕

금발의 젊은 여성이 옥좌에 앉아서 두 손으로 컵을 들고 응시하고 있다. 옥좌는 물가에 있으며 어린 천사들로 장식되어 있다.
이 컵이 짝패의 다른 카드들에 있는 것보다 더 크고 훨씬 더 화려하게 장식되어 있다는 것에 주목하기 바란다.

QUEEN OF CUPS

점성학과의 연결

게자리, 전갈자리, 물고기자리에 있는 금성이나 달.

성격 면에서

이 사람은 낭만적인 기질과 풍부한 상상력, 큰 꿈을 갖고 있는 사람이다. 그리고 머리가 가슴을 지배하는 검의 여왕과는 많은 면에서 정반대인 사람이다. 컵의 여왕은 검의 여왕과는 반대로 감정의 세계에서 사는 사람이다. 컵의 여왕은 사랑에 빠져서 온통 희망에 부풀어 있으며 마법처럼 펼쳐지는 세상에 놀라워하는 사람을 나타낼 수도 있다. 이 여왕은 동정적이고, 창조적이고, 이상적이며, 순진할 수도 있다. 다른 어려운 카드들과 함께 나온다면, 현실과 동떨어진 사람을 표현할 수 있다. 또는 현실성이 전혀 없는 공상만을 꿈꾸는 사람을 나타낼 수도 있다. 현실과 상상을 분리할 필요가 있다.

상황 면에서

컵의 여왕은 매우 훌륭해 보이지만 실현 가능성이 적은 아이디어들을 가리킨다. 반드시 현실성을 점검해 보아야 한다. 어떤 프로젝트나 관계는 결국 실현될 가능성이 없는 것으로 판명될 수 있기 때문이다.

컵의 여왕은 40세 생일이 얼마 남지 않았던 어느 여성의 어려운 배열에서 나왔다. 그녀는 결혼 18년째였고, 10대 중반의 두 자녀가 있었다. 여러 면에서 결혼 생활은 성공적이었지만, 남편이 그녀의 감성적인 요구를 만족시켜 주지 못한다는 점이 그녀에게는 큰 문제였다. 남편은 그녀가 감정을 표현하기만 하면 겁을 먹었고, 특히 고통이나 상처에 관계된 감정일 경우에는 더욱 그랬다. 마침내 그녀는 결혼 생활을 항상 불만족스럽게 여기는 상태에 이르렀는데, 이것은 특히 그녀가 감정적으로, 성적으로, 지적으로 매력을 느끼는 남성을 만났기 때문이었다. 그녀는 금전적으로 더 많이 독립하기 위해 몇 가지 사업 계획도 세우고 있었다.

우리는 40세 전후에 천왕성이 반환점을 도는 것을 경험한다. 갑작스러운 변화나 반란의 행성인 천왕성의 순환 주기는 80년이며, 이 무렵에 우리의 천궁도에서 반환점에 도달한다. 이것은 종종 점성학적 중년기 위기라고 일컬어지는데, 이 시기는 그 동안 해 보지 못한 일을 너무 늦기 전에 과감히 시도해 보는 때이다. 카드를 읽으면서 내가 한 역할은 그녀의 관심을 컵의 여왕에게로 돌리면서 그녀가 정말로 상황을 면밀히 숙고해 보았는지 돌이켜 보도록 질문하는 것이었다. 그녀는 새 남자도 역시 그녀에게 매력을 느끼고 있는지, 또 그와 함께 사는 것이 가능한 일인지를 알아볼 필요가 있었다. 그는 정말로 그녀가 원하는 것인가? 그녀에게는 최종 결정을 내리기 전에 다루어야 할 많은 문제들이 있었다.

왕

전통적으로 왕은 나이 많은 사람을 나타내지만, 내 경험에 의하면 왕 카드는 고정된 나이 틀에 한정되지 않았다. 왕은 우리보다 나이 많은 사람을 의미할 때가 많지만, 이와 마찬가지로 왕은 부모나 전문가일 수도 있고 나이에 비해 성숙한 사람, 권위 있는 지위를 가진 사람일 수도 있다. 한 남자를 위한 읽기에서 왕이 나올 때는 종종 그 자신의 표시자로 작용하기도 한다. 즉 그 자신의 성품이나 특정한 상황을 묘사하는 카드인 것이다.

지팡이의 왕

당당한 남자가 사자를 주제로 장식된 옥좌에 앉아서 지팡이를 똑바로 세워 들고 있다.
그의 짝인 지팡이의 여왕처럼 이 왕도 사자자리와 분명한 관련이 있다.

KING OF WANDS

점성학과의 연결

태양, 목성, 또는 사자자리나 불의 궁인 양자리 혹은 궁수자리에 있는 토성.

성격 면에서

이 사람은 빈틈없고, 정력적이고, 유능하며, 위엄이 있는 사람이다. 이 모든 것은 점성학의 사자자리와 관련된 긍정적인 성질들이다. 그는 타고난 지도자이며, 사람들은 그를 존경하면서도 좋아하고 애정을 느낀다. 나는 지팡이의 왕이 대체로 헌신적인 교사나 통찰력 있는 상사와 같이 크게 감화시키고 동기를 부여하는 사람을 나타낸다는 것을 발견했다. 그는 때에 따라 다소 거만하기도 하지만 겉보기와는 달리 인정이 있으며, 그의 말은 귀 기울여 들을 가치가 있고, 그의 존재는 많은 도움이 될 수 있다. 지팡이의 여왕의 발치에는 검은 고양이가 있듯이, 지팡이의 왕의 발치에는 작고 검은 도마뱀이 앉아 있다. 여기에는 마술적인 의미가 담겨 있는데, 이 왕은 뛰어난 직관력과 통찰력이 있고 심령에 접하고 있는 사람을 나타낼 수 있다. 당신은 그의 조언을 구하고 신뢰할 수 있다.

상황 면에서

지팡이의 왕은 문제들이 잘 처리되고 있으며, 책임자가 능력과 통찰력을 갖고 있다는 것을 가리킨다. 열의와 영감, 지성이 실무적인 경험 부족을 보충하는 경우를 나타내기도 한다.

지팡이의 왕 카드는 다시 대학 공부를 재개한 어느 30대 초반의 여성을 위한 카드 배열에서 나왔다. 그녀는 문학 학사 과정의 마지막 학년에 재학 중이었는데 순조롭게 공부하고 있었다. 그녀는 자신이 이렇게 공부를 잘 하고 또 공부가 삶을 이토록 풍요롭게 할 줄은 꿈에도 몰랐다고 했다. 일말의 주저함도 없이 그녀는 지팡이의 왕은 자신에게 끊임없이 영감을 주고 격려해 준 지도 교수라고 말했다.

펜타클의 왕

부유한 왕이 덩굴에 주렁주렁 열려 있는 포도송이들로 장식된 옥좌에 앉아 있고, 풍성하게 흘러내린 그의 예복은 옥좌를 거의 전부 덮고 있다. 한 손은 무릎 위에 있는 펜타클 위에 놓여 있고, 다른 손은 왕의 홀을 쥐고 있다. 옥좌의 꼭대기 양쪽은 황소 머리로 장식되어 있는데, 이것은 흙의 궁인 황소자리와 분명한 상호 관계가 있다

KING OF PENTACLES

점성학과의 연결

태양, 목성, 또는 황소자리, 처녀자리, 염소자리에 있는 토성.

성격 면에서

이 카드의 짝인 펜타클의 여왕처럼 이 카드는 비옥함과 풍부함의 상징이다. 이 사람은 믿을 수 있고, 책임감 있고, 도와주는 사람이다. 이런 사람은 안정되어 있고 대개 부유하며, 안정과 안전의 전형이다. 이 왕은 삶에 대하여 꾸준하고 실용적으로 접근하고, 타당한 이유를 확인한 뒤에 일을 시작하며, 충동적으로 행동하지 않는다. 그는 바위처럼 견고하며, 우리가 어떤 위기에 처해 있을 때, 특히 금전적이나 현실적인 도움을 필요로 할 때 도움을 청하고자 하는 사람이다. 이 왕은 제공자이며, 엄숙함과 권위를 발산하는 사람이다. 부모나 성공적인 사업가, 은행가, 자선을 베푸는 사람일 수도 있다. 그러나 다른 한편으로 이런 사람은 자신이 가진 것을 갖지 못한 상태가 어떠할지 전혀 모르거나 잊고 있을 수 있으며, 언제나 그의 재산을 나누어 주거나 너그럽게 베푸는 것은 아니다.

상황 면에서

펜타클의 왕은 일들이 지극히 유망하거나 잘 조직된 것을 가리킨다. 누가 키를 잡고 있건 그 사람은 모든 일을 잘 다루고 있고 무엇을 어떻게 해야 하는지를 정확히 알고 있다. 이 카드는 모든 종류의 사업에 좋은 징조이며, 일들이 매우 생산적이고 유리하다는 것을 가리킨다.

펜타클의 왕 카드와 지팡이의 왕 카드가 어느 50대 초반 여성을 위한 카드 읽기에서 나란히 나왔다. 나는 그녀의 인생에 두 명의 중요한 남자가 있는지를 물었고, 그녀는 지금은 재혼한 상태지만 첫 번째 남편과도 아주 좋은 관계를 유지하고 있다고 말했다. 그녀의 현재 남편은 분명히 지팡이의 왕으로 보였다. 현재의 남편은 삶에 대한 커다란 열정과 에너지를 가진 궁수자리 사람이었고, 매사에 넘치는 모험심과 뛰어난 유머 감각으로 접근했다. 그는 그녀를 적극적인 사람으로 변모시켰고 함께 두루 여행을 다녔다. 그녀의 첫 남편은 맨주먹으로 시작하여 자신의 사업을 일구어 낸 사람으로서 펜타클의 왕이 상징하는 것과 완벽히 들어맞는 사람이었다. 그는 언제나 돈이 풍족했으며, 도움이 필요하면 언제든지 찾아오라고 그녀에게 말한다고 했다. 그녀는 첫 남편을 대단히 힘이 있고 대단히 잘 돕는 사람으로 평가했다. 그러나 첫 남편과의 결혼은 일찍부터 기우뚱거렸다. 이 남편은 그녀의 물질적인 필요를 채워 줄 수 있었지만, 정서적인 욕구는 언제나 채워지지 않은 채 그대로 있었기 때문이다.

검의 왕

KING OF SWORDS

점성학과의 연결

해, 목성, 또는 쌍둥이자리,
천칭자리, 물병자리에 있는 토성.

준엄해 보이는 남자가 옥좌에 꼿꼿이 앉아서 검을 치켜들고 있다. 검 짝패의 모든 궁정 카드들처럼 분위기는 차갑고 서늘하며 푸른 하늘과 흰 구름, 드문 초목들이 주위 풍경을 이루고 있다.

성격 면에서

이 사람은 공정하고, 논리적이고, 통제되고, 엄격하며, 때로는 가까이 하기 어려운 사람이다. 그의 가장 강력한 자산은 대단히 예리한 마음이다. 이 검의 왕은 분석적이고 효율적이며, 평균 이상으로 지성적인 사람을 가리킨다. 판단을 흐리게 하는 감정의 개입을 허용하지 않으므로 법률가나 컨설턴트 같은 전문가를 나타낼 때가 많다. 이런 면에서 그는 남을 돕는 데는 유리하지만, 삶에 대해 냉철하게 접근하기 때문에 인간관계 면에서는 불행한 결과를 초래할 수 있다.

정서적인 면에서 이 왕은 그의 짝인 검의 여왕과 비슷할 수 있다. 그리고 자신의 욕구나 느낌들을 억압하는 사람, 친해지는 것을 피하는 방법으로 냉소주의와 지독한 독립심을 이용하는 사람을 나타낼 수도 있다. 이 왕은 반응을 보이지 않거나 냉담하기 쉬우며, 이런 사람과 친밀한 관계를 유지하는 것은 대단히 고되고 힘든 싸움일 수 있다. 카드 배열에서 이 카드가 배우자로 나온다면, 당신의 내담자는 분명히 사랑과 이해와 공감의 결핍으로 심각한 좌절을 맛보고 있는 여성일 것이다. 이 왕이 당신과 대립 관계에 있는 인물을 나타낸다면, 당신은 매우 강력한 적과 맞서야 한다.

> 검의 왕 카드가 21세의 아가씨를 위한 카드 배열에서 나왔다. 그녀는 휴양지 호텔에서 일하고 있었는데, 이곳은 그녀가 전문대학을 졸업하고 처음으로 취직한 직장이었다. 그녀는 아무것도 털어놓지 않기로 결심했기 때문에 그녀를 끌어들이려는 나의 시도는 벽에 부딪혔다. 내가 그녀에게 직장 상사와 관련된 문제를 겪고 있는 것 같다고 말하자, 그녀는 이 상사가 남자인지 여자인지를 물었다. 나는 십중팔구 남자라고 느꼈으며, 매우 중요한 유형의 사람이라고 말했다. 나는 이 사람이 엄격하고 규칙을 준수하며 규정을 완화하지 않을 사람이라고 설명했다. 그리고 개인적으로 다가가기는 아마 어려울 사람이며, 그녀를 하나의 개인이 아니라 직원으로 대하는 사람이라고 덧붙였다. 그 뒤 나는 다른 문제로 넘어갔는데, 카드 읽기를 마칠 무렵 그녀는 검의 왕은 남자 상사인 T라고 말했다.

상황 면에서

검의 왕은 이성적인 접근이 필요하다고 말해 준다. 당신이 기대하는 것들은 현실성이 있어야 하며, 당신이 필요로 하는 것을 지키는 것은 중요한 일이고 간과되지 말아야 한다. 당신은 가슴을 따르는 대신에 머리로 생각해야 할 필요가 있다.

컵의 왕

컵의 여왕이 물가에 앉아 있는 반면, 컵의 왕은 완전히 물에 둘러싸여 있고
그의 옥좌는 뗏목 위에 실려 표류하고 있다. 여왕은 컵을 바라보고 있는 모습이지만,
왕은 먼 곳을 바라보고 있는 모습이다.

KING OF CUPS

점성학과의 연결

태양, 목성, 또는 게자리, 전갈자리, 물고기자리에 있는 토성.

성격 면에서

이 사람은 꿈을 꾸지만 그다지 확신이 없고, 상상력이 풍부하지만 반드시 집중되어 있지는 않은 사람이다. 왕은 뗏목 위에 실려 표류하고 있으며, 특정한 상황이나 관계에 대해서건 자신의 진로나 인생의 목적에 대해서건 어찌할 바를 모르고 있다. 이런 사람은 좋은 쪽으로 보면 사색적이고 감수성이 강하지만, 최악의 경우에는 제멋대로만 하려고 하며 자기 기만적이다. 현실 세계는 이러한 왕에게 너무 버거울 수 있으며, 자기의 영역을 찾는 것이 힘들 수도 있다. 바다는 감정의 바다를 상징하는데, 이 사람은 평생 파도에 휩쓸리며 바다를 떠다닐 수 있다. 내 경험에 따르면, 이 왕은 자신의 감정을 억압하고 남들의 심정에 공감하기 힘든 사람을 나타내는 경우도 있었다.

상황 면에서

컵의 왕은 문제들을 적절히 판별하고 정리해야 한다는 것을 보여 준다. 세부적인 것들은 불분명하거나 혼란스러운 상태에 있다. 꿈과 계획은 매력적으로 보일 수 있지만, 면밀히 검토해 보면 실현 가능성이 희박할 수 있다.

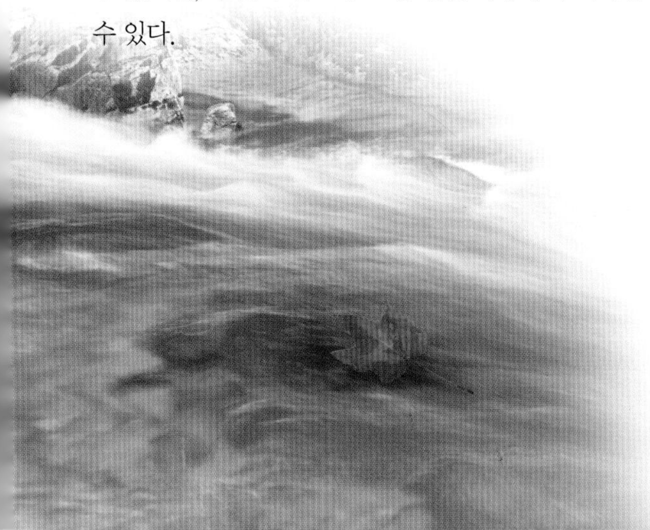

컵의 왕 카드는 40대 여성을 위한 카드 배열에서 나왔는데, 켈틱 크로스 배열의 중심에 은둔자 카드와 교차했다. 그녀의 아들은 마약 복용죄로 감옥에 수감되어 있었고 1년을 더 복역해야 했다. 그들이 외로움과 고통을 감내하는 것은 힘든 일이었지만, 그녀의 결과 카드는 컵의 3번 카드(축하)였다. 그래서 나는 좋은 결과가 있을 것이라고 말해 줄 수 있었다.
물처럼 흔들리기 쉬운 사람들에게 가장 어려운 측면은 삶에서 압박감을 받을 때 현실 도피 쪽으로 빠지기 쉽다는 점이다. 그러면 이것은 다시 경계들을 무너뜨리며, 처음 사랑에 빠질 때처럼 뭔가에 빠져들며 의존하게 할 수 있다. 의식의 변형 상태를 경험하고자 하는 충동은 알코올 중독이나 마약 중독으로 나타날 수 있다.

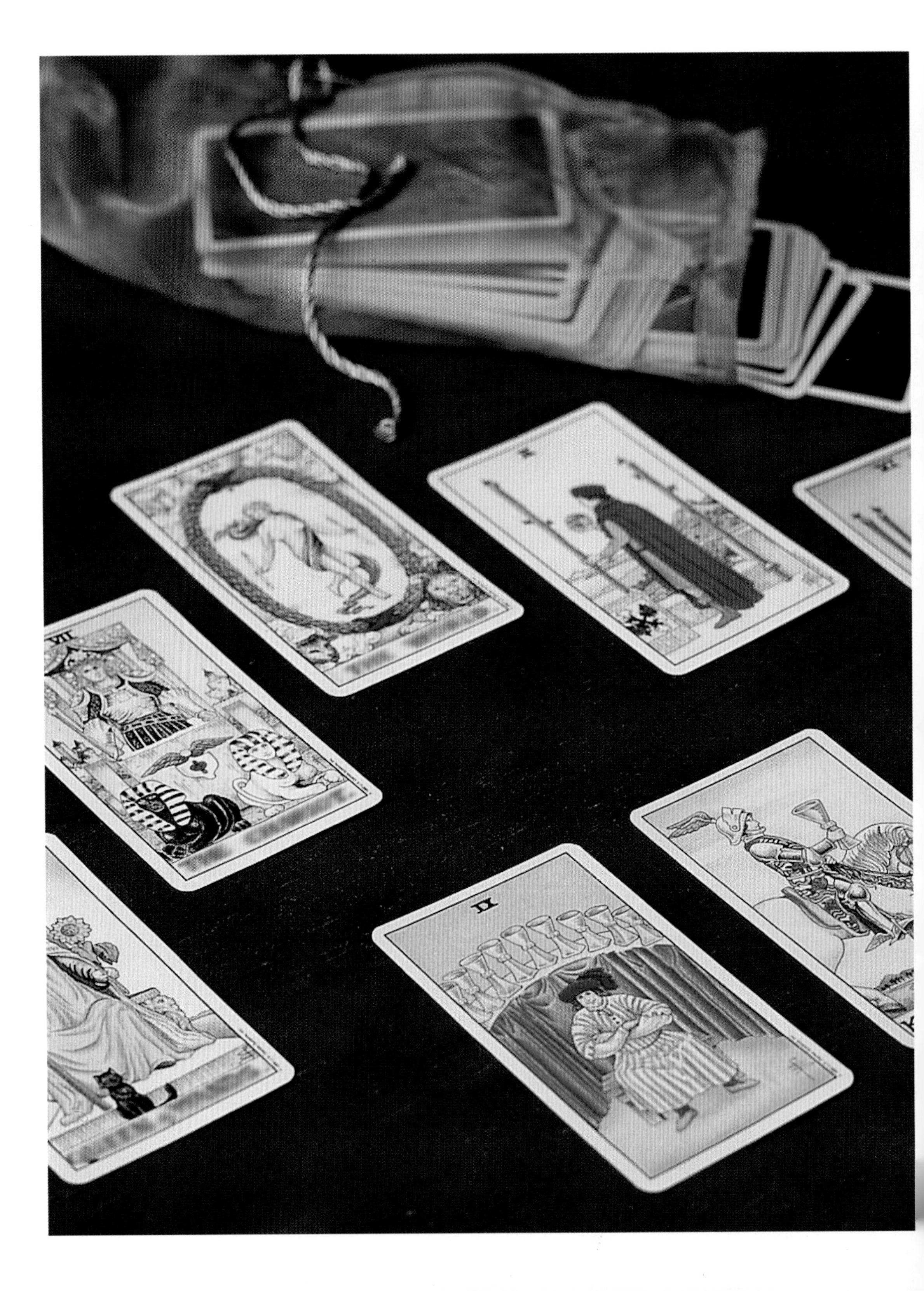

5

상담자가 되기

우리는 카드들의 의미도 해석해야 하지만, 해석자와 내담자의 관계가 가진 성질은 우리에게 치료자의 역할도 겸하기를 요구한다. 이 장은 우리가 다른 사람을 위해 카드를 해석할 때 일어나는 문제들을 다루고 있으며, 훌륭한 카드 해석은 내담자의 진정한 필요와 문제들을 잘 다루는 것임을 보여 준다.

취미 또는 전문적 상담

많은 사람들이 타로 카드를 취미 삼아 즐긴다. 그러한 취미를 직업으로 삼는 것은 큰 변화다.
어떤 사람들은 서서히 자연스럽게 그런 길로 들어서게 되지만, 다른 사람들은 의식적으로 선택한다.
어느 쪽이건 상담자가 된다는 것은 처음에는 긴장되는 일이다.
하지만 반드시 전문가가 되어야만 상담을 시작할 수 있는 것은 아니다.

상담자가 된다는 것은 가족이나 친구, 동료들이 아닌 외부 사람들을 위해 타로를 해석해 준다는 것을 의미한다. 타로 카드의 기술을 향상시키려면, 다른 사람들을 위한 카드 해석을 빨리 시작할수록 더 좋다. 실제로 실습해 보고 직접 경험해 보는 것이 가장 좋은 스승이다. 그러나 무엇보다 중요한 것은 바로 내담자라는 사실을 결코 잊지 말아야 한다. 따라서 상담 중에 일어날 수 있는 여러 문제들에 익숙해져야만 한다. 이 장은 실습을 시작하고 치료자의 역할을 배우는 데 도움이 될 수 있는 몇 가지 지침을 제시하고 있다.

시작하기

처음 시작할 때는 내담자들이 당신에게 배우는 것보다 당신이 내담자에게 배우는 것이 더 많을 것이다. 그러나 우리 모두는 어떤 식으로든 시작을 해야 하며, 당신이 초보자라는 것을 내담자에게 알려 준다고 해도 해로울 것은 없다. 게다가 당신은 아마도 공짜나 미미한 대가를 받고 타로 해석을 해 줄 것이므로 기꺼이 실험 대상이 되어 줄 사람을 구하기는 어렵지 않을 것이다.

그러나 가능한 한 빨리 전문가 수준의 상담료를 받기 시작하는 것이 중요하다. 그러면 당신은 자신이 하는 일에 가치를 부여하게 되고, 내담자 또한 십중팔구 당신의 해석에 더 큰 가치를 두게 될 것이다. 전문가 수준의 상담료는 당신이 제공할 내용에 대한 신뢰, 당신에 대한 내담자의 신뢰, 카드 해석에 대한 당신의 신뢰를 말해 준다. 대가를 요구하지 않는 것은 비난을 회피하는 한 가지 방법이다. 실패에 대한 두려움과 내담자를 만족시켜 주지 못할 것이라는 두려움은 자연스러운 것이다. 나 역시 아직도 새로운 내담자를 만나기 전에는 긴장이 되고, 만족시켜 주지 못할까 봐 걱정된다. 그러나 우리가 명심해야 할 점은 모든 종류의 상담과 마찬가지로 우리는 내담자의 문제를 해결해 주기 위해 있는 것이 아니라는 것이다. 우리는 요술 지팡이를 갖고 있지 않으며, 만약 우리가 갖고 있다고 생각한다면 그것은 교만이다. 중요한 것은 대화하는 것이고 내담자가 말하는 내용이며, 어떻게 해석을 전달하고 어떻게 그 해석을 내담자와 당신 모두에게 의미 있는 경험으로 만들 것인가 하는 것이다.

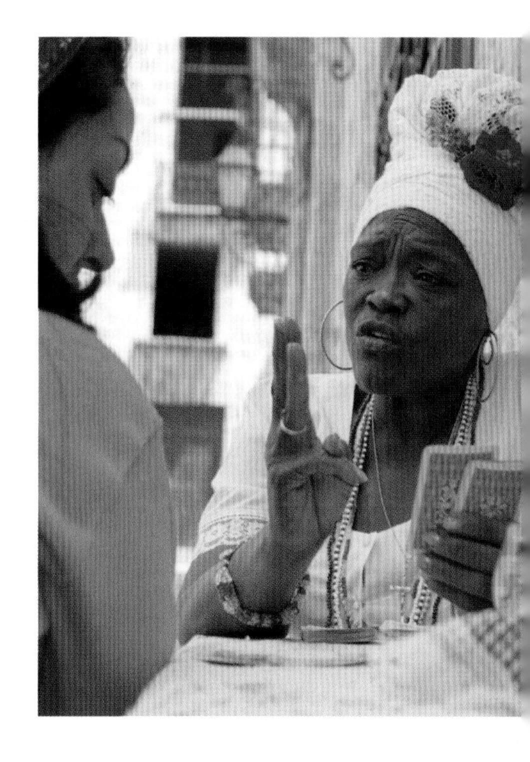

상담에서 중요한 점은
가장 본질적인 것
즉 내담자를 잊지 않는 것이다.
따라서 상담 과정에서
일어날 수 있는 온갖 종류의
문제들에 충분히 익숙해져야 한다.

비밀 유지와 윤리

상담하는 도중에 당신은 내담자가 털어놓는 내용은 결코 밖으로 새 나가지 않을 것이라는 점을 재확인해 줄 필요가 있을 수 있다. 타로 해석자로서 당신은 온갖 이야기를 다 듣게 될 것이다. 나는 불륜에서 근친상간까지 모든 문제를 다루어 보았다. 이런 이야기들은 매우 민감한 문제들이어서 내담자는 아마도 다른 곳에서는 이야기하려 하지 않을 것이다. 나는 런던이나 카이로 같은 대도시와 그리스의 작은 마을에서도 타로 해석을 해 주었지만, 공동체의 크기에 상관없이 똑같은 규칙이 적용되어야 한다.

비밀 유지는 당신 자신의 윤리적 원칙 및 도덕관이라는 문제와 나란히 함께 간다. 상담의 세계와 관련된 직업을 갖게 되면 이러한 윤리를 지켜야만 한다. 어떤 문제에도 직면할 마음의 준비가 되어 있어야 하며, 충격적이거나 곤혹스러운 이야기를 들을 수도 있다. 만약 내담자의 눈에 당신이 재판장처럼 앉아 있다고 느껴지면, 내담자는 즉시 입을 다물어 버릴 것이다. 내담자가 당신을 찾아오는 이유는 그 이야기를 다른 누구에게도 털어놓을 수 없다고 느끼기 때문일 것이다. 그리고 우리의 개인적인 의견이 무엇이건 간에 상담은 그런 것을 얘기하는 자리가 아니다. 치료자의 역할을 할 때에는 반발이 아니라 반응을 해야 한다. 왜냐하면 카드 해석자가 할 일은 견해를 제시하는 것이 아니라 타로 카드나 천궁도에서 내담자의 이야기가 상징하는 바를 찾아 주는 것이기 때문이다.

사적인 비밀 보호

집에서 하건 빌린 장소에서 하건, 타로를 할 때는 사적인 비밀을 보호하는 것이 대단히 중요하다. 내담자에게는 누군가가 자기 얘기를 엿듣는 것보다 더 나쁜 것은 없다. 다른 사람이 개인적인 문제를 엿들을 위험성이 있다면 카드 읽기를 시작하기도 전에 방해가 될 것이다. 우리는 카드 해석자로서 다른 사람의 가장 깊은 걱정거리나 비밀을 듣게 된다. 이것은 우리의 특권이므로 친밀한 대화를 이끌 수 있는 안전한 공간을 확보하는 것이 필수적이다. 특히 상담이 한창 무르익을 때 방해를 받는다면, 그것은 상담자와 내담자 모두에게 언짢은 일이다. 따라서 방해의 요소는 최소화시켜야 한다. 만약 방에 전화가 있다면, 자동 응답 상태로 해 놓거나 전화선을 뽑아 놓아야 할 것이다. 만약 주변에 다른 사람들이 있다면, 방문 밖에 "지금은 상담 중입니다."라는 표시를 확실하게 붙여 놓고 문을 닫아야 한다.
다음 장에서는 바람직한 상담 장소에 대한 추가 정보들을 보게 될 것이다.

상담의 실제

아마도 상담자에게 있어서 가장 중요한 것은 들어 주는 능력일 것이다. 내담자의 이야기가 시작되면, 당신의 마음속에서는 즉시 정확한 해석이 진행될 수도 있다. 그러나 내담자가 계속 말을 하도록 놓아두는 것보다 중요한 것은 없다. 만약 당신이 누군가의 말을 주의 깊게 들을 수 있다면, 타로 해석의 상징은 더욱 분명해지고 당신의 분석적인 이해력도 더 깊어질 것이다.

그리고 당신은 내담자가 정말로 중요하게 느끼는 문제에 대해 말할 기회를 주게 될 것이다. 카드 해석의 치료 효과는 바로 여기에 있다. 그래서 나는 드물기는 하지만 '대화 치료법'이라는 상담에 필요한 공간을 만들기 위해 카드를 옆으로 치울 때도 있다.

인정하기

인정한다는 의미는 내담자가 실제로 느끼는 것을 인정하는 것이다. 여기에서 핵심어는 공감이다. 불신이나 조롱 같은 부정적 반응이 조금이라도 보인다면, 그것은 비참한 결과를 초래할 것이며, 내담자로 하여금 당신을 신뢰하지 못하고 멀어지게 하는 가장 확실한 방법이다. 인내심을 가져야 한다. 내담자를 인정하는 데 반드시 필요한 요인은 곧바로 해결책을 찾으려는 태도를 버리는 것이다. 내담자가 들려주는 이야기에 공감한다는 표시를 할 필요는 있지만, 지나치게 할 필요는 없다. 언젠가 나는 내담자의 이야기가 너무나 가슴이 아파 눈물을 흘렸더니 오히려 내담자가 나를 위로해 주었다. 그 후로 나는 충격적인 이야기를 듣더라도 내담자의 아픔을 참아내는 것이 중요하다는 것을 배우게 되었다. 대부분의 경우에는 굳이 말을 많이 할 필요가 없다. 나는 "정말 힘들었겠군요."라는 정도의 말을 하기도 하지만, 대개는 주의 깊게 들어주는 행동 자체만으로 계속 진행하기에 충분한 공감대를 이룰 수 있다.

탐색하기

어떤 문제나 감정을 좀더 깊게 살펴보는 것은 내담자의 경험을 인정하는 행위의 연장이지만, 이 단계에서 해석자는 좀더 분석적이 될 필요가 있다. 즉 "이것은 '무엇'인가?"가 "이것은 '왜'인가?"로 바뀌어야 하는 것이다. 타로 카드 해석에서 탐색은 내담자에 대한 상징을 찾아내는 것으로 시작한다. 이런 사례들을 보려면, 개개의 카드를 설명해 놓은 이전의 장들을 참조하기 바란다. '검 카드'나 '바깥 행성들의 통과'와 같은 무거운 상징을 말하게 되는 것을 두려워하지 말라. 이런 종류의 확인은 내담자에게 오히려 안심이 되는 경우가 많다. 당신은 "다행이네요. 그럼 나는 미치지는 않겠네요."와 같은 말들을 듣게 될 것이다. 다음 장에서는 카드 읽기를 진행하는 방법과 카드 해석을 전달하고 상담하는 방법, 그리고 당신이 보는 것을 말하는 방법에 대해 좀더 상세한 정보를 얻게 될 것이다.

내담자가 원하는 것은 무엇인가?

"이 내담자가 원하는 것은 무엇인가?"를 자신에게 스스로 물어보는 것은 종종 도움이 된다. 만약 이 질문에 대한 답이 명백히 상담이라면, 특히 그 사람이 상징적 수준에 관심이 없다면, 타로 카드나 천궁도는 단순히 대화를 시작하는 출발점으로, 이것이 없으면 여전히 닫혀 있을 문을 여는 열쇠로 기능할 것이다.
그러나 대체로 문제와 감정들이 드러남에 따라 상담의 많은 부분은 치료적인 순간들로 채워진다는 것을 알게 될 것이다. 이 경우에 타로 카드나 점성술은 제쳐 두는 것이 아니라 대화에서 전면에 드러나기도 하고 배경에 가려지기도 하며 교차할 것이다. 내담자의 특정 문제나 감정에 대해 도움이 되는 반응 양식은 다음과 같다.
인정하기 > 탐색하기 > 해결하기

해결하기

카드를 읽는다는 것은 점을 치는 것이 아니라 길잡이와 의미를 찾는 것이다. 그러나 대부분 한 번의 카드 읽기만으로 이상적인 해결책이 나오기를 바랄 수는 없다. 타로를 읽는 우리는 심리 치료의 세계로부터 많은 것을 배울 수 있지만, 우리는 엄격한 의미에서 치료자는 아니다. 그러나 우리가 어쩔 수 없이 치료자의 역할을 해야 할 때가 많다. 이 두 가지 분야를 나누는 주요 요인 가운데 하나는 시간이라는 요인이다. 심리 치료의 경우에는 반복적으로 만나며, 때로는 오랜 기간에 걸쳐 만나는데, 내담자는 이 기간 동안 자신의 문제들을 자신의 속도에 맞추어 털어놓고 해결해 나간다. 그러나 이와 달리 카드 읽기는 대부분 한 번의 만남으로 끝난다.

선택들

타로 해석자가 하는 일은 인간의 조건을 거울에 비춰 주는 것이다. 그러나 이것이 우리가 모든 사람의 문제를 해결할 수 있다거나, 모든 대답을 갖고 있다거나, 모든 현안을 매듭지을 수 있다는 것을 의미하는 것은 아니다. 그럴 수만 있다면 얼마나 좋겠는가. 그러나 대화 자체가 치료의 효과가 있으며, 내담자는 생각해 볼 거리를 풍부하게 가지고 돌아갈 수 있다. 명백한 해결책은 없더라도 아이디어들과 대처 방안들이 자연스럽게 떠오르는 경우가 많을 것이다. 누군가가 어떤 문제로 힘들어하고 있다면, 넌지시 암시를 해 주되 지시적으로 해서는 안 된다. 그래서 나는 종종 "이런 점을 생각해 봤나요?" 또는 "이렇게 하면 어떨까요?"와 같은 말을 사용한다. 그리고 선택권과 선택의 대안들에 관한 문제들을 제기하기를 좋아한다. 이것들은 우리의 문제들이 운명적이라든가, 이런 문제들을 우리가 어찌할 수 없다는 쓸모없는 생각들에 도전하기 때문이다. 선택할 수 있다는 것을 인식하는 것 자체가 변화의 강력한 촉매제로 작용할 수 있다.

자기 방어
저항은 치료적인 목적으로도 이용될 수 있다. 만약 어떤 사람이 자신의 방어물을 버리려 하지 않거나 버릴 수 없다면, 이것은 아마도 어떤 합당한 이유가 있기 때문일 것이다. 그는 아직 준비되지 않았으며, 만약 그런 방어물들이 벗겨진다면 상처를 받게 될 것이다.

조심스럽게 걷기

어떤 형태이건 저항이 일어날 때마다 "이것은 무슨 의미인가?"라고 자문하는 것은 언제나 도움이 된다. 당신은 상담 자체에 대한 저항뿐 아니라, 때때로 당신의 해석이나 더 깊이 들어가려는 당신의 노력에 대한 저항에 부딪히게 된다. 그럴 때는 어떻게 해야 하는가? 첫째 규칙은 조심스럽게 걷는 것이다. 이곳은 카드 읽기와 심리 치료가 겹치기보다는 충돌하기 쉬운 곳이기 때문이다. 남이 털어놓기를 꺼리는 문제를 파헤치려 하는 것은 남의 인생을 침범하고 손상시키는 행위일 수 있다. 내담자의 진실을 인정하고 억지로 파헤치려 하지 말라. 그것은 내담자와 당신 모두에게 유익할 것이 없기 때문이다. 가능한 한 저항을 줄이도록 노력하라. 그것이 이 단계에서는 잘못된 진실이거나 해석일 수 있다는 것을 받아들여라. 해석은 의견에 가까운 것이며, 하나의 진실을 나타낼 뿐 반드시 진리를 나타내는 것은 아니라는 것을 잊지 말아야 한다.

저항

모든 관계들에서도 그렇듯이 어떤 내담자들은 다른 사람들보다 대화를 하기가 더 쉽다. 어떤 사람들은 당신과 함께 기꺼이 자신의 문제를 탐색하고 카드가 상징하는 개념을 빨리 받아들이는 반면, 어떤 이들은 조용하고 냉담하며 자신의 이야기를 쉽게 털어놓으려 하지 않을 것이다. 대화가 잘 되지 않는 사람을 만나면 거리감을 메우기 위해 혼자서 계속 이야기하고 싶은 충동이 자연스럽게 들겠지만, 이런 충동은 자제해야 한다. 바깥에 있는 사람을 끌어들이기 위해 너무 오래 애쓰지 말기 바란다. "어떤 기분이 드나요?" 와 같은 단순한 질문을 하고 내담자에게 대답할 시간을 주기 위해 얼마간 침묵하는 것은 매우 효과적일 수 있으며 당신과 내담자 모두에게 올바른 방향을 가리켜 줄 수 있다.

도전하기

한 사람의 의견이나 견해에 당신이 어느 정도까지 도전할 수 있다고 느끼느냐는 개별적인 카드 읽기에 따라 다르다. 황금률은 다음과 같다. 의심이 된다면 그만두라. 당신의 상식과 직관을 사용하라. 그러면 당신은 곧 그 사람이 얼마나 당신의 말을 들을 준비가 되어 있는지 혹은 변화할 준비가 되어 있는지에 대한 직감을 발달시킬 수 있을 것이다.

그러나 어떤 경우에는 직접적인 개입이 큰 효과를 낼 수 있다. 분석적인 언어로는 이것을 '기습 돌격'이라고도 부른다. 다시 말해서 이것은 어떤 사람이 스스로를 속이고 있는 것을 당신이 알아차리고 그것을 건드리는 순간을 말한다. 이 방법은 특히 내담자가 자신이 말하는 바를 스스로 믿지 못하고 있음이 확실할 때 사소한 저항을 다루는 데 효과적이다. 우리는 모두 자신의 이미지에 관한 '각본'을 가지고 있다. 하지만 우리는 간혹 그것을 계속해서 고쳐 쓰고 새롭게 갱신해야 한다는 것을 잊는다. 우리의 각본을 드러내는 언어들은 보통 부정적이며, "나는 항상 무일푼이야." 혹은 "나는 결코 좋은 파트너를 찾을 수 없을 거야."와 같이 '항상'이나 '결코'라는 단어를 포함할 때가 많다. 이런 종류의 언어를 들을 때마다 나는 그것에 도전한다.

기대들

내담자의 기대들은 두 가지 범주로 구분되는 경향이 있다. 하나의 범주는 전에 카드 읽기를 경험해 보았고 무엇을 기대할 수 있는지를 잘 알고 있는 내담자들이고, 다른 범주는 전에 카드 읽기를 해 본 적이 없고 무엇을 기대할 수 있는지를 모르고 있는 내담자들이다. 어느 쪽이든 나는 처음에 나의 기본 접근법을 설명한다. 이 부분에 대해서는 다음 장에서 논의할 것이다.

기대들

나는 앞에서 타로 카드 해석자가 마술 지팡이나 즉효약을 갖고 있는 사람은 아니라고 말했다. 나는 타로 해석자를 타고난 투시력을 지닌 사람으로 여기는 그릇된 오해를 빨리 없애기를 좋아한다. 타고난 투시력과의 비교는 1장에서 언급했다.

이 책의 머리말에서 나는 타로 해석자가 어떻게 3중의 역할을 해야 하는지, 즉 예언자와 해석자, 치료자가 하나로 합쳐진 역할을 해야 하는지에 대해 설명했다. 타로의 상징을 파악하는 것, 카드에서 보는 내용을 내담자에게 들은 이야기와 연결하여 해석하는 법을 터득하는 것은 타로 해석자의 기본적인 도구들이다. 당신은 카드 읽기를 할 때마다 새로운 것을 배우고 경험을 쌓게 될 것이다.

임시 치료사라는 입장은 쉽지 않은 위치이며, 스스로 치료를 받아 보거나 단기 상담 과정을 이수한다면 많은 도움이 될 것이다. 상담 기법을 배우는 문제에 관해서는, 직접 경험을 해 보면서 난관을 극복해 나가는 것 외의 다른 대안은 없다.

결과를 얻지 못할 때

타로 해석자들에게 가장 큰 두려움은 아마도 아무런 결과를 얻지 못하는 경우일 것이다. 이런 일이 일어나지 않는 것은 아니지만, 나에게는 지난 15년간 단 세 번 일어났다. 한 번은 점성술을 할 때, 두 번은 타로 카드를 할 때였다. 이런 경우가 생기면 반드시 내담자에게 말해야 한다. 그런 경우에 나는 상담을 끝내고 보수를 거절했다. 나는 이렇게 아무것도 읽지 못하는 카드 읽기가 생기는 것은 어떤 이유가 있어서라고 믿는다. 다행히도 대부분의 상담에는 보상의 순간이라는 정당한 몫이 있다.

내가 가장 꺼리는 카드 읽기는 다룰 만한 실제적인 문제가 없는 경우이다. 누군가가 자신의 삶에서 막다른 골목에 이르렀지만 아직 다음 단계를

자신의 각본을 고쳐 쓰기

한 젊은 여성이 여행 중에 만난 남자에 대해 질문했다. 그러고는 곧 자기는 '특별한 관계' 운운하는 것에 대해 믿을 수가 없고, 그가 다시 연락을 하건 말건 '정말로 신경 쓰이지' 않는다고 공언했다. 이것은 명백한 모순이었다. 그래서 나는 그녀의 눈을 똑바로 보면서 "정말 그런가요?" 하고 물었다. 그녀는 머뭇거렸지만, 그녀의 수줍은 웃음은 내 질문으로 인해 우리 사이에 공모의 가능성이 깨어졌음을 보여 주었다. 나는 부드럽게 덧붙였다. "내가 보기에 당신은 신경을 쓰는 것 같아요. 하지만 당신은 그런 일이 일어나지 않을 때 겪을 고통을 피하기 위해 자신에게 그렇게 말하고 있는지도 모르겠네요."

그냥 카드를 읽으면서 질문에 답해 주면 되지 않겠느냐는 의문이 들지도 모른다. 그녀가 이 남자를 다시 만날 것인가, 안 만날 것인가? 그 질문에 대한 답은 카드 읽기에 나왔고, 대답은 사실 '아니오' 였다. 그러나 거기에서 멈춘다면 점치는 것에 불과할 것이다. 카드 읽기의 진정한 힘은 내담자로 하여금 스스로 부인하고 있는 것을 볼 수 있게 하는 것이다. 내 질문은 심리적인 순간을 포착했고, 비록 자신의 진정한 욕구가 만족스럽지 않더라도 그것과 분리되는 대신 그것을 인정하도록 요청한 것이었다. 그런 순간의 가치는 진실 및 진정한 우리 자신과 연결되는 것이며, 우리의 믿음이나 행위의 진짜 이유와 연결되는 것이다. 이 젊은 여성의 각본은 "만약 내가 어떤 남자라도 사귀면, 그는 항상 나를 떠난다."는 것이었다. 우리의 각본을 고쳐 쓰는 법을 배우면, 우리는 부인과 부정의 쳇바퀴를 벗어나 자기 개발과 자각의 길로 들어서게 된다.

보지 못하고 있을 때, 그는 막연해 보일 수 있으며 텅 빈 종이를 내어 놓고 당신이 그 위에 뭔가를 써 주길 바랄 것이다. 다시 말하지만, 토끼를 모자 밖으로 끌어내는 것은 타로 해석자의 역할이 아니다.

교훈을 얻은 사례

어느 50대 여성을 위해 카드 읽기를 한 일이 생생히 기억난다. 그녀는 내 옆에 앉아서 아무 말도 하지 않았고, 적대적이지는 않았지만 준비 단계의 대화를 하려는 나의 시도에 저항했다. 대부분의 내담자는 자발적으로 정보를 내놓기 전에 당신이 말하는 것을 먼저 듣고자 하기 때문에 이런 경우가 드물지는 않다. 그러나 그녀의 신체 언어는 그녀가 매우 긴장되어 있다는 것을 보여 주고 있었다. 그래서 나는 그녀가 전에 타로 카드를 접해 본 적이 한 번도 없고 무엇을 기대해야 할지도 모른다고 생각했다. 그녀는 곧바로 핵심으로 들어가고 싶어 하는 것 같았다. 그래서 그녀의 가까운 과거를 나타내는 카드에 검 3번 카드가 나오자, "마음의 상처를 받았군요."라고 말했고 그녀는 웃으며 고개를 끄덕였다.

이것은 누군가의 경험을 인정하는 것이 얼마나 치료적일 수 있는지를 보여 주는 완벽한 사례였다. 카드에 대해 장황하게 묘사하는 대신에 단순히 고통을 인정한 것이 카드 읽기를 순조롭게 출발하게 해 준 것이다. 뒤에 나온 카드들이 매우 긍정적인 그림들이어서 나는 그녀가 이혼을 통해서 완전히 새로운 삶을 시작하게 되고 참된 자아로 돌아가게 될 것이라고 얘기해 줄 수 있었다. 또한 그때까지 계속되었던 금전 관련 분쟁도 그녀에게 유리하게 해결될 것이라고 말해 주었다.

그녀가 다른 문제들에 대해서는 알고 싶어 하지 않았기 때문에 이 카드 읽기는 매우 빨리 진행되었다. 사실, 너무 빨리 끝나는 바람에 나는 그녀에게 비용을 덜 받겠다고 얘기했다. 나는 카드 읽기를 하면서 시간을 길게 끄는 내담자들에게 너무나 익숙해져 있었기에 그녀에게는 시간을 너무 적게 썼다는 죄책감이 들었기 때문이다. 그러나 그녀는 환하게 웃으며 내 책상 위에 전액을 올려놓았고 활기찬 발걸음으로 떠났다. 모든 긴장이 사라지자 그녀는 마치 다른 사람처럼 보였다.

이 카드 읽기는 그녀에게 매우 감동적이었으며 나에게도 마찬가지였다. 왜냐하면 카드 읽기를 하는 데 얼마나 많은 시간을 들이느냐는 사실 별 의미가 없다는 것을 이 사례가 나에게 일깨워 주었기 때문이다. 상담의 진정한 가치는 상호 간에 일어나는 주고받음에 있으며, 카드를 통해 드러나는 것을 잘 알아차리는 내담자와 카드 해석자에게 있다. 얼마나 오랫동안 이야기했느냐보다는 무엇을 이야기 했느냐가 더욱 중요한 것이다.

6

실전에서 해석하기

이 장은 카드 읽기의 실제적인 세부 사항을 다룬다. 여기에서는 카드 읽기를 준비하고 작업 공간을 마련하며 시작부터 끝까지 카드 읽기를 진행해 가는 방법 등을 다룰 것이다. 쉽고 빠르게 배우고 사용할 수 있는 간단한 배열의 예들도 수록했다.

준비 작업

카드 읽기를 준비할 때 가장 중요한 요인은 당신 자신과 내담자 모두에게 당신이
얼마나 신체적, 정신적으로 준비되어 있는가이다. 내담자와의 약속은 내담자 자신에게 중요한 만큼
당신에게도 중요해야 한다. 내담자를 만나고 인사하는 것이
상담의 중요한 부분이라는 것을 잊지 말아야 한다.

당신이 사용할 타로 카드는 선물로 받은 것이어야 한다고 생각하는 사람들이 있다. 이것은 괜찮은 생각이긴 하지만 본질적인 것은 아니다. 내가 처음 갖게 된 타로 카드는 15년 전에 구입한 것인데, 아직도 그것을 사용하고 있다. 카드는 오래되어 닳았고 모서리가 구겨졌지만, 나는 결코 이 카드를 버리지 않을 것이다. 나는 이 카드들이 펼쳐놓았던 모든 이야기들의 경험이 어느 정도 이 카드들에 스며들어 있다는 생각이 든다. 그리고 새로운 카드 읽기를 준비하기 위해 이 카드를 꺼내어 다룰 때마다 느껴지는 연대감과 친숙함을 사랑한다.

당신의 카드를 보살피는 것은 하나의 의식이며, 당신의 기술에 필수적인 한 부분이다. 전통적으로 타로 카드는 되도록이면 검정색이나 자주색의 네모 반듯한 실크 보자기에 언제나 싸여 있어야 하며, 카드를 읽을 때 실크 보자기는 두 겹으로 접혀서 밑에 깔려 있어야 한다고 한다. 나는 나의 카드를 네모 반듯한 자주색 실크 보자기에 싸서 주머니 끈이 달린 평직의 면 주머니에 보관한다.

카드는 카드 읽기를 할 때나 연습할 때를 제외하고는 절대 풀지 말아야 하고, 다른 사람이 호기심에서 가지고 놀도록 해서도 안 되며, 보통의 놀이

카드처럼 아무 데나 두어서도 안 된다. 나는 카드 읽은 것을 기억하고 싶을 때에는 즉시 그 내용을 기록하고 나서 카드를 치운다. 당신의 카드를 사랑과 존경, 경건함과 경외심으로 대하라. 왜냐하면 그것은 언제나 당신의 가장 매혹적인 소지품 가운데 하나일 것이기 때문이다.

작업 공간

다른 많은 카드 해석자들과 마찬가지로 나는 예전에 카페 탁자에서, 기차에서, 침대 위에서, 해변에서, 모퉁이에서, 그 밖의 많은 장소에서 카드를 읽었다. 그래서 지금은 이상적인 작업 공간에 대해서 이야기할 수 있다.

대체적인 집기와 배치 부분에서 가장 중요한 점은 기본적인 신체 언어가

타로 카드를 사용하지 않을 때는 잘 싸서 보관하는 것이 중요하다.

상담의 성공에 어떤 영향을 끼칠 수 있는지를 알아야 한다는 것이다. 치료를 위해서는 편한 의자가 좋겠지만, 타로 읽기를 위해서는 등이 똑바른 의자와 말끔히 정돈된 작업 공간이 필요하다. 탁자를 사이에 두고 내담자와 마주 앉는 것을 피하라. 이것은 대결적이고 권위적인 배치이며, 중간의 탁자가 장벽으로 작용하기 때문이다. 나는 항상 내담자와 나란히 앉는다. 이렇게 하면 우리 가운데 누구도 카드를 비스듬한 각도나 거꾸로 보는 일이 없게 된다.

준비

가장 중요한 것은 당신이 자신과 내담자를 위해 신체적, 정신적으로 준비가 되어 있는 것이다. 당신이 가장 최근에 한 상담을 되짚어 보고 그때 어떤 기분이었는지를 기억해 보라. 당신은 긴장했는가, 흥분했는가, 염려했는가, 혹은 수줍어했는가? 당신은 앞으로의 일에 확신을 갖지 못했는가? 진행되는 일을 이해하고 있었는가, 아니면 자신이 바보처럼 느껴졌고 하고 싶지 않은 질문을 했는가? 기억해야 할 것은 당신의 내담자도 정도의 차이는 있겠지만 이러한 불안이나 흥분의 상태에 빠질 것이며, 당신이 그 동안 아무리 많은 카드 읽기를 했어도 이 내담자에게는 이 카드 읽기가 처음일 수 있다는 점이다.

내담자와의 약속은 상담자와 내담자 모두에게 똑같이 중요한 것이다. 만약 내담자가 도착했을 때, 당신이 전화를 받고 있거나 정리를 계속하고 있거나 어떤 물건을 찾으러 다니고 있다면, 그는 분명 낙담하거나 화가 날 것이다. 이것은 당연한 반응이다. 당신의 내담자는 당신이 상담할 준비가 되어 있고 자신을 기다리고 있다는 것을 알 필요가 있다. 그러므로 내담자를 맞이하고 인사하는 순간이 상담의 중요한 부분임을 명심하라.

정신적인 준비 면에서도 당신은 단순하게 정리될 필요가 있다. 당신이 내담자에게 집중하고 그의 문제에 충분히 몰입할 수 있도록 개인적인 일들은 잠시 옆으로 치워 놓아야 한다. 당신은 또한 가장 예민하게 느낄 수 있는 상태가 되어야 한다. 그래서 나는 전날 밤에 중요한 일정이 잡혀 있을 때에는 다음 날의 예약을 받지 않는다. 그리고 연속해서 너무 많은 상담을 하는 것을 좋아하지 않는다. 어떤 상담자들은 전혀 피곤한 기색 없이 몇 시간이고 계속할 수도 있지만, 나는 완전히 탈진한 기분이 된다. 자신에게 가장 효과적인 작업 기간과 중단 시점을 알 필요가 있다.

나는 또한 상담 장소가 깨끗하고 상담과 직접적으로 무관한 것들이 없을 때 더욱 효과적으로 카드를 읽는다. 나는 내 자신과 내담자를 위해 타로 카드와 음료수, 시계, 종이 그리고 펜을 준비하는데, 화장지는 반드시 준비해야 하는 필수품이다. 민감한 문제를 다루거나 상처 입기 쉬운 상태에 있는 내담자와 상담 중일 때에는 순식간에 걷잡을 수 없이 눈물이 쏟아질 수 있기 때문이다.

여성적인 직업

나 자신의 경험에 의하면 약 90%의 카드 읽기는 여성을 위한 것이었다. 앞에서 소개한 사례들을 읽으며 이미 짐작했을 것이다. 그리고 나는 이 분야에 있는 대부분의 상담자들도 마찬가지일 것이라고 생각한다. 이것은 점치는 것의 영역이 본질상 대체로 달 또는 여성적인 것이기 때문이다. 그것은 본능이나 느낌, 뉘앙스, 그림자와 감수성이라는 밤의 세계에 속한다. 남성적인 것은 본질적으로 태양에 속하며, 삶이 가시적이고 명백한 낮의 세계에 속한다. 상징들은 본래 분명한 경우가 드물며 언제나 해석에 따라 달라질 여지가 있다.

시작하기

내가 알고 있는 타로 해석자들은 저마다 다른 방식으로 작업을 한다. 다른 모든 기술과 마찬가지로 문제는 자기만의 기법과 체계를 개발하고 자신에게 가장 잘 맞는 것을 찾아내는 것이다. 유일하게 지켜야 할 원칙은 일관성이다. 일단 자신에게 가장 잘 맞는 방법을 찾았으면, 그것을 고수하고 결코 바꾸지 말아야 한다. 이런 식으로 당신은 자기만의 의식(儀式)을 만들어 낸다.

몇 분 동안 사소한 이야기를 하면 긴장이 풀리고 분위기가 좋아진다. 날씨에 관해 이야기할 수도 있고, 내담자가 다녀온 여행이나 벽에 걸린 그림에 대해 이야기할 수도 있다. 내담자를 만날 때는 이런 식으로 여느 사람들을 처음 만날 때처럼 대화를 시작하면 된다. 당신은 사소한 것에서부터 시작하여 더 깊고 개인적인 문제들로 옮겨 가게 된다. 새롭게 맺는 관계가 얼마나 빨리 발전하느냐는 서로의 꺼풀을 얼마나 효과적으로 벗겨 낼 수 있느냐에 크게 좌우된다. 이것은 한순간에 이루어질 수도 있고 몇 년이 걸릴 수도 있다. 그러나 내담자와 만나는 시간은 대체로 한 시간 미만일 것이며, 이것은 내담자와 상담자의 만남이 왜 그처럼 집중적일 수 있는지를 설명하는 한 가지 원인일 것이다.

여러 가지 잡담으로 대화를 시작하면서 나는 카드 주머니를 열어 카드를 꺼내고, 그것을 싸고 있던 실크 보자기를 테이블 위에 깔아 놓는다. 계속 진행을 하기 위해 나는 내담자에게 이전에 어떤 형태로든 카드 읽기를 해 본 적이 있느냐고 물어본다. 만약 대답이 '예'라면, 곧이어 어떤 종류의 타로 읽기를 했는지, 언제 해 보았는지, 재미있었는지, 기대하던 수준의 결과를 얻었는지 등등의 것들을 물어본다. '아니오'라고 대답하면, 나는 곧바로 내가 작업하는 방식에 대해 설명을 한다.

카드 읽기

많은 타로 해석자들은 시작할 때 내담자에게 특별히 궁금한 문제가 있는지 물어본다. 그러나 내게는 이런 방법이 효과가 없었다. 모두가 특정한 문제를 갖고 있는 것은 아니며, 그런 문제들을 갖고 있는 사람들은 이런저런 이유로 문제를 꺼내 놓기를 꺼릴 때가 많다. 그들은 타로 해석자가 먼저 그 문제를 알아차리기를 바라는 것이다. 이미 말했듯이 나는 개인적으로 전혀 알지 못하는 사람을 위해 카드를 읽어 주는 것이 더 좋다. 왜냐하면 아무것도 모르는 상태로 카드를 읽는 편이 해석자나 내담자에게 대체로 훨씬 더 효과적인 타로 읽기가 되기 때문이다.

나는 처음에는 무엇이 나타나는지를 보기 위해 언제나 일반적인 카드 배열을 한다고 설명하며, 주된 문제는 대부분 곧바로 나타난다는 점을 덧붙인다. 그렇지만 일반적인 카드 배열에서 나타나지 않는 어떤 문제가 있다면, 그 뒤에 특정한 질문에 관해 다른 배열을 할 수 있으므로 결국에는 내담자가 궁금해 하는 문제들에 대한 결과를 볼 수 있다.

대부분의 사람들은 15분에서 20분 정도 다른 사람의 말을 듣고 나면 집중력이 약해지거나 사라진다는 것을 명심해야 한다. 이 때문에 나는 가능한 한 빨리 대화를 진행시키며, 설명에서 대화로 옮겨 간다. 카드 읽기를 시작하기 전에 나는 내담자에게 하고 싶은 말이 도중에 생길 것이며, 또한 그와 확인할 필요가 있는 다른 부분들도 생길 것이라고 말한다. 바꿔 말하면, 정확한 해석은 상황의 맥락에 많이 달려 있는 것이다. 해석자가 혼자서 너무 많은 말을 할 때 발생할 수 있는 다른 위험성은 내담자가 터놓고 말할 기회를 차단해 버릴 수도 있고, 정말로 중요한 것을 가리키는 주요한 암시들을 놓치게 될 수도 있다는 것이다.

떨어진 카드
나는 내담자가 카드를 섞다가 떨어뜨리는 카드를 언제나 주의해서 보며, 그것들을 기억해 두거나 실크 천의 한쪽에 따로 놓아둔다. 이것은 중요한 것은 나타나고 보일 것이라는 기본적인 원칙과 관계가 있다. 때로는 카드 한 장이 튀어 나오는 것처럼 보일 것이다.

카드 섞기와 다루기

나는 상담을 시작할 때 내담자와 이야기를 하면서 카드를 섞는다. 그런 뒤에 내담자에게 카드를 섞어 달라고 부탁하는데, 중요한 것은 카드를 다룬다는 점이라고 설명하고 준비가 되면 다시 카드를 돌려 달라고 한다. 내담자에게 카드를 섞을 때는 말을 하지 말라고 요청하지만, 내담자에게 질문할 내용에 대해 생각하라고 부탁하지는 않는다.

어떤 해석자들은 카드를 섞은 다음 내담자에게 패를 떼어 달라고 요청하고, 다른 해석자들은 내담자가 섞어 놓은 카드의 맨 윗장부터 놓는다. 나는 다른 방식을 선호한다. 내담자가 카드를 섞은 뒤에 나에게 돌려주면, 나는 카드를 실크 보자기 위에 부채꼴로 펼쳐 놓는다. 내담자에게 그 가운데 10장을 골라내게 한 뒤 그림면이 바닥을 향하게 하여 하나씩 밑에서부터 쌓으라고 한다. 이렇게 하면 내담자가 좀더 작업에 관여하게 하고, 당신과 내담자와 카드 사이의 유대 관계가 더욱 강해진다고 느낀다. 그리고 처음에 뽑힌 카드가 중요한 결과 카드인 마지막 카드로 놓이게 된다는 것을 의미한다.

카드 섞기
내담자가 반드시 능숙하게 카드를 섞을 필요는 없다. 중요한 것은 내담자가 카드를 다룬다는 것이다.

나는 내담자가 카드를 선택할 때 항상 마음속으로 카드 숫자를 세고 있다. 카드를 선택하는 데 너무 몰두해 있다 보면 종종 실수할 수 있기 때문이다. 또한 내담자가 카드를 선택하는 방식을 유심히 본다. 통찰력을 주기 때문이다. 어떤 사람들은 카드를 천천히 고르는데, 이것은 흙이나 물의 유형과 관련이 있다. 반면에 재빨리 고르는 사람들은 불이나 공기의 유형과 관련이 있다.

나는 내담자가 뽑지 않은 나머지 카드를 집어 들고

카드 읽기를 시작한다. 켈틱 크로스 배열로 카드를 놓으면서 항상 두 장의 과거 카드를 먼저 본다. 이것은 미래를 예언하는 것과는 반대로 과거사를 돌이켜 보는 것으로서 내담자를 상징의 세계로 끌어들이는 데 유용하다.

거꾸로 나온 카드

일단 내담자가 열 장의 카드를 고르고 나면, 나는 나머지 카드들을 한곳으로 모아 옆으로 치워놓는다. 그리고 전통적인 켈틱 크로스 형태로 배열하면서 차례로 카드를 뒤집는다. 모든 타로 해석자들이 거꾸로 된 카드를 이용하는 절차를 밟지는 않는다. 이 절차는 거꾸로 된 카드에 정반대의 의미를 부여하는 것을 말한다. 예를 들어, 바르게 나온 컵 3번 카드는 기쁨과 축하의 의미가 되겠지만, 거꾸로 나온 카드는 어둠과 불운의 신호가 될 것이다. 개인적으로 나는 지금까지 거꾸로 나온 카드가 의미 있는 내용을 알려주는 것을 보지 못했고, 해석의 효과를 증대시켜 주지도 못했다. 그 대신에 나는 긍정적인 카드가 어려운 카드들 사이에 끼어 있으면 무효가 되거나 복잡해질 수 있다는 것을 알게 되었다. 켈틱 크로스 배열에서 주된 이슈나 문제를 드러내는 카드는 중심 카드 위에 교차된 카드일 때가 많다.

카드 해석하기

타로가 주는 즐거움 중의 하나는 점성학과는 달리 대단히 직접적이고 시각적으로 생생하다는 점이다.
점성학은 초보자들에게는 의미 없는 그림 문자들처럼 보인다.
당신은 타로 카드로 그림을 설명하면서 시작할 수 있는데, 그러면 자연스럽게 그 의미가 전달된다.

예를 들어, 심판 카드 그림은 관에서 일어나 양손을 내뻗고 있는 인물들이 있다. 이것은 명백하게 생명이 다시 돌아온다는 부활의 카드이므로 새로운 시작과 새로운 출발이라는 주제로 안내한다. 당신이 이 의미를 만들어 내고 있지 않음이 분명한 것이다. 나는 또한 과거 카드에서 더 많은 의미를 찾아낼수록, 이 첫 번째 배열에서 전반적으로 더 많은 의미를 찾아낼 수 있다는 것을 알게 되었다. 그러나 아무런 의미를 찾아내지 못해도 낙담하지 않는 것이 중요하다. 이런 일이 발생하면, 나는 배열의 나머지 카드들을 본 뒤에 다시 과거 카드로 돌아올 수 있다고 말하면서 계속 진행한다. 그러면 때때로 완전히 새로운 시각을 주는 이야기가 나타날 것이며, 계속 진행해 가면서 과거 카드들의 의미를 전체 이야기 안에서 통합할 수 있게 된다. 그 뒤에는 중심 카드와 그 위에 교차되어 있는 카드에 집중한다. 이 두 카드의 결합은 내담자가 현재 어디에 있고, 그의 가장 큰 관심사의 본질이 무엇이며, 그에게 맨 먼저 떠오르는 생각이 무엇이고, 내담자에게 방해가 되는 것이 무엇인지를 변함없이 말해 준다. 나머지 카드들은 앞으로 닥칠 일을 말해 주며, 결과로 이끌 일련의 사건들을 보여 준다. 그러나 각 카드의 위치의 의의에 대해서는 나중에 다양한 배열의 장점과 의미를 살펴보면서 자세히 설명할 것이다.

피해야 할 질문들

메이저 아르카나 카드를 다룰 때 카드 읽기 사례를 얘기하면서 나는 다루기를 거절하는 두어 가지 주제에 대해 언급했다. 가장 명백한 것은 죽음에 대한 질문들인데, 앞서 13번 카드인 죽음 카드와 직접 관련지어 이 문제를 얘기했다. 나는 카드를 잘못 해석할 수 있다는 문제 때문에라도 그런 질문들에 답하려고 애쓰는 것은 비윤리적이라고 믿는다. 타로나 점성학의 해석은 우리가 삶을 다루는 데 실제적, 정신적, 영적으로 도움을 주기 위해 있는 것이지, 우리가 언제 이 속세의 사슬을 벗어 버릴 운명인지를 말해 주기 위한 것이 아니다.

메이저 아르카나 3번 카드인 여황제 카드와 관련해서는 "내가 언젠가는 아기를 가질 수 있을까요?"와 같은 질문을 피한다. 사실, 나는 "내가 언젠가……?"로 시작하는 질문들은 피하려고 애쓴다. 왜냐하면 이것은 일반적으로 전후 상황에 관한 정보가 부족하고 점을 칠 수 있는 틀이 없기 때문이

제3자에 관한 질문

나는 내담자의 관심사와 직접적인 관련이 없는 다른 사람들에 대한 질문, 즉 제3자에 대한 질문은 피하려고 애쓴다. 그러한 질문들은 흔히 모호하며 "내 언니에게 무슨 일이 일어나고 있나요?" 등과 같이 형제와 자녀들에 대한 것들이다. 이럴 때는 대부분 지금은 자매가 아니라 본인을 위해 카드를 읽는 시간이며, 언니는 자신이 직접 문제를 내놓아야 할 것이라고 지적한다. 그러나 "언니가 지원한 새 직장에 취직하게 될까요?"와 같이 진정한 사랑과 관심을 가지고 구체적으로 묻는 것이라면 그런 질문은 받아 주곤 한다.

다. 그리고 이런 종류의 문제들은 "내가 결혼하게 될까요?" 등과 같이 몹시 바라고 있는 어떤 것과 관련이 있다. 몹시 갈망하거나 심지어 필사적으로 원하는 것에 관한 질문에 부정적인 대답을 주면, 내담자를 망연자실하게 만들고 큰 해를 끼칠 수 있다. 이런 질문들을 하는 내담자를 설득하는 좋은 방법은 사실 타로 해석은 현재나 6개월 이내에 일어날 일들을 다룰 뿐, 먼 미래의 일까지 다루는 것은 아님을 일깨워 주는 것이다.

보는 것을 말하기

때때로 카드를 해석하면서 완전히 몰입되어 물 흐르듯이 진행하고 있는데, 갑자기 어느 한 단어, 한 구절, 혹은 완전한 한 문장이 머리 속에서 메아리치고 있다는 것을 알아차릴 때가 있다. 사람들은 이것을 심령 작용이라고 부를 수도 있고 직관이라고 부를 수도 있다. 나는 이런 현상이 부분적으로는 일대일 상황에 몰입된 상태에서 모든 에너지가 집중되어 있기 때문에 일어난다고 생각한다. 작업을 효과적으로 하고 있을 때에는 대단히 민감하고 잘 조율된 상태에 있게 되며, 그런 상태는 느낌을 고양시키고 의식 수준을 높인다. 때때로 그렇게 떠오르는 단어가 카드 해석과 관련이 없고 엉뚱하고 심지어 우스꽝스럽게 보일 때도 있지만, 나는 그런 단어들에도 주의를 기울이고 어쨌든 내담자에게 말해 줘야 한다는 것을 알게 되었다. 당신의 내담자는 당신이 무엇을 말하고 있는지 즉시 알아차릴 때도 있고, 그렇지 않을 때도 있다. 어느 쪽이든 나는 내담자에게 훗날 이 말이 무슨 뜻인지 이해하게 될 수도 있으니 기억해 두라고 말한다.

대답이 '아니오'일 때 보는 것을 말해 주는 방법

나는 앞에서 타로 해석자가 '좋은 소식'만을 전해 줄 때의 문제점에 대해 언급했다. 바꿔 말하면, 우리는 내담자가 듣기 원하는 것을 말해 주고 싶어 하기 때문에 내담자가 듣고 싶어 하지 않는 것을 말해 주는 것은 결코 쉬운 일이 아니다. 이것은 내가 이미 알고 있는 사람들에게 타로를 해석해 주기가 어렵다는 또 다른 이유이다. 왜냐하면 좋은 답을 해 주고 싶다는 욕망이 더 강하기 때문이다.

염두에 두어야 할 두 가지 중요한 점이 있다. 첫째로, 우리가 난관들을 그럴싸하게 얼버무리거나 더 어려운 카드들을 미화한다면, 그것은 어느 누구에게도 도움을 주는 것이 아니다. 내가 아직 타로 해석을 시작하지 않았을 때인 오래 전에 나에게 이런 일이 일어났는데 지금도 생생히 기억난다. 나는 한 남자에게 푹 빠져 있었지만 힘든 관계였고, 그래서 이 문제가 좋게 풀리기를 간절히 바라고 있었다. 카드 해석의 요지는 그가 나에게 반해 있고, 우리는 함께 살 운명이며, 모든 일이 멋지게 잘 풀릴 것이라는 것이었다. 하지만 실제는 그렇지 않았다. 결과적으로 나의 맹목적인 믿음은 오히려 더욱 강해졌

밑에 있는 카드는 당신의 현재 위치, 당신이 지금 있는 곳을 보여 준다. 위에 있는 카드는 배열에서 가장 중요한 카드 가운데 하나로서 당신을 방해하는 것 혹은 문제를 일으키고 있는 것을 보여 준다.

여황제 카드는 모성이나 임신, 또는 임박한 출산이나 최근의 출생이라는 맥락에서 나오는 경우가 많다. 관계라는 면에서 볼 때는 우리의 사랑이 강박적이거나 잘못된 것이 아니라 건강하다는 것을 나타낸다.

죽음 카드가 실제 죽음을 의미하는 경우는 거의 없다. 이 카드는 어떤 상황이나 생활 방식, 직업 또는 관계가 죽었거나 끝나고 있다는 것을 상징적으로 말해 준다. 상징화된 변화는 대개 깊고 지속적이다.

고 모든 명백한 문제들을 계속 무시하게 되었을 뿐이다.

둘째로, 사람들은 그들의 문제나 골칫거리를 확인받기를 원한다. 만약 어떤 사람이 이미 불행하거나 곤경에 처해 있거나 채무에 시달리는 등 난관에 봉착해 있다면, 그가 무엇보다도 듣고 싶어 하는 말은 미래가 온통 장밋빛이라는 약속이지만 그 자신도 그렇지 않다는 것을 너무나 잘 알고 있다. 우리는 상투적인 말이 아니라 통찰력과 해답을 제시하기 위해 상담을 하고 있는 것이라는 점을 기억해야 한다.

반대로, 우리는 어둡고 불길한 소식만을 전하는 사람일 필요가 없다. 가장 어렵고 힘든 배열이 나온다고 해도 그것은 확정된 판단을 내리는 것이 아니라, 앞으로 나아갈 수 있는 최선의 방법을 찾고 문제에 대처할 수 있는

반복해서 나오는 카드

나는 일단 켈틱 크로스 배열을 마치고 나면, 필요한 경우 더욱 특정한 질문을 위해 또 다른 카드 배열을 한다. 그럴 때는 탁자 위에 있는 10장의 카드를 모아서, 내담자가 처음에 10장의 카드를 내게 돌려준 뒤 그대로 있던 나머지 카드들의 밑에 넣는다. 나는 내담자에게 다시 카드를 섞어 달라고 요청하고 똑같은 과정을 밟는다. 카드를 엎어 놓은 상태로 부채꼴로 편 뒤, 내담자에게 필요한 만큼 많은 카드를 고르라고 요청한다. 이때는 첫 번째 배열에서 나왔던 카드가 또다시 나오는지를 지켜보는 것이 중요한데, 놀랍게도 또다시 나오는 일이 자주 일어난다. 떨어진 카드와 마찬가지로 되풀이해서 나오는 카드는 중요한 것, 표면으로 드러날 필요가 있는 것을 알아볼 수 있도록 돕는다. 그리고 되풀이해서 나오는 카드는 카드 해석에 대한 확인이나 증거의 역할을 하는 경우가 많을 것이다.

아이디어와 전략을 찾기 위해 상황을 살펴봐야 하는 경우일 때가 많다. 그러나 결국 그 사람의 소원을 저버려야 한다면, 가능한 한 부드럽게 그 소식을 전해 주도록 노력해야 한다. 나는 보통 이렇게 말해 준다. "당신이 듣고 싶어 하는 말이 아닌 줄은 알지만, 어쨌거나 제가 본 것을 말씀드려야겠군요. 사실대로 말씀드리자면, 카드 속 그림이 대단히 긍정적이지는 않네요." 혹은 "환상을 깨트리고 싶지는 않지만, 당신이 원하는 대로 이루어지지는 않을 것 같군요." 이렇게 말하기도 한다. "모든 일이 완벽하게 해결될 거라고 말씀드리고 싶지만, 그렇게 될 것 같지는 않군요."

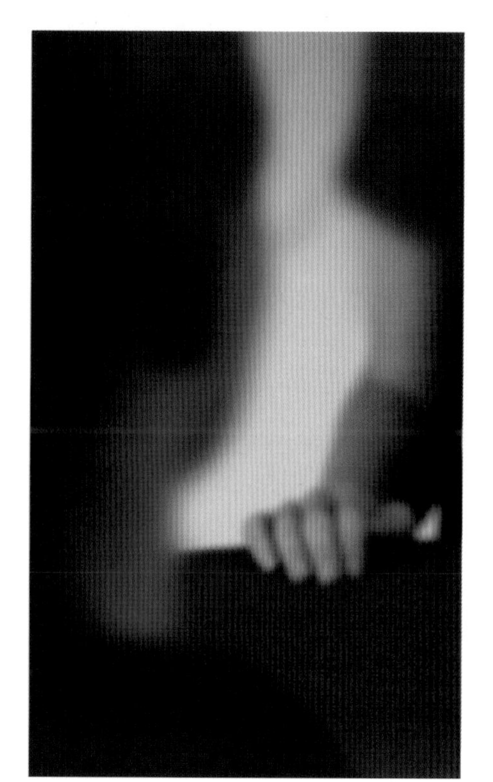

시간 지키기
시간 가는 줄 모르고 몇 시간이라도 더 앉아 있을 것만 같은 내담자를 불가피하게 만나게 될 것이다. 이런 경우에 내담자는 대부분 타로에 매료된 사람이다. 만약 정말로 더 상담해야 할 진짜 문제들이 있다면, 나는 추가 상담을 하는 것이 어떻겠느냐고 제안한다.

극단적인 경우에, 만약 내담자가 어떤 이유에서건 재난의 길을 고집하는 것으로 보이면, 좀더 긴박하고 단호한 어조로 "당신이 정말로 이렇게 하려고 한다면, 아주 힘겨운 싸움을 각오해야 할 거예요."라고 하거나 "이 길은 쉬운 길이 아닌 것 같은데요. 더 많은 곤경을 초래하고 있는 것은 아닌지 생각해 보는 편이 좋겠네요."라고 얘기한다.

마무리하기

시작하는 것도 어려울 수 있지만 카드 읽기를 만족스럽게 끝내는 것도 중요하다. 우선, 상담 시간을 미리 밝혀 두면 일이 훨씬 쉬워질 수 있다. 내담자와 약속이 정해지면, 나는 항상 내담자에게 상담 시간이 이야기할 내용의 분량에 따라 30분에서 45분 정도 지속될 것이라고 알려 주고, 탁자 위에 시계를 올려 둔다. 이것은 상담 시간을 지키기 위한 것이기도 하지만, 손목시계를 계속 쳐다보는 등 불쾌감을 줄 수 있는 행동을 방지하기 위한 것이기도 하다. 대부분의 사람들은 마칠 시간이 다가오면 자연스럽게 카드 읽기를 마치게 된다.

그러나 시간이 흘러가는 것을 의식하지 못하는 내담자에게는 부드럽게 상기시켜 주는 방법을 찾는다. 시간을 지키기가 어려울 것 같다고 일찍 감지되는 경우에는 다음과 같이 미리 이야기해 둔다. "이제 5분에서 10분 정도 남았군요. 다른 질문이나 특별히 관심 있는 문제가 있나요?" 그러고 나서 해석한 내용의 요점을 정리해 주고 카드 읽기를 마치며, 내담자에게 가장 흥미롭고 중요한 부분이 무엇이었는지를 물어본다.

배열 읽기

타로 카드에 대한 인기가 높아지면서 카드 배열의 방법도 다양해졌다. 어떤 배열을 사용해야 할 것인지에 대해서 확실히 정해진 규칙은 없으며, 여러 가지 배열 방법을 실험해 보고 자신에게 가장 잘 맞는 방법을 찾으면 된다.

카드를 배열하기 시작하면서 내가 처음 하는 일은 아무 말도 하기 전에 먼저 카드 읽기의 전반적인 느낌을 잡기 위해 집중하는 것이다. 대부분의 배열은 다소 혼합된 이미지를 나타내지만, 해석자의 첫 인상과 직감적인 반응은 큰 도움이 된다. 타로는 매우 시각적이기 때문에 해석자가 받는 첫 느낌은 밝음과 어두움, 쉬움과 어려움, 행복과 슬픔처럼 아주 단순할 것이다. 전반적인 이미지는 각 카드들만큼 중요하며, 이 이미지에 주의를 기울이면 카드를 순조롭게 읽는 데 도움이 될 것이다.

처음에 고려해야 할 점들

더욱 의식적이고 체계적인 수준에 이르면, 당신은 어떤 특정 그룹이 지배적인지를 알아차릴 수 있고 또 단순하게 정리할 수 있다. 나는 배열된 카드들 가운데 어느 것이 가장 어려운 카드들이며, 그것들이 어디에 위치하고 있는지를 관찰한다. 그것들이 과거에 있다면 최악의 상황은 지나간 것이지만, 미래에 있다면 해결되어야 할 문제들이 앞에 놓여 있다는 뜻이다.

결과 카드가 긍정적이라면 이러한 문제들과 씨름할 가치가 있지만, 부정적이라면 승산 없는 싸움을 하고 있을 가능성이 많다.

이러한 전반적인 평가는 카드 읽기를 위한 틀을 제공하며 한눈에 훑어보고 재빨리 해석할 수 있게 해 준다. 꾸준히 연습을 하면, 마지막 카드를 배열할 때쯤에는 모든 것이 머릿속에 들어올 것이며 거의 곧바로 카드 해석을 시작하게 될 것이다.

이 점과 관련하여 나는 카드를 해석하기 전에 너무 오랫동안 심사숙고를 하는 것은 역효과를 가져온다고 생각한다. 나는 머뭇거리게 되고 내담자는 불안해진다. 나는 곧바로 해석을 시작하는데, 대개는 과거 카드로 시작하지만 때로는 현재 카드로 시작한다. 이때 당신이 주는 정보와 내담자의 반응은 전반적인 카드 읽기의 얼개에 포함될 것이다. 당신은 이 카드들을 통해 내담자의 삶과 질문들의 맥락을 세울 것이기 때문이다.

단순하게 하기

나는 장황하고 복잡한 배열은 효과가 없다는 것을 알게 되었다. 배우기도 어려울 뿐더러 어떤 정해진 의미들은 무의미해 보이기도 한다. 수백 가지의 배열이 있지만 나는 이 장에서 제시하는 카드 배열들을 고수하는 편이다. 그것들은 어떤 종류의 질문들에 대해서도 적절한 답이 되기 때문이다.

카드를 배열하면서 설명하기 전에
카드 읽기의 전반적인 느낌을 잡는 것이 중요하다.
당신의 첫 인상은 큰 도움이 될 수 있다.

메이저 아르카나 카드가 3장이나 4장 이상 나온다면,
특히 그것들이 중요한 위치를 차지하고 있다면
중요한 사건이나 삶의 변화를 예상할 수 있다.

특정한 마이너 아르카나 그룹의 카드들이 많이 나오면
그 짝패와 관련된 문제를 나타낸다. 예를 들어,
펜타클 짝패가 많이 나오면 돈에 관한 문제들을 가리킨다.

궁정 카드들이 많이 나올 때는 다른 사람이 내담자의
인생에 중요한 자리를 차지하고 있거나 영향을 미치거나
간섭하고 있다는 것을 나타내는 경우가 많다.

켈틱 크로스 배열

켈틱 크로스 배열은 가장 널리 쓰이고 있는 배열이다. 나는 카드 읽기를 할 때마다 이 배열로 시작한다.
카드들의 순서와 카드의 의미는 책에 따라서 조금씩 다르게 설명되고 있다.

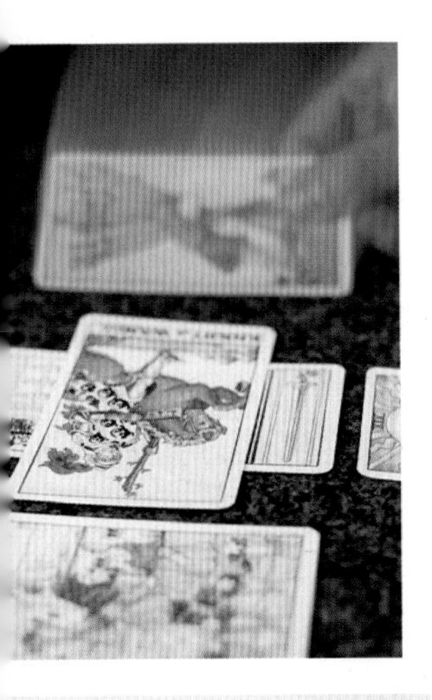

여기에서 소개하는 켈틱 크로스 배열은 내가 처음 이 배열을 배운 줄리엣 샤먼 버크(Juliet Sharman-Burke)의 『타로의 완결서(The Complete Book of Tarot)』[18]를 기준했다. 카드의 번호는 놓이는 순서대로 매겨진다. 나는 전통적인 의미들, 예를 들어 4번 카드의 경우 '당신 아래에 놓인 것—당신의 삶에서 지나간 것'이라는 의미들뿐 아니라 반대로 제시된 점들도 사용한다. 그리고 나는 나만의 시간 측정 기준을 사용한다. 1번과 2번 카드는 이번 달로 보고, 3번 카드와 6, 7, 8, 9, 10번 카드에 차례로 한 달씩 더한다. 이것은 결과 카드가 현재를 기준으로 6개월을 넘지 않는다는 뜻이다. 이것은 고정된 기준이 아니라 하나의 지침이다.

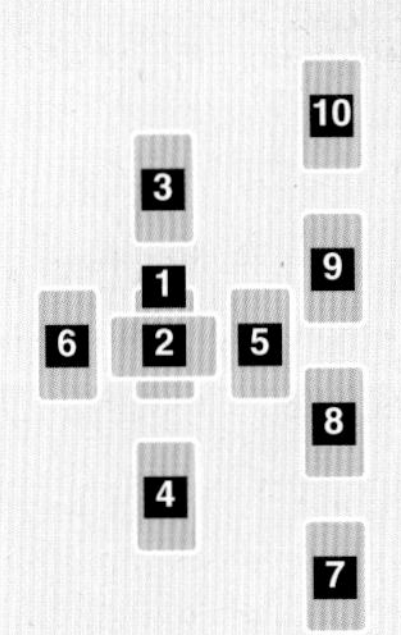

켈틱 크로스 배열

1 현재의 위치
2 당신을 방해하는 것
3 당신의 위에 있는 것—가까운 미래
4 당신의 아래에 있는 것—삶에서 지나간 것
5 당신의 뒤에 있는 것—가까운 과거
6 당신의 앞에 있는 것—미래
7 당신이 자신을 찾을 수 있는 곳
8 당신의 주위 환경 및 당신에 대한 타인들의 평가
9 당신의 희망과 두려움
10 결과

아래의 번호들은 카드들이 해석되는 순서를 나타낸다.

4 당신의 아래에 있는 것– 삶에서 지나간 것

나는 항상 과거 카드부터 해석을 시작한다. 이것은 비교적 오래전의 과거를 말한다. 이 카드는 가장 먼 과거의 시점과 관계가 있으며, 일반적으로 일어난 지 1년 이상 된 사건들을 말한다. 어떤 경우에는 더 오래전 일을 언급하기도 한다. 이 카드의 중요성을 과소평가하지 말아야 한다. 우리의 삶에서 지나가는 것들은 직접적이든 간접적이든 우리의 현재 모습에 흔적을 남기기 때문이다.

5 당신의 뒤에 있는 것–가까운 과거

이 카드는 대체로 가까운 과거를 나타내며, 6개월 이내에 일어난 사건들을 가리킨다. 다시 말하지만, 이것은 고정된 기준이 아니라 하나의 지침일 뿐이다. 나는 4번과 5번 카드의 조합이 인생의 전환점, 또는 당신을 변화시키거나 영향을 미쳤고 당신의 현재 위치에 주된 원인이 된 일련의 사건이나 선택들을 나타낸다는 것을 자주 보게 된다.

1 현재의 위치

이 카드는 당신이 현재 처한 위치를 설명한다. 이것은 현재 전개되고 있는 중요한 경험과 같은 외부 세계, 또는 감정 상태나 태도와 같은 내면세계를 말할 수도 있다. 두 가지 세계 모두를 나타낼 수도 있다.

2 당신을 방해하는 것

이 카드는 배열에서 가장 중요한 카드 가운데 하나이다. 이 카드는 거의 항상 문제의 핵심을 가리키며, 당신에게 문제를 일으키고 있거나 당신이 정말로 원하는 것을 방해하고 있는 사람 또는 사물이다. 대개 1번 카드와 2번 카드의 결합은 당신이 현재 처해 있는 어려운 상황을 요약하는 경우가 많다.

3 당신의 위에 있는 것–가까운 미래

이 카드는 아주 가까운 미래에 다가올 문제를 말한다. 대체로 한 달 앞의 일을 나타낸다.

6 당신의 앞에 있는 것–미래

이 카드도 가까운 미래를 나타내지만, 대개 앞으로 2개월 정도의 미래를 뜻한다. 흔히 3번과 6번 카드는 함께 곧 닥칠 사건들이나 영향력을 보여 준다.

7 당신이 자신을 찾을 수 있는 곳

이 카드는 주로 당신의 감정 상태를 말한다. 당신은 다른 사람이나 어떤 특정한 문제와 관련하여 긍정적인 위치에 있을 수도 있고 부정적인 위치에 있을 수도 있다.

8 당신의 주위 환경 및 당신에 대한 타인들의 평가

이 카드는 환경이나 주위 상황을 말해 준다. 그리고 당신이 의식적으로나 무의식적으로 투사하는 이미지들도 묘사할 수 있다.

9 당신의 희망과 두려움

이 카드는 당신이 특별히 원하는 것이나 가장 걱정하는 문제를 말해 준다.

10 결과

어떤 배열에서든지 결과 카드는 문제의 결말, 최종 결과를 말해 주기 때문에 언제나 가장 중요한 카드 가운데 하나이다.

덧붙이자면, 나는 마지막 네 장의 카드에 대해서는 이런 특정한 범주들을 늘 적용하지는 않는다. 내 경험에 따르면, 전통적인 의미에 더해 7번에서 10번까지의 카드들은 당신의 감정, 소망, 환경뿐만 아니라 다가올 일련의 사건들도 보여 주는 경향이 있었다. 정해진 의미를 부여한 것은 카드 해석을 제한하려는 것이 아니라 돕기 위한 것이므로 융통성 있는 자세가 중요하다.

관계 배열

내가 언제나 이 배열을 사용한다는 사실은 놀랄 만한 일이 아니다.
사랑, 인간관계, 연애 사건 등에 대한 질문은 해석자들이 가장 흔히 받는 질문이다.

관계 배열은 아주 간단하지만, 이미 누군가와 관계를 맺고 있는 사람이나 새로운 사람과 만나고 싶어 하는 사람에게 풍부한 정보를 제공한다. 가족이나 직장 동료들과의 관계에 대해 사용할 수도 있다.

이 배열은 일곱 장의 카드로 구성된다. 한 장은 질문자를 위한 것이며, 또 한 장은 상대방을 위한 것이다. 이 두 장의 카드가 제일 먼저 깔리고, 나머지 다섯 장이 그 위에 초승달이나 말편자 모양으로 놓인다.

이 다섯 장의 카드는 차례로 현재의 상태, 떠오르는 문제들, 문제의 핵심, 가까운 미래, 먼 미래를 말해 준다.

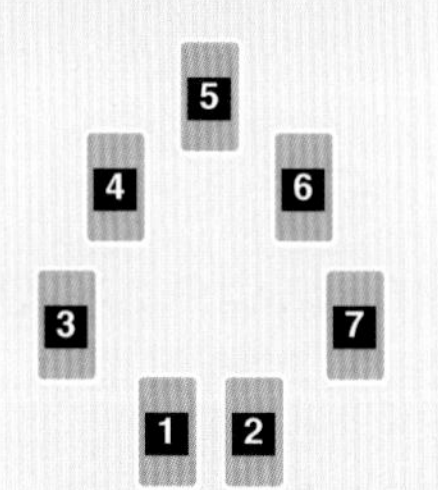

관계 배열

1 질문자
2 상대방
3 현재 상황
4 떠오르는 문제들
5 문제의 핵심
6 가까운 미래
7 먼 미래

1 질문자

이 카드는 질문하는 사람의 표시자 역할을 한다. 이것은 질문자가 이 관계에 대해 어떻게 느끼고 상대방과 관련하여 어떤 상태에 있는지를 나타낸다.

2 상대방

이 카드는 질문의 대상이 되고 있는 사람의 표시자 역할을 한다. 이것은 상대방이 이 관계에 대해서 어떻게 느끼고 질문자에 대해 어떤 태도를 보이는지를 나타낸다.

3 현재 상황

이 카드는 관계의 성질이 현재 어떠한지를 나타낸다. 만약 관계에 문제가 있다면, 이 카드는 주요한 쟁점과 현재의 분위기를 간추려 준다.

4 떠오르는 문제들

이 카드는 관계가 향하고 있는 가까운 미래를 나타내며, 두 사람 간 중요한 쟁점들의 성질을 나타낸다.

5 문제의 핵심

이 카드는 해석에서 핵심적인 역할을 할 수 있다. 긍정적인 카드는 난관들이 많을지라도 전망은 좋다는 것을 가리킨다.

6 가까운 미래

나는 이 카드를 6개월에서 12개월 사이의 미래로 본다. 긍정적인 카드는 그 관계가 바람직한 방향으로 향하고 있다는 것을 나타낸다. 어려운 카드는 문제들이 다가오고 있음을 보여 준다. 하지만 마지막 카드도 부정적이라면, 그 관계가 끝남을 의미하거나 새로운 사랑에의 관심은 가망이 없다는 것을 의미한다.

7 먼 미래

나는 이 카드를 이듬해를 나타내는 것으로 본다. 어려운 카드는 미래에 좋은 징조가 아니다. 왜냐하면 그 관계가 심한 갈등을 겪거나 시련을 통과하지 못할 것임을 암시하기 때문이다. 긍정적인 카드는 행복한 결과를 약속한다. 설령 나머지 카드들이 모두 어려움을 나타낸다고 해도, 이 카드가 있다면 노력해 볼 만한 관계라고 볼 수도 있다.

그가 나에게 청혼할까요?

관계에 대한 어떤 질문이건 긍정적인 컵 카드가 나오면, 이것은 성공과 행복을 가리킨다. 옆의 사진에서 질문자 카드로는 컵 9번 카드(만족)가 나왔는데, 더 좋은 것은 그녀의 상대방이 구혼자인 컵의 기사 카드로 나온 것이다. 그래서 나는 청혼이 임박했다는 것을 안심하고 말할 수 있었다. 현재의 상황은 지팡이의 여왕 카드(확신과 안정)였고, 이어지는 두 장의 메이저 아르카나 카드들은 전진과 완성을 보여 주었으므로 앞날도 장밋빛으로 보였다. 가까운 미래를 보여 주는 지팡이 2번 카드는 앞날의 계획을 말했고, 훌륭한 결과 카드인 지팡이 6번 카드는 성공을 약속했다.

말편자 배열

이것은 광범위한 질문에 사용될 수 있는 매우 쉽고 유용한 배열이다.

나는 인간관계와 상관이 없는 특정한 질문에 대해서는 켈틱 크로스 배열을 한 뒤에 이 배열을 사용한다. 이 배열은 관계 배열과 거의 비슷하며, 밑의 두 카드만 빼고 5장의 카드를 초승달 모양으로 배열한다.

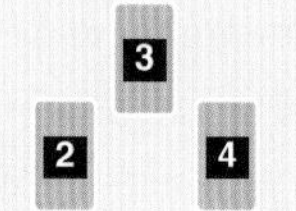

말편자 배열

1 현재 상황
2 당신 앞에 있는 것
3 문제의 핵심
4 가까운 미래
5 먼 미래

1 현재 상황

이 카드는 문제의 현재 상태, 질문자의 태도나 마음 상태, 또는 그 둘의 조합을 보여 준다.

2 당신 앞에 있는 것

이 카드는 그 문제의 임박한 미래, 떠오르는 쟁점들, 앞길에 놓인 가장 주요한 디딤돌을 보여 준다.

3 문제의 핵심

관계 배열에서와 마찬가지로 이 카드는 중심 위치를 차지하며, 전체 그림에서 커다란 비중을 갖는다. 이것은 다른 모든 것들의 중심에 있는 핵심 문제를 드러낼 수 있다. 만약 이 카드가 다른 사람을 가리킨다면, 그는 그 상황에서 힘을 가진 사람일 수 있으며 그의 행동이나 결정은 중추적일 것이다.

4 가까운 미래

첫 번째 결과 카드는 사건들이 앞으로 6개월 동안 어떤 모습을 취할 것인지를 가리킨다. 긍정적인 카드는 당신이 올바른 궤도에 있다는 것을 보여 준다. 어려운 카드는 결과들이 힘들게 얻어질 것을 나타내지만, 최종적인 결과를 알려면 먼 미래를 나타내는 5번 카드를 보아야 한다.

5 먼 미래

최종 결과 카드는 결정적으로 중요하다. 어려운 카드는 일반적으로 실패를 나타낸다. 그 일이 실패로 끝나거나 안 좋게 끝날 것이다. 긍정적인 카드는 우리가 원하는 결과를 얻을 것임을 나타낸다. 만약 배열의 나머지 카드들이 대부분 긍정적이라면, 결과들이 빨리 이루어질 수 있다. 만약 나머지 카드들이 대부분 어려운 것이라면, 우리가 원하는 것을 결국은 얻겠지만 상당한 노력 없이는 안 될 것이다.

그 밖의 배열들

한 장의 카드 읽기

이것은 내가 자주 사용하는 방법은 아니지만, 만약 '예'나 '아니오'로 대답할 수 있는 명확한 질문을 받는다면, 이것은 빠르고 효과적으로 답하는 방법일 수 있다. 물론 당신은 대부분의 질문을 '예'와 '아니오'라는 간단한 대답으로 줄일 수 있지만, 그러면 큰 테두리 안에서 나름의 역할을 하는 다른 영향이나 요인들을 탐구할 기회를 놓치게 될 것이다. 컵의 시종과 관련하여 한 장의 카드 읽기 사례를 앞에서 언급했다.

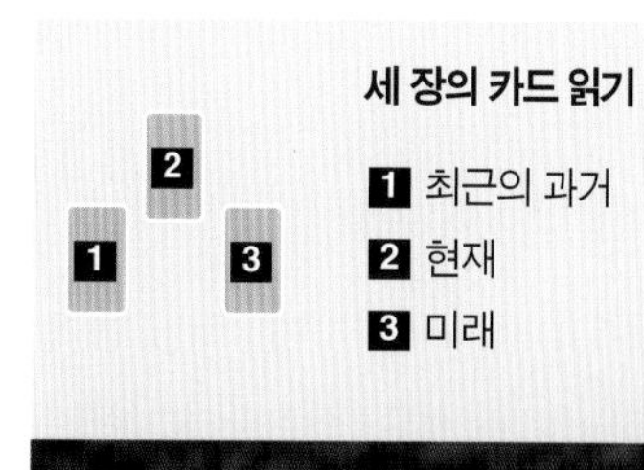

세 장의 카드 읽기

이것은 매우 간단하면서도 효과적인 배열이다. 나는 질문이 단순하고 명확할 때는 이 방법을 사용하기도 한다. 세 장은 각각 과거의 영향들과 주요 쟁점들, 그 문제의 현재 상태, 그리고 그 상황의 결과를 의미한다.

자기만의 배열을 고안하기

타로 사용법을 배우고 효과적인 해석자가 되는 법을 배울 때는 전통적인 두어 가지 배열법을 고수하는 편이 더 쉽다. 여기에 충분히 능숙해진 뒤에는 카드를 읽는 자기만의 방법을 고안할 수 있을 것이다.
만약 당신이 자기만의 배열을 고안하여 어떤 카드는 현재의 순간에 할당하고 어떤 카드는 질문자를 나타내는 것으로 할당한다면, 이 카드들은 당신이 이 특정한 배열을 할 때마다 그런 의미들을 유지해야 한다. 켈틱 크로스 배열 후 언급한 바와 같이 얼마간의 유연성은 해석의 기술에 유용하지만, 확고한 체계를 갖고서 시작하는 것이 중요하다. 과거 카드는 항상 과거를 나타내야 하고, 미래 카드는 항상 미래를 나타내야 하는 것이다. 갑자기 의미를 바꾸기로 결정하면 혼란스러운 예측만 초래할 것이다.
가장 중요한 것은 당신이 편안하게 느끼면서 넓은 범위의 질문들을 다루기에 충분한 시야를 얻을 수 있는 여러 가지 배열들을 익히는 것이다. 일반적으로는 당신이 좋아하고 가장 쉽게 할 수 있는 배열들이 당신에게 가장 효과적으로 작용하는 배열들일 것이다.

감사의 말

아래에 열거한 분들에게 무한한 감사를 드린다. 상투적인 표현이기는 하지만, 그분들이 없었다면 이 책은 세상에 결코 나올 수 없었을 것이다.

놀랍고 비범한 흙의 여성 두 분에게 감사드린다. 두 분 모두 내 상승궁과 결합된 강력한 전갈자리에 행운의 목성을 갖고 있다. 뛰어난 치료사인 염소자리의 조슬린 채플린은 '이상한'이 '평범하지 않은'이라는 뜻임을 설명해 줌으로써 내 삶을 변화시켰고, 나 자신의 창조의 힘을 내게 드러내 주었다. 그리고 나의 에이전트인 경이로운 황소자리 여성 애니 타탐 마놀은 당신만 알듯이 흐름을 바꾸었고 내 꿈을 실현시켜 주었다.

나의 모든 동료들에게 감사드린다. 엘리자베스 브루크는 특히 아이디어와 시험 작업의 단계에서 실제적인 도움과 용기, 통찰력을 주었다. 내게 오랫동안 영감을 준 데 대해 점성가 협회의 모든 분들, 특히 매기 하이드, 제프리 코넬리어스, 샐리 커크맨, 팻 블래키트, 버논 웰스, 그래미 토빈, 앨런 조운스, 그리고 위대한 고(故) 데렉 애플비에게 감사드린다.

친구이자 치료사인 폴 히칭스에게 감사드린다. 그는 오랫동안 사랑과 지원과 격려를 해 주었고, 무수히 많은 시간 동안 멋진 토론과 논쟁을 해 주었다.

앨리스와 피트 해치의 우정과 도움은 줄곧 큰 힘이 되었다.

자신들의 카드 읽기를 게재할 수 있도록 허락해 준 나의 모든 고객들에게 깊이 감사드린다.

캐롤 앤드 브라운 출판사의 직원들은 이 책에 지혜와 전문적인 조언을 불어넣어 주었고 끝까지 믿어 주었다.

마지막으로 내 흙의 짝인 찰스에게 그의 사랑과 특히 비할 수 없는 열정에 대해 감사드린다. 그리고 언제나 나를 믿어 주는 쌍둥이 자매 수에게 이 책을 바친다.

색인

주석

1. *The Shorter Oxford English Dictionary*, London, Guild Publishing, 1990
2. Jung, Carl. *Man and His Symbols*, London, Aldus Books, 1964, p.41
3. Jung p.41
4. Hyde, Maggie. *Jung and Astrology*, London, The Aquarian Press, 1992, p.69
5. Jung p.41
6. Greene, Liz. *The Astrology of Fate*, London, Unwin Paperbacks, 1984
7. Fontana, David. *The Secret Language of Symbols*, London, Pavilion Books, 1993, p.171
8. Ozaniec, Naomi. *The Element Tarot Handbook*, Shaftesbury, Dorset, Element Books, 1994, pp.31-32
9. Greene, Liz. p.10
10. Casey, Caroline W. *Making the Gods Work for You*, New York, Three Rivers Press, 1998, p.106
11. Casey, Caroline p.106
12. Gibran, Kahlil. *The Prophet*, London, Heinemann, 1989, p.93
13. *The Shorter Oxford English Dictionary*
14. Pollack, Rachel. *78 Degrees of Wisdom*, London, Thorsons, 1995, p.98
15. Pollack, Rachel p.98
16. Congreve, William. "The Mourning Bride," from *A Dictionary of Famous Quotations*, Pan Books, London, 1973
17. Walker, Barbara G. *The Woman's Dictionary of Symbols and Sacred Objects*, San Francisco, HarperSanFrancisco, 1998, p.134
18. Sharman-Burke, Juliet. *The Complete Book of Tarot*, Pan Books, London, 1985